CUANDO ME VEAS

LAURA GALLEGO

CUANDO ME VEAS

CROSS BOOKS

Crossbooks
infoinfantilyjuvenil@planeta.es
www.planetadelibrosinfantilyjuvenil.com
www.planetadelibros.com
Editado por Editorial Planeta, S. A.

© del texto, Laura Gallego, 2017
© Editorial Planeta S. A., 2017
Avda. Diagonal, 662-664, 08034 Barcelona
Primera edición: marzo de 2017
ISBN: 978-84-08-16756-3
Depósito legal: B. 2.632-2017
Impreso en España – *Printed in Spain*

El papel utilizado para la impresión de este libro es cien por cien libre de
cloro y está calificado como **papel ecológico**.

La invisibilidad es un magnífico aliado para observar el mundo sin que nadie te moleste

Elena Ferrante

1

La primera vez que Valentina Reyes se volvió invisible estaba escondida en el armario de la limpieza de su colegio. Entonces tenía nueve años y se había metido allí, muerta de miedo, rezando para que su perseguidor pasara de largo sin descubrirla.

No había muchas posibilidades de que eso sucediera. El armario de la limpieza era pequeño y estaba abarrotado de trastos. Trató desesperadamente de encogerse en un rincón, consciente de que Kevin Ramírez la encontraría en cuanto abriese la puerta.

Oyó los pasos y las voces de Kevin y sus amigos en el corredor:

—¿Por dónde se fue?

—¿La ven? ¿La ven?

—Mira allá dentro, Kevin.

Los pasos se acercaron. Tina gimió, aterrada; la puerta se abrió con violencia, y ella cerró los ojos y se cubrió el rostro con las manos como si así pudiese escapar del haz de luz que la bañaba por completo.

Hubo un breve silencio. Tina no habló ni se movió, temblando ante la enorme presencia de Kevin frente a ella. Y entonces su voz resonó como el resoplido de un búfalo:

—No está, pana.

—¿Qué? ¿Cómo que no?

Otra cabeza asomó por encima del hombro de Kevin, y Tina, que había retirado las manos del rostro, se topó con las miradas de ambos chicos, llenas de rabia y frustración; pero, ante su sorpresa, ellos pasaron por alto su presencia y, con un gruñido de contrariedad, volvieron a cerrar de golpe la puerta del armario.

Aún sin poder creerlo, Tina oyó, entre los clamorosos latidos de su corazón, los pasos y las voces de los chicos, que se alejaban pasillo abajo:

—Bah... solo es una mocosa.

—Pero ¿y si después lo va sapeando por ahí?

—¿Esa? —se burló Kevin—. Si estaba cagada de miedo...

Tina inspiró profundamente, aún sin poder asimilar su buena suerte. No la habían visto. ¡No la habían visto!

Dio por sentado que se trataba de un increíble golpe de suerte. O de un milagro, quizá, aunque ella no creía demasiado en los milagros. Camila, su madre, solía decir que los milagros sí existían de verdad, pero que siempre les sucedían a otras personas. Nunca a gente como ellas.

En aquel momento, Tina no le dio demasiadas vueltas al asunto. Estaba ilesa, y eso era lo principal.

Se preguntó si sería capaz de esquivar a Kevin durante las dos semanas escasas que quedaban de curso. No iban a la misma clase; por lo que sabía, él estaba ya en sexto. Con un poco de suerte, aquel sería su último curso en el colegio, y Tina ya no tendría que volver a preocuparse por él.

Hasta aquella misma tarde, de hecho, Kevin Ramírez ni siquiera había sabido de su existencia. Para él y sus amigos, Tina era solo una niña de cuarto más. Demasiado insignificante como para que reparasen en ella.

Pero era amiga de Raquel Serrano.

Aquella relación, como casi todo en su vida, había comenzado de manera fortuita. El año anterior, la profesora las había sentado juntas el primer día de clase por alguna razón que Tina ya no recordaba. Durante las primeras semanas apenas habían cruzado palabra. Parecían muy diferentes por fuera; la piel morena de Tina contrastaba con el rostro pálido y salpicado de pecas de su compañera, enmarcado por una rizadísima melena pelirroja. Raquel, además, era alta y delgada, de miembros largos y desgarbados. En cambio Tina tenía el rostro redondo, melena lisa y oscura, estatura discreta y tipo indiscutiblemente latino. De no haber sido por sus ojos color avellana, que suponía que había heredado de su padre, habría parecido un clon en pequeño de su madre.

Las dos niñas daban por sentado que no tenían gran cosa que decirse. Sin embargo, con el tiempo se acostumbraron a su mutua presencia, acabaron por pasar juntas los recreos y por compartir parte del camino a casa a la salida del colegio.

El curso siguiente se buscaron en el aula para volver a sentarse juntas.

No quedaban los fines de semana ni en vacaciones, y Tina no sabía gran cosa acerca de la vida o la familia de su amiga. Raquel no hablaba mucho de sí misma, pero tampoco hacía preguntas. Probablemente las dos tenían muy claro lo que eran para la otra: apoyo y compañía en un entorno que no comprendían del todo y que a menudo las superaba.

Para entonces, todo el que había reparado en ellas alguna vez se había acostumbrado ya a verlas siempre juntas. No era el caso de Kevin y sus amigos, que se sentían muy por encima de los niños de cuarto. Para ellos, Raquel no existía... hasta que una tarde, a primeros de enero, coincidieron con ella y con Tina en el quiosco.

Las dos niñas habían salido del colegio hablando de lo que habían hecho en vacaciones de Navidad. Tina no tenía mucho que contar, pero Raquel, rompiendo su habitual discreción, le relató entusiasmada que ella y sus padres habían pasado unos días en el pueblo de sus abuelos.

—¡Hacía muchísimo tiempo que no veía a mis primos! —prosiguió—. Hemos celebrado mi cumpleaños todos juntos.

Tina no dijo nada. Ella había pasado las Navidades con su madre, que era la única familia que tenía. Si le quedaba algún otro pariente, debía buscarlo en Colombia, de donde Camila había llegado diez años atrás. De su padre no sabía ni el nombre. Solo que era español y que las había abandonado a ambas cuando Tina era apenas un bebé, pese a que Camila había emigrado a España solo para estar con él.

—Ojalá hubieras estado allí —dijo entonces Raquel, y Tina la miró sorprendida—. ¡Ya sé! ¡Vamos a celebrarlo juntas con unas chuches!

—No sé... —respondió ella, insegura de pronto, mientras su amiga la arrastraba hacia el pequeño quiosco que había delante del colegio.

Tina no solía entrar allí, salvo cuando acompañaba a su madre, que tampoco lo visitaba muy a menudo. Pero aun así se había acostumbrado a ignorar deliberadamente los estantes de las chuches, porque sabía que no podían permitirse gastarse el dinero en «frivolidades», como decía Camila. Trató de explicárselo a Raquel, pero su amiga ya se las había arreglado para deslizarse hasta el mostrador, esquivando a Kevin y a uno de sus amigos, que estaban mirando las portadas de las revistas masculinas y haciendo comentarios groseros sobre las modelos que posaban en ellas.

—Disculpe —le dijo Raquel al dueño.

El señor Damián no prestó atención. Estaba mirando a los dos chicos mayores.

—¿Habéis acabado ya? —gruñó—. Si no vais a comprar nada, podéis largaros con viento fresco.

Tina aprovechó para alcanzar a Raquel y le susurró:

—Vámonos, Raquel; no tengo dinero.

—¡Pero yo sí! —exclamó su amiga alegremente; se sacó del bolsillo un billete de veinte euros y añadió—: ¡Te invito a chuches!

Tina se quedó muy sorprendida. Jamás había tenido en sus manos un billete como aquel, y la posibilidad de que su madre le diese veinte euros para gastarlos en chuches no se le habría pasado por la cabeza ni en sus más atrevidos sueños. Se volvió a mirar a los chicos instintivamente, y descubrió algo que encendió todas sus alarmas.

Kevin, que se disponía a replicar al señor Damián, se había quedado parado, con los ojos fijos en el billete que sostenía Raquel y una inquietante expresión en el rostro.

—¿No me habéis oído? —insistió el quiosquero—. ¡Largo de aquí!

El chico sonrió como un tiburón.

—Lo que usted diga, *man* —replicó burlón.

Tina se estremeció, mientras su amiga, ajena a todo, señalaba las golosinas que iba a comprar.

—¡Mira, tienen moras!¿A ti cuáles te gustan más, las rojas o las negras?

Kevin y su amigo habían salido ya del quiosco, por lo que Tina respondió, aliviada por haberlos perdido de vista:

—No lo sé, no las he probado nunca.

—¿No? ¡Pues eso hay que solucionarlo!

Tina trató de resistirse, pero Raquel insistió en que aquel dinero se lo había dado su abuela precisamente para que invitara a sus amigas por su cumpleaños.

No tardó en olvidarse de Kevin y su ominosa mirada. Y quizá ese fue el problema: que no le costó apartarlo de su mente porque creyó que le bastaría con mantenerse fuera de su camino para no tener problemas con él.

No obstante, por alguna razón que se le escapaba, desde aquella tarde de chuches compartidas su relación con Raquel se fue deteriorando poco a poco. Ella lo atribuyó en un principio a que su amiga faltó a clase unos días, debido a una gripe o algo similar. Cuando volvió, Tina la notó pálida y más reservada que de costumbre, pero pensó que se debía a que aún se estaba recuperando de su enfermedad.

Sin embargo, Raquel se mostraba cada vez más distante, con ella y con el resto del mundo en general. Tina llegó a preguntarle si acaso estaba enfadada con ella; pero Raquel respondió que no, y la niña no volvió a insistir.

Para cuando Kevin Ramírez se cruzó de nuevo en su camino, Tina apenas tenía ya relación con Raquel, salvo por el hecho de que seguían sentándose juntas en clase. Ni siquiera compartían ya el camino de vuelta a casa; Raquel había tomado por costumbre quedarse un rato en la biblioteca después de clase para hacer los deberes. Decía que así se concentraba mejor.

Tina no se detuvo a indagar por qué una niña que sacaba buenas notas necesitaba hacer horas extras en la biblioteca. Hasta el día en que la verdad le explotó en la cara de la peor manera posible.

Aquella tarde había vuelto al colegio después de las clases al darse cuenta de que se había llevado a casa por error un libro de texto de Raquel. Al llegar al centro la buscó en la biblioteca para devolvérselo, pero no la encontró. Tina se encaminaba ya a la salida cuando, de pronto, oyó la voz de su amiga en un pasillo, y se apresuró a doblar la esquina para reunirse con ella.

Se quedó paralizada de miedo.

Allí estaba Kevin Ramírez, flanqueado por dos de sus amigos. Habían acorralado a Raquel contra la pared. La niña lloraba, muy asustada.

—Os juro que no tengo más... por favor, dejadme en paz —suplicaba.

Los chicos se rieron de ella cruelmente.

—No te creo —replicó Kevin con desprecio—. Ya me estás dando la plata, niña, o tendrás problemas. ¿Quieres ver lo que pasa si me cabreas?

—P... pero es que no tengo más —sollozó Raquel—. Mi madre ya sabe que le cojo dinero, me ha castigado...

Justo en ese momento, otro de los chicos descubrió a Tina y exclamó:

—¡Eh, eh! ¡Nos está espiando!

Los tres se volvieron hacia ella.

—¿Qué carajo estás haciendo aquí? —le preguntó Kevin con ira.

Los chicos se olvidaron momentáneamente de Raquel y avanzaron hacia Tina. Ella retrocedió unos pasos.

—Y... yo... y... ya me iba —tartamudeó, asustada.

—Tú no vas a ninguna parte.

Tina dio media vuelta y echó a correr pasillo abajo.

Oyó los pasos y las voces de los chicos, que la perseguían, y miró hacia atrás para ver si estaban muy lejos. Llegó a ver que los tenía a los tres detrás, y se le ocurrió que así Raquel podría escapar. Pero chocó de frente con otro niño, y ambos se precipitaron al suelo.

—¡Eh! —protestó el chico.

—Losientolosientolosiento —murmuró Tina, poniéndose en pie—. Me persiguen...

—¡Por allá va! —tronó la voz de Kevin tras ella.

No se entretuvo más. Dio un par de pasos cojeando por el dolor del golpe y echó a correr en cuanto pudo. Oyó a sus espaldas la voz del chico al que había arrollado.

—¡Eh, esperad! ¡Parad! ¿Qué vais a hacer? ¡Dejadla en paz!

Tina dobló la esquina y se encontró con un callejón sin salida. Trató de abrir la puerta de uno de los despachos, pero estaba cerrado.

Y fue entonces cuando se metió en el armario de la limpieza y, minutos después, se libró milagrosamente de la ira de Kevin Ramírez.

Cuando salió de allí, media hora más tarde, el pasillo estaba desierto. El instituto, también. Cruzó la verja justo cuando el conserje estaba a punto de cerrarla.

—¡Hey, hey, espabila, Maguila! —le soltó el hombre—. ¡Un poco más y te quedas a dormir aquí!

Tina le dirigió una sonrisa de disculpa y salió disparada, aún temiendo que Kevin y sus amigos la estuviesen aguardando detrás de la siguiente esquina.

Pero entró en casa sin novedad, tan asombrada por su buena suerte que apenas prestó atención a la bronca que le dedicó su madre por llegar tan tarde.

Durante las semanas siguientes, Tina acudió al colegio con cautela, haciendo todo lo posible por no cruzarse con Kevin en el patio ni en los pasillos. Su racha de suerte continuaba, y el chico no reparó en ella ni se molestó en buscarla. Cuando acabó el curso, Tina pudo respirar tranquila por fin: Kevin y sus amigos comenzarían la secundaria en septiembre y ella no volvería a verlos por el colegio nunca más.

Raquel, por otro lado, tampoco volvió a aparecer por allí. El día después del incidente en el armario de la limpieza, Tina observó con inquietud que su amiga había faltado a clase. Durante el primer descanso se atrevió a preguntarle a su tutora si sabía algo de ella.

—¿Está bien? —preguntó con ansiedad—. ¿Está enferma?

—No, que yo sepa —le respondió la profesora, lanzándole una mirada suspicaz—. Su madre ha llamado para decir que les ha surgido un imprevisto familiar y tienen que irse de viaje. Ha fallecido su abuela, parece ser.

—Oh, qué bien —se le escapó a Tina—. Quiero decir... —trató de rectificar—, que me alegro de que Raquel no esté enferma... pero no me alegro por lo de su abuela, claro... q... quiero decir... —tartamudeó, roja de vergüenza.

—Ya has dicho suficiente, Tina —la cortó su tutora—. Entiendo perfectamente lo que quieres decir. Está bien que te preocupes por la salud de tu amiga, pero eso no lo es todo. Seguro que ella estará muy triste por la pérdida de su abuela.

—Claro, muy triste —asintió ella con las mejillas ardiendo.

No volvió a preguntar por Raquel.

Los días pasaron; llegó el final del curso y su amiga aún no se había reincorporado a las clases, de modo que no pudo despedirse de ella.

Varias semanas más tarde, una calurosa mañana del mes de julio, se la encontró con su madre en el supermercado. Se acercó a saludarla con una sonrisa, pero se detuvo a medio camino, paralizada ante el gesto serio de Raquel. La contempló un momento, indecisa. Le pareció que estaba más pálida y delgada que antes, y se acordó entonces de que su abuela, la que le daba dinero para comprar chuches, había muerto.

—Hola —saludó con timidez.

Raquel la observó durante unos instantes y luego respondió con indiferencia:

—Hola.

Tina tragó saliva y dijo:

—Siento mucho lo de tu abuela.

—¿Lo de mi abuela? —repitió Raquel con extrañeza—. Ah, ya —concluyó por fin—. Gracias.

Hubo un tenso e incómodo silencio. Tina quiso preguntarle si podían quedar en vacaciones; pero Raquel no parecía dispuesta a darle conversación, por lo que al final se limitó a decir:

—Bueno, pues... ya nos veremos en el cole después del verano.

—No voy a volver al cole después del verano —replicó Raquel—, porque nos cambiamos de casa.

—¿Te vas a vivir a otra ciudad? —preguntó Tina sorprendida.

—No —respondió su amiga con cierta sequedad—, me voy a vivir a otro barrio.

Tina se quedó tan cortada que no pensó en pedirle su teléfono para mantener el contacto.

—Me tengo que ir, me están esperando —concluyó entonces Raquel, dirigiendo una mirada de reojo a su madre, que las observaba desde la sección de congelados con el ceño fruncido—. Adiós.

—Adiós —se despidió Tina, sin saber qué más decir.

—¿Quién era esa niña? —le preguntó Camila cuando se reunió de nuevo con ella.

—Raquel, una amiga de la escuela.

—Ah, ¿la que era tan amiga tuya y luego ya no quiso verte más?

—No es eso; me acaba de contar que se ha mudado y ya no vive en el barrio.

—Ah, pues mejor. Ya viste cómo te trató, como si no valieras nada. No quiero esa clase de amigas para mi hija.

Tina la miró perpleja. Era cierto que Raquel se había mostrado fría y cortante, y una parte de ella experimentó una cálida sensación de gratitud hacia su madre por salir en su defensa.

En el fondo de su corazón, sin embargo, intuía que había

algo que no encajaba. Y durante un momento quiso objetar alguna cosa, o al menos reflexionar sobre ello; pero entonces Camila cambió de tema, el instante pasó y ella ya no le dio más vueltas al asunto.

No volvió a ver a Raquel, ni en el supermercado ni en ningún otro sitio. En aquel momento dio por buenas todas las explicaciones: el fallecimiento de su abuela, el cambio de domicilio... cosas que pasan, circunstancias de la vida. El recuerdo de su amistad, por otro lado, se vio enturbiado por el extraño encuentro en el supermercado y el comentario que había deslizado su madre.

Solo algunos años después, cuando ya era mayor y más madura, fue capaz de leer entre líneas al revisar aquellos acontecimientos desde una óptica diferente. Comprendió entonces por qué la familia de Raquel había abandonado el barrio de forma tan precipitada, en busca de un lugar más amable para criar a su hija. Comprendió que lo que había visto aquella tarde en el pasillo del colegio no había sido un episodio puntual, sino que probablemente se había repetido durante meses hasta que alguien, quizá algún profesor o tal vez la propia Raquel, en un intento desesperado por escapar de aquel infierno, había dado la voz de alarma.

Lo que no comprendió fue cómo ella misma había podido estar tan ciega. Y se preguntó si no lo había visto porque era demasiado ingenua o porque no lo había querido ver.

2

Tina se las arregló para terminar la educación primaria sin meterse en líos ni llamar la atención de nadie. Acabó con notas discretas y un expediente más bien gris. Nadie esperaba grandes cosas de ella, lo tenía perfectamente asumido y actuaba en consecuencia; pero los profesores la apreciaban, quizá por la sencilla razón de que nunca daba problemas.

Aunque no se llevaba mal con nadie, no volvió a tener una amiga como Raquel, al menos en el colegio.

En el instituto, en cambio, conoció a Salima.

Fue durante el primer día de clase. Tina abordó su estreno en secundaria con el firme propósito de pasar desapercibida todo lo que pudiera. Estaba a punto de cumplir doce años y creía haber superado los acontecimientos que marcaron el final de su cuarto curso de primaria. Sin embargo, su madre no había dejado de recordarle durante las semanas anteriores que el instituto estaba lleno de chicos mayores, muchos de ellos potencialmente agresivos o peligrosos:

—Tú no busques lo que no se te ha perdido, Valentina. Que no se fijen en ti. Si haces tus tareas y no llamas la atención, no tendrás problemas.

De modo que allí estaba ella, dispuesta a ser invisible, en

sentido figurado. Atravesó el patio ocupado por hordas de adolescentes que hablaban a gritos, se reían a carcajadas y se saludaban con efusión. Se sintió muy pequeña y vulnerable. Clavó la vista en el suelo y prácticamente no la levantó hasta que llegó a su clase.

Los alumnos que alborotaban en el aula eran de la edad de Tina y no parecían tan amenazadores. A la mayoría los conocía ya del barrio, y algunos, incluso, habían coincidido con ella en el colegio. Aun así, nadie la saludó. Ella tampoco lo esperaba. Probablemente hasta se habría sentido incómoda, porque no le gustaba que se fijaran en ella.

Se instaló en uno de los asientos libres a mitad de aula, ni delante ni detrás, sin hacer ruido ni llamar la atención. Apenas unos minutos después oyó una voz femenina a su lado.

—Disculpa, ¿está ocupado este sitio?

Tina se volvió para decir que no, pero se quedó callada. La chica que se dirigía a ella mostraba una amplia y franca sonrisa y unos profundos ojos oscuros que chispeaban con alegría.

Y llevaba un pañuelo en la cabeza.

Tina no supo muy bien cómo reaccionar. En el barrio, los musulmanes formaban una comunidad aparte. Hablaban entre ellos en un idioma que ella no comprendía, y su madre solía decir que eran todos iguales, metiendo en el mismo saco a marroquíes, argelinos, sirios, turcos, palestinos o pakistaníes, pese a que no venían del mismo país y ni siquiera del mismo continente. Pero desde fuera parecía que compartían unas costumbres muy similares que chocaban con las de la tierra que los acogía.

Tina no había tratado mucho con ellos. Conocía a Mahmut, el chico de la frutería, porque siempre trataba de darles conversación cuando iban a comprar, aunque Camila se esforzase por fingir que no lo entendía cuando hablaba. Por cortesía, Tina lo saludaba cuando se cruzaba con él por la calle. Pero nada más.

La niña que tenía ante sí, sin embargo, le estaba haciendo una pregunta importante. Si la dejaba sentarse a su lado, quizá tuvieran que compartir asiento más veces. Tal vez durante el resto del curso.

Por otro lado, le había hablado en un perfecto castellano sin rastro de acento. Tina pensó que probablemente sería como ella misma: hija de inmigrantes, nacida y criada en España.

Quizá fue esto lo que la impulsó a responder:

—No, no está ocupado. Puedes sentarte si quieres.

La chica le dedicó otra de sus deslumbrantes sonrisas.

—Muchas gracias. Me llamo Salima —se presentó mientras tomaba asiento junto a ella.

—Yo soy Tina.

—¿De Martina?

—Nooo..., de Valentina.

Le resultó extraño decirlo. Solo su madre la llamaba por su nombre completo, y a Tina la hacía sentirse incómoda. Tenía la sensación de que Valentina era un nombre demasiado grande e importante para una chica pequeña como ella; como si nunca, por mucho que se esforzase, pudiese llegar a llenarlo del todo.

—Es bonito —opinó Salima.

—Yo prefiero que me llamen Tina.

—Entonces tú puedes llamarme Sal. O Sali. No, mejor Salima —bromeó ella.

Y Tina sonrió también.

Pronto se dio cuenta de que Salima hablaba mucho. Al principio le pareció cargante, pero más tarde se acostumbró, sobre todo porque a su nueva amiga no le molestaba que Tina la escuchase solo a medias y ni siquiera esperaba que ella participase en la conversación la mayoría de las veces. Si lo hacía, Salima respondía entusiasmada. Pero si no, seguía hablando igualmente. Tina no tardó en comprender que, más que hablar con la gente, Salima pensaba en voz alta. Y su mente giraba muy deprisa, como si necesitase analizarlo todo a su alrededor para poder entenderlo o, al menos, forjarse una opinión al respecto.

La amistad entre ellas surgió de forma natural. Salima conocía a muchísima gente, o eso le parecía a Tina. Ya el primer día de clase le sorprendió comprobar cuántos alumnos mayores saludaban en el recreo a su nueva compañera.

—Qué, Salima, ¿qué tal tu primer día en el insti?

—¡Hey, Salima! ¿Cómo está Hicham? ¡Hace tiempo que no lo veo!

—¡Hola, Salima, bienvenida!

Tina no pudo estar mucho con ella porque Salima se dedicó a revolotear de grupo en grupo para responder a los saludos. No obstante, la niña musulmana volvió a sentarse junto a ella en las siguientes clases y le habló con total naturalidad, como si, a pesar de que la acababa de conocer, Tina formase ya parte de su extensísima red de amigos y conocidos.

Hasta varios días más tarde no se atrevió a preguntarle cómo era posible que se relacionase con tanta gente. Salima rio.

—Es que tengo cinco hermanos, casi todos mayores que yo —le explicó—, y varios primos en distintos grados. Los conozco a ellos y a muchos de sus amigos.

—Vaya —comentó Tina con cierta envidia.

Ella no tenía ningún familiar en el barrio, salvo su madre. Tampoco tenía amigos íntimos, aunque conociera de vista a muchos de los chicos y chicas de su nuevo centro. El primer día, de hecho, localizó a Kevin Ramírez en un rincón del patio, rodeado de su pandilla de amigos. Sus miradas se cruzaron, pero él no dio muestras de reconocerla.

Llegó a preguntarse si podría forjar algún tipo de amistad con Salima, pero le parecía poco probable, porque ella ya tenía muchos amigos con los que compartir su tiempo libre.

No obstante, se sentaban juntas todos los días en clase. Tina descubrió que Salima era una estudiante aplicada y deseosa de aprender. Esa era la razón, de hecho, por la que había ocupado precisamente aquel pupitre el primer día.

—No me gusta estar en las últimas filas —le explicó—, porque la gente que habla en clase no me deja escuchar al profesor. Ni tampoco en las primeras, porque no tengo una visión general de la pizarra, ¿sabes? Justo en medio es donde me entero mejor de todo.

Tina escuchaba asombrada. Siempre había creído que la función de ir a clase era cumplir un trámite y poco más. Su madre decía que era importante estudiar para labrarse un futuro, pero cuando expresaba aquella idea lo hacía con un tono dubitativo que sugería que no esperaba que su hija llegara muy lejos en realidad. Salima, en cambio, tenía grandes aspiraciones. Quería estudiar bachillerato y después ir a la universidad para ser abogada.

—Seguro que lo consigues —le dijo Tina con sinceridad cuando ella se lo contó—, porque eres muy lista.

—Bueno, me esfuerzo mucho —se limitó a responder Salima con modestia.

También era una apasionada de la lectura. Casi siempre llevaba algún libro al instituto, algunos suyos, otros de la biblioteca del centro o de la del barrio. Hablaba con entusiasmo de sus últimas lecturas y trataba de convencer a Tina de que leyera los libros también para poder comentarlos juntas. Al principio, Tina no sabía qué responder. No es que le desagradara leer, pero tampoco le entusiasmaba. Le parecía una afición extraña y un tanto excéntrica. No conocía a mucha gente que leyera.

Por compromiso, empezó a hojear, aunque sin mucho interés, los libros que Salima le prestaba: «Tienes que leer este, es genial». «Te va a encantar». «¡Ya verás cómo termina! ¡Menos mal que ya ha salido la segunda parte!». A veces hasta le metía prisa: «El lunes me lo traes, ¿eh?, que lo tengo de devolver a la biblioteca». «Cuídamelo bien, que es de mi hermano y no sabe que te lo he dejado».

Tina se asustaba un poco ante estos comentarios. Se enteró de que muchos de los libros que Salima poseía no eran realmente suyos, sino de uno de sus hermanos mayores, Yassin, que los trataba como oro en paño. Le sorprendió comprobar que casi todos esos libros eran de fantasía, terror o ciencia ficción.

—¿Qué esperabas, copias del Corán? —le preguntó Salima con desenfado cuando ella se lo comentó.

Tina se puso muy colorada. Lo cierto era que había dado por sentado que los musulmanes solo leían cosas de musulmanes, pero jamás se le habría ocurrido planteárselo a su compañera de forma tan directa.

—Bueno, los cristianos leen más libros además de la Biblia —razonó Salima.

—Pues también es verdad —reconoció Tina, y las dos se echaron a reír.

Salima no consiguió contagiarle su pasión por la lectura, pero sí logró que Tina leyese de forma habitual y disfrutase con algunos de los libros que ella le prestaba.

Se llevaban bien, en definitiva, aunque Tina no estaba segura de si eso se debía a ella en particular o al hecho de que a Salima le caía bien casi todo el mundo. De todas formas, tampoco era un asunto que le preocupara realmente. Después de todo, gracias a Salima los comienzos en el instituto no estaban siendo tan duros como había temido en un principio. No solo por la compañía, la conversación, los libros y las risas compartidas, sino también porque su nueva amiga la ayudaba mucho en clase. Si había algo que no entendía, Salima se lo explicaba; viéndola trabajar, además, Tina sentía la imperiosa necesidad de imitarla. Así, sus primeras notas en el instituto fueron bastante mejores de lo que ella misma había esperado. Hasta su madre se sorprendió.

—Bueno, no está mal —comentó. Lo cual, viniendo de ella, era todo un cumplido.

Junto a Salima, además, Tina se sentía relativamente segura. Los alumnos solitarios y estudiosos eran a menudo blanco de las burlas de los demás; pero Salima estaba muy bien integrada y tenía hermanos, primos y amigos mayores, por lo que nadie se atrevía a meterse con ella. Y Tina, aunque al principio se sentía amedrentada por aquellos chicos de costumbres tan diferentes a las suyas, terminó por apreciar el hecho de que relacionarse con Salima era bueno para su estatus social. La gente seguía sin reparar en ella, pero en el caso de lo que hicieran, sin duda recordarían que tenía conocidos y quizá amigos entre los alumnos mayores. Eso no estaba tan mal.

Había bastantes alumnos latinos en el instituto, pero Tina no terminaba de congeniar con ellos. Esto se debía en parte a que la mayoría de ellos no había nacido en España; al emigrar habían dejado atrás una infancia en sus países de origen, unos amigos, unos recuerdos. Hablaban todavía con el acento y la jerga de su tierra y se sentían extraños en el país que los acogía. A muchos de ellos les costaba relacionarse con los alumnos españoles y preferían elegir a sus amigos entre chicos y chicas latinos en su misma situación. Los pocos que se dirigían a Tina se quedaban muy cortados al oírla hablar en castellano sin acento latino, y ya no perseveraban en su acercamiento.

Por otro lado, los alumnos latinos nacidos en España, como ella, no se sentían latinos en realidad, por lo que las posibilidades que tenía Tina de trabar amistad con ellos eran las mismas que con cualquier otro.

Cuando iba con Salima, además, la gente solía prestarle más atención a su amiga, para bien o para mal; y así, Tina terminó por integrarse en el círculo social de ella, sin más. Al principio eran solo compañeras de pupitre, pero con el paso de las semanas fue naciendo entre ellas una amistad más estrecha y sincera.

A finales de trimestre, además, sucedió algo que conmocionó a la comunidad escolar y las unió todavía más.

Aquella mañana se habían encontrado en la calle de camino al instituto. Salima iba, como de costumbre, acompañada por sus hermanos y algunos de sus primos. Tina ya los conocía de vista, sobre todo a Yassin, un chico de catorce años delgado y vivaracho que no era tan terrible como ella había temido. De todas formas, y aunque los saludaba con cierta timidez, Tina no se mezclaba mucho con ellos. Todavía la asustaban un poco.

Salima vio a Tina por delante y corrió para alcanzarla, dejando atrás a sus hermanos. De modo que ambas niñas entraron juntas en el instituto, antes que los demás. Y se encontraron con una escena estremecedora.

Había un grupo de alumnos congregados en el patio, murmurando entre ellos con sorpresa y agitación.

—¿Qué habrá pasado? —se preguntó Salima en voz alta.

Ninguno de los chicos mayores se molestó en responderle, y Salima se abrió paso entre la gente como pudo. Tina la siguió, a su pesar, para no quedarse sola.

Consiguieron llegar hasta la primera fila y echaron un vistazo a lo que sucedía más allá.

Lo primero que vieron fue un coche de policía aparcado

frente a la puerta del edificio principal. Tina se encogió involuntariamente al ver a los dos agentes uniformados que hablaban con el conserje, la directora y el profesor de matemáticas. Ella se cubría el rostro con las manos; sus hombros temblaban ligeramente, como si estuviese sollozando. Los otros dos estaban completamente pálidos, y el profesor de matemáticas movía la cabeza una y otra vez, como si no terminara de creerse lo que estaba sucediendo.

Tina reconoció a uno de los policías. Lo había visto por el barrio alguna vez, aunque su compañero, más joven, no le resultaba familiar. Quizá fuera nuevo en la comisaría de la zona.

—¿Qué ha pasado? —volvió a preguntar Salima.

Un niño de su clase le respondió:

—Creo que ha habido un accidente. Alguien se ha caído desde la azotea...

—¿Que se ha caído? —se burló uno de los alumnos mayores con desdén—. Ese tío se ha tirado, fijo. Que no te enteras...

Tina se fijó entonces en el bulto inerte que yacía en el suelo, cerca del coche patrulla. Lo habían cubierto con una sábana, pero la niña pudo ver una mano que sobresalía por debajo, con la palma hacia arriba, como si esperase recoger algún milagro caído del cielo. Un charco de sangre empapaba lentamente el embozo.

Tina sintió que se le revolvía el estómago. Salima se había cubierto la boca con la mano, horrorizada.

—¿Quién es? —se atrevió a preguntar—. ¿Lo conocéis?

Nadie le respondió, porque entonces uno de los policías, el de más edad, se acercó hacia ellos y los obligó a retroceder.

—Vamos, vamos, apartaos —ordenó—. Aquí no hay nada que ver. Dejad paso... dejad paso... Sí, Iriarte, tú también, no te hagas el sordo.

—¿O qué? —le vaciló el interpelado—. ¿Me vas a detener? ¿Por venir al instituto?

—Por venir al instituto por una vez en tu vida el único día en que hay un muerto —le replicó el policía de malos modos—. Que tienes el don de la oportunidad, chaval.

—¿Me estás acusando de algo?

—No te me pongas chulito, ¿eh? A ver si te vas a acusar tú solo. Lo único que te he dicho es que te largues con viento fresco. Hoy se suspenden las clases.

—¡Hurra! —exclamó alguien, pero se calló porque casi todos los demás lo abuchearon.

Por fin los chicos obedecieron, algunos un tanto reticentes. El agente más joven había sacado una cinta del coche patrulla y estaba acordonando el lugar de los hechos.

Tina vio entonces una ambulancia que avanzaba lentamente desde el portón de entrada. La seguían otro coche patrulla y una berlina de color gris. La multitud se partió en dos para cederles el paso, como las aguas del mar Rojo ante Moisés.

—Venga, vamos, fuera de aquí... —seguía diciendo el policía—. ¡Eh, tú! ¿Se puede saber qué haces? ¡Deja eso inmediatamente!

El agente corrió hacia una chica que alzaba su móvil para fotografiar el cuerpo del fallecido. Algunos aprovecharon la distracción para volver a avanzar y casi chocaron con los que retrocedían.

Y cada vez llegaba más gente. Alumnos, profesores y algunos curiosos que entraban en el instituto sin comprender qué estaba sucediendo.

Tina cogió a Salima de la mano para no perderla entre la marea humana. Ella ya había localizado a uno de sus hermanos un poco más allá.

—¡Ismail! ¡Ismail! —lo llamó.

El chico llegó hasta ella y la envolvió en un abrazo de oso. También tuvo un gesto de cariño hacia Tina, a la que oprimió levemente el hombro en señal de apoyo.

—¡Salima! ¡Tina! ¿Estáis bien? ¿Qué ha pasado? ¿Qué es esa ambulancia?

—Dicen que un chaval se ha caído desde la azotea...

Un grito interrumpió las explicaciones de Salima. El grupo se apartó un poco para dejar paso a un chico que avanzaba a empujones entre la multitud, con el rostro pálido y desencajado y las mejillas cubiertas de lágrimas. A Tina le resultó familiar; le sonaba de su antiguo colegio, aunque debía de ser un poco mayor que ella.

—¡Eh, eh, tranqui!

—¿A dónde vas? ¡No se puede pasar!

El chico no se detuvo a pesar de los obstáculos y las advertencias. Logró abrirse camino hasta la primera fila y, cuando estaba a punto de colarse por debajo de la cinta de plástico, fue interceptado por el policía, que regresaba con el móvil confiscado.

—¡Quieto ahí! ¿Qué te crees que estás haciendo?

El chico se debatió, desesperado, tratando de soltarse.

—¡Déjeme pasar! ¡Déjeme pasar, dicen que es mi hermano!

Salima reprimió una pequeña exclamación de horror y se arrimó a Ismail todavía más. Tina contemplaba la escena anonadada, incapaz de reaccionar.

El policía se alejó con el chico para tratar de calmarlo. Él seguía pataleando, por lo que prácticamente se lo llevaba a rastras.

Había ya varias personas inclinadas junto al fallecido, pero los coches y la ambulancia formaban un muro que los protegía de todas las miradas.

Unos alumnos mayores se acercaron hasta Ismail.

—¡Eh, El Hamidi! —lo llamaron—. ¿Sabes quién es el fiambre? ¿Va a tu clase?

—¡Qué poco respeto! —se indignó Salima.

—No sé quién es —respondió Ismail—, acabo de llegar.

—Dicen que es el hermano de ese chico —señaló alguien.

—¿Herrera? —se asombró otro al reconocerlo—. ¿Herrera se ha tirado desde el terrado?

—Claro, como lo dejó la novia...

—¡No jodas!

—¡Noooo! —aulló desde el otro extremo del patio el chico retenido por el policía—. ¡Es mentira! ¡Mi hermano no se ha suicidado! Es un error, ¿oyen? ¡No es verdad!

—Pobre chaval —comentó Ismail con pena.

Los enfermeros levantaron entonces el cuerpo y algunos alumnos contemplaron con fascinación morbosa cómo lo introducían en la ambulancia. Las tres personas que habían llegado en la berlina (dos hombres y una mujer) volvieron a subir al coche, dispuestos a salir del recinto tras la ambulancia. Mientras tanto, con los policías ocupados y los profesores en estado de *shock*, nadie impedía que algunos sacasen fotos sin parar.

Por fin, el conserje y dos de los policías se centraron en los alumnos para despejar el patio.

—Vamos, vamos, todos fuera. Un poco de respeto, por favor.

Los rumores ya se extendían como una mancha de aceite.

—Adrián Herrera...

—¿El de bachillerato?

—Dicen que se ha suicidado...

—¿Adrián Herrera?

—Está muerto...

—... desde la azotea...

—¡Alexis, tío! ¡Que Adrián se ha suicidado!

Tina se volvió hacia un grupo de chicos de tercero que acababa de llegar. Uno de ellos, el tal Alexis, un chaval moreno y bajito, de aspecto desmañado, pareció acusar el golpe más que los demás. Se puso pálido de pronto y le fallaron las piernas, hasta el punto de que sus amigos tuvieron que sostenerlo para que no se desplomara.

Poco a poco, los alumnos iban asimilando lo que había sucedido. Mientras caminaban lenta y desordenadamente hacia la salida, se oían murmullos de consternación y se veían rostros que gravitaban entre la turbación, la angustia y la incredulidad. Una chica lloraba desconsoladamente junto a la puerta, y Tina dedujo que debía de conocer bien al fallecido. Le sorprendió descubrir a Kevin Ramírez entre el grupo que la escoltaba. Se le veía inquieto, y a Tina le pareció que lanzaba frecuentes miradas a la ambulancia... y especialmente a los coches patrulla.

La voz del policía joven junto a ella la sobresaltó.

—¿Todavía estás aquí? —le preguntó con cierto cansancio—. ¿Cuántas veces hemos de deciros que os vayáis?

Tina se dio cuenta de pronto de que se había quedado atrás y estaba sola con el agente.

—Y... ya me iba —tartamudeó—. Lo siento mucho.

En ese mismo momento llegó Salima al rescate.

—Tina, ¿qué haces? —la llamó—. ¡Te estamos esperando!

Entonces vio al policía y, ante la consternación de Tina, aprovechó para preguntarle:

—¿Qué ha pasado? Dicen que se ha suicidado un chico...

El policía la miró con fijeza. Parecía a punto de decir que no era asunto suyo; pero los enormes y francos ojos de Salima seguían clavados en él, de modo que finalmente respondió:

—Pues mira, ya sabes más que yo.

—¿Por qué? —siguió preguntando Salima—. ¿No se ha suicidado?

—Eso tendrá que dictaminarlo el forense —dijo el policía con prudencia.

Salima asintió. Tina tiraba de ella para llevarla hacia la puerta, pero la niña se resistía a marcharse. La realidad le iba calando poco a poco. Tanto Tina como el policía leyeron claramente la incomprensión en su rostro.

—¿Por qué querría suicidarse un chico tan joven? —murmuró—. No lo entiendo.

El agente le sonrió con simpatía.

—Bueno, mucha gente pasa un infierno todos los días y nadie se da cuenta hasta que es demasiado tarde. Quizá alguien le hacía la vida imposible en el instituto.

—Eso se llama *bullying* —dijo Salima—. Nos lo han explicado en clase.

Tina evocó la imagen de Raquel Serrano acosada por aquellos tres matones en el pasillo del colegio. Sin darse cuenta, dirigió la mirada hacia Kevin Ramírez, que franqueaba ya la puerta del instituto, con un brazo en torno a los hombros de su novia. El policía lo advirtió y los observó, pensativo y con el ceño fruncido.

—¿Hay algo que queráis contarme? —preguntó de pronto.

—¿Nosotras? —preguntó Salima con desparpajo—. Pero si no sabemos nada. Por eso te preguntamos a ti.

—Ni siquiera lo conocíamos —se apresuró a añadir Tina.

—¿Y a él, lo conocéis? —siguió indagando el policía, señalando a Kevin con el mentón.

—¿A ese? —se sorprendió Salima—. Ni idea. ¿Por qué...?

—¡Durán, que se te cuelan! —bramó de pronto la voz del policía más veterano.

El joven agente dio un respingo y soltó una maldición al descubrir a un hombre que entraba en el instituto por una puerta lateral, armado con una cámara profesional.

—Ya están aquí los buitres —masculló—. ¡Eh, usted! —le gritó al intruso—. ¿A dónde va?

Tina aprovechó para alejarse de él, arrastrando a Salima. Pero el policía la retuvo por la mochila para introducirle una tarjeta de visita en el bolsillo exterior.

—Espera, chica. Te dejo mi tarjeta. Si crees que tienes algo que contarme, me llamas. ¿Vale?

Y se fue corriendo para cortar el paso al periodista recién llegado.

Por fin, las niñas salieron del instituto. Fuera las esperaban los hermanos de Salima y algunos de sus primos.

—¿Qué quería ese policía? —quiso saber Yassin—. Os ha preguntado muchas cosas.

—En realidad le he preguntado yo a él —respondió su hermana—. Creo que al final se ha pensado que conocíamos de algo al chico de la azotea.

—Salimaaaa... —la reprendió Ismail.

—¿Qué? —se defendió ella—. Hay muchos rumores y todo el mundo dice cosas. Pero si quieres saber la verdad, tienes que preguntar a la gente que la conoce.

—¿Y para qué quieres tú saber nada? —intervino su prima Aicha—. Eso es asunto de la policía y de la familia del chico, no tuyo.

—Eso es —asintió Abdullah, el hermano de Aicha—. No entorpezcas la labor policial.

—Tú ves demasiadas series de policías, tío —opinó Yassin.

—Aicha, ¿tú conocías a ese chico? —preguntó de pronto Salima—. ¿Iba a tu clase?

La joven inclinó la cabeza, pesarosa.

—Lo conocía de vista, sí —asintió—. Pero no íbamos a la misma clase.

Sobrevino el silencio mientras caminaban todos juntos de vuelta a casa. Porque de pronto se habían dado cuenta de que aquello no era el guion de una película policiaca. Aquello era la vida real. Y les estaba pasando a ellos.

Tina no ignoraba que a menudo había problemas en el barrio. Drogas, robos, peleas, abusos... Le habían contado historias de conocidos a los que habían atracado, golpeado o incluso cosido a navajazos. Al hijo de la vecina del cuarto lo habían detenido ya varias veces por atracos con arma blanca. Y sabía perfectamente qué era lo que vendía el individuo de la cazadora azul y la gorra de béisbol que rondaba el instituto en las horas de salida.

También había peleas y broncas de puertas adentro, por descontado. Algunos alumnos eran más problemáticos que otros y se les llamaba la atención una y otra vez, sin que ello pareciera servir para algo.

Pero aquello era diferente. Y, aunque no conocía personalmente al chico que había muerto, Tina no pudo evitar pensar que, si se hubiese precipitado al vacío tan solo unas horas más tarde, quizá ella misma lo habría visto caer desde la ventana de su clase.

Después de aquello, el instituto permaneció cerrado durante un par de días. Se concluyó finalmente que Adrián Herrera se había suicidado; probablemente padecía una depresión agravada por sus problemas de adaptación a su entorno, se dijo después.

—¿Adaptación? —repitió Camila cuando se enteró—. ¿Qué problemas de adaptación va a tener un niño español que vive en su propio país? Que se hubiese ido a Colombia sin un céntimo para cuidar él solo de una beba hambrienta y llorona. Iba a saber entonces cómo son de verdad los «problemas de adaptación».

Tina no replicó. Ya había aprendido que no valía la pena discutir con su madre, aunque no siempre estuviera de acuerdo con ella.

Poco a poco, la rutina volvió al barrio y al instituto. Tina acabó por olvidarse del «chico de la azotea», como habían acabado por denominar al malogrado Adrián Herrera. Había sido un hecho triste y lamentable, pero ya pertenecía al pasado.

Se volvió a hablar de ello, no obstante, cuando el hermano menor de Adrián regresó al instituto. Iba vestido de negro y se mostraba serio y pálido, pero se reincorporó a las clases con normalidad. Tina tuvo ocasión de observarlo con detenimiento durante aquellos días, porque todo el mundo lo miraba. Se enteró entonces de que se llamaba Rodrigo e iba a segundo. Y al contemplarlo con atención lo reconoció por fin: habían ido al mismo colegio, sí; y además, Rodrigo Herrera era el chico con el que había chocado en el pasillo la tarde que se escondió en el armario de la limpieza mientras huía de Kevin y sus amigos.

Aquel descubrimiento la llenó de incertidumbre. Nunca se había parado a pensar en ello, pero el hecho era que Rodrigo había tratado de detener a aquellos matones que le sacaban una cabeza y lo superaban en número, solo por ayudar a una desconocida que tenía problemas. Tina estaba convencida de que ella jamás sería capaz de hacer algo así. Pensó que debía darle las gracias, pero nunca llegó a hacerlo. En primer lugar porque, pese a todo, seguía siendo una desconocida para él. Además, había pasado mucho tiempo; tal vez Rodrigo ni se acordaría del incidente, y si lo hacía, quizá se preguntaría por qué Tina había tardado dos años y medio en decírselo, y por qué lo sacaba a relucir precisamente ahora, que acababa de perder a su hermano.

De modo que Tina lo dejó pasar. Tampoco se acercó a él para darle el pésame, como sí hicieron muchos otros, porque pensó que en aquellos momentos las palabras de una desconocida le sonarían vacías y sin sentido.

Pero ya no volvió a perder de vista a Rodrigo Herrera. No se atrevía a dirigirle la palabra por pura timidez y porque parecía obvio que él no la recordaba. Los meses pasaban y ambos crecían y seguían adelante con sus vidas, como dos satélites errantes que orbitaran por los mismos espacios, pero sin colisionar jamás.

Hasta dos años después, cuando Tina se volvió invisible por segunda vez... y ya nada volvió a ser igual.

3

—Que no, Salima, que me tengo que ir... —protestó Tina.

—Ayyy... sé que se hace tarde, pero, por favor, solo un poco más..., que ya estoy terminando...

—¡Es que ya son casi las nueve!

Estaban las dos en la habitación de Salima, escuchando música mientras ella le pintaba a Tina los pies con henna. Al otro lado de la puerta, en la cocina y en el comedor, la familia se afanaba ultimando los preparativos de la cena. Le habían dicho a Tina que estaba invitada, y a ella le habría encantado quedarse, pero sabía que no podía. Desvió la mirada hacia la ventana, inquieta, para contemplar el cielo nocturno, y se incorporó de golpe, retirando el pie.

—¡Eh, no te muevas! —protestó su amiga—. ¡Aún no se ha secado la pintura!

—Me da igual, Salima, no puedo esperar más —replicó Tina, volviendo a ponerse el calcetín y la zapatilla—. La hora de la cena en mi casa es sagrada.

—Puedes quedarte a cenar aquí si quieres —le recordó Salima—. Además, mañana es sábado.

—Aun así tengo que llegar a una hora prudente. Últimamente mi madre se pone muy nerviosa si no estoy en casa cuando se hace de noche.

—Oh —dijo ella comprendiendo—. ¿Es por lo de la chica del supermercado?

—¿Quién?

—¿No te lo han contado?

Tina negó con la cabeza. Salima miró de reojo a la puerta para asegurarse de que estaba cerrada y susurró:

—A la cajera de la tarde, la chica de la trenza rubia..., ¿la conoces...?

—De vista.

—Bueno, pues la violaron la semana pasada cuando volvía a su casa. En su portal.

Tina se estremeció, horrorizada.

—A la sobrina de una conocida también la han violado —musitó—. Mi madre se enteró hace tres días y desde entonces casi no me deja salir de casa. Por si me pasa a mí también.

—Eso no lo sabía. Entonces, ¿ya van dos en un mes?

—Que sepamos.

Las dos amigas guardaron silencio un momento, sumidas en profundas meditaciones. Unos golpes en la puerta las sobresaltaron.

—¡Salimaaa! —se oyó desde fuera la voz de Asmae, la benjamina de la familia—. ¡Que dice mamá que salgas ya, que hay que poner la mesa!

—¡Ya voooy! —respondió ella; se volvió de nuevo hacia Tina y le dijo—: ¿Sabes qué? Será mejor que te marches ya, antes de que se haga más tarde. Solo por si acaso.

—Es lo que estaba intentando decirte.

Tina cargó con su mochila y salió de la habitación. Al pasar por el comedor saludó a la familia de Salima y salió al rellano, acompañada por su amiga.

Se despidieron como de costumbre, pero Salima añadió una bendición en voz baja:

—*Fi-Aman-Allah*, amiga.

—Gracias, lo mismo digo —murmuró Tina.

Apenas unos momentos más tarde caminaba por la acera a paso ligero. Aunque la casa de Salima no estaba lejos de la suya, para cuando alcanzó su calle ya eran más de las nueve.

Y fue entonces cuando oyó pasos tras ella.

Tina tragó saliva y trató de caminar más deprisa sin que se notase demasiado. Su calle era larga y estrecha, y no estaba bien iluminada; las farolas estaban encendidas, pero había algunas bombillas fundidas que nadie se molestaba nunca en reemplazar. La chica miró de reojo a derecha e izquierda y comprobó que no había nadie más. La calle estaba desierta, a excepción de ella misma y de la persona que la seguía.

Se detuvo un momento y se agachó para fingir que se ataba la zapatilla. Por el rabillo del ojo vio las piernas de un hombre que se había parado a la vez que ella para apoyarse contra un árbol.

Tina se incorporó y echó a correr.

Alcanzó su portal y buscó las llaves en la mochila con desesperación. Los pasos se oían cada vez más cerca.

Cuando el cuerpo del hombre se precipitó sobre ella, Tina reprimió un grito y saltó hacia un lado para acurrucarse en un rincón en sombras del portal. El desconocido se apoyó sobre la puerta para no perder el equilibrio. Era muy obvio que estaba borracho. Se bamboleaba sin control y apestaba a vino barato.

Aterrorizada, Tina lo observó meter la mano en el bolsillo del pantalón para sacar las llaves. Cuando lo vio tantear con una de ellas en la cerradura, sin acertar a introducirla en el llavín, reconoció por fin a su vecino del quinto. Respiró profundamente, aliviada, pero se quedó encogida en su rincón sin moverse siquiera. No tenía muchas ganas de saludarlo en su estado, y menos aún después del susto que le había dado. «¿Cómo puede estar tan pedo a estas horas?», se preguntó con desagrado.

El vecino renunció a abrir la puerta por sus propios medios y se volvió hacia el interfono. Cuando alargó la mano para oprimir el botón de su casa, estuvo a punto de golpear a Tina en la cara. Ella se apartó por los pelos.

—¡Eh, cuidado! —le advirtió.

Para su sorpresa, el hombre dio un respingo y miró hacia todos lados. Sus ojos se volvieron hacia donde ella se encontraba, estúpidos y parpadeantes, velados por las nieblas del alcohol. Pero no la vieron.

Tina se quedó tan sorprendida que no acertó a decir nada. Lo primero que le vino a la mente fue que, por alguna razón, el vecino había perdido la vista. Iba a preguntarle si necesitaba ayuda cuando él alargó de nuevo la mano y, esta vez sí, logró pulsar el timbre de su casa.

Tina se sentía extraña, como si estuviese contemplando la escena desde fuera, como una espectadora en un cine a la que de pronto hubiesen teletransportado al mundo existente más allá de la pantalla. Estaba allí, pero no estaba. Y, aunque atribuía el insólito comportamiento de su vecino a la tremenda borrachera que llevaba encima, no podía dejar de sentir que aquello no era del todo normal.

Asistió, como en un sueño, a la breve conversación entre el vecino y su mujer a través del interfono; cuando ella abrió por fin la puerta, Tina reaccionó, cogió su mochila y se coló en el portal tras el hombre borracho.

Fue entonces cuando se dio cuenta.

En el recibidor había un viejo espejo que, pese a que estaba rajado por la mitad, todavía aguantaba en su sitio. Tina echó un breve vistazo a su imagen reflejada... y no la vio.

Se detuvo en el sitio, horrorizada. El espejo reproducía fielmente a su vecino, que avanzaba hacia la escalera arrastrando los pies. Pero ella... no estaba allí. Su mochila flotaba en el aire, como si tuviera vida propia.

Tina la soltó y gritó.

El vecino del quinto se dio la vuelta, alarmado, y tropezó con el primer peldaño. Caído a los pies de la escalera, miró a su alrededor, presa del pánico, antes de trepar por ella a trompicones para escapar de allí con torpeza.

Tina sollozaba delante del espejo. No se veía. No estaba allí. Se palpó la cara y la notó sólida, corpórea. Pero el cristal no la reconocía como ser real. Trató de coger su mochila, perfectamente visible; le costó un poco, porque no veía sus propios dedos. Por fin, arrastrándola por el suelo, chocando con los escalones como su vecino, porque tampoco se veía los pies, logró ascender penosamente hasta el segundo piso.

Se detuvo ante la puerta de su casa, respirando con dificultad. No comprendía qué le estaba pasando ni por qué, pero pensó de pronto que no podía permitir que su madre la viera así... o no la viera en absoluto, rectificó. Respiró hondo. Estaba respirando, anotó mentalmente. No podía estar muerta. Percibía también los latidos de su corazón golpeando con fiereza contra su pecho.

Trató de calmarse. Debía entrar en casa sin que su madre lo notase.

La mochila se desvanecía lentamente, disolviéndose como una gota de café en un vaso de agua, pero Tina no se dio cuenta. Sacó las llaves de su interior y le resultó extraño verlas flotar en el aire, como si nada las sostuviera. Para cuando logró abrir la puerta, la llave que estaba en contacto directo con su piel había comenzado a desaparecer también.

Entró en su casa. Oyó el sonido del televisor encendido

en la sala de estar. Dejó la mochila en el suelo, con cuidado, y cerró la puerta lentamente.

Pero Camila tenía un oído muy fino.

—¿Valentina? ¿Ya estás en casa?

Ella se deslizó con presteza hasta su habitación y cerró la puerta tras de sí justo cuando su madre se dirigía hacia el recibidor. La pudo imaginar perfectamente frunciendo el ceño ante la mochila caída.

Instantes después, la oyó llamar a la puerta de su cuarto.

—¿Valentina? ¿Qué haces? ¿Estás ahí?

—Sí, mamá, ya he vuelto —respondió ella. Le reconfortó escuchar el sonido de su propia voz. Al menos no había desaparecido del todo.

—¿Y se puede saber dónde estabas? —estalló Camila—. ¡Son ya las nueve y media! ¿Tienes idea de lo preocupada que me tenías?

Tina sintió el ya familiar aguijonazo de culpa.

—Perdóname, mamá, me he entretenido...

—¿¡Que te has entretenido!? —repitió ella, elevando el tono—. ¿Y te parece bonito tenerme aquí esperándote, sin saber si te había pasado algo, mientras tú estabas por ahí «entretenida»? ¡Es que solo piensas en ti!

—Lo... lo siento, mamá —repitió Tina, al borde de las lágrimas—. No lo volveré a hacer, lo prometo.

Aquello pareció apaciguarla un poco.

—Bueno, pues no te demores más —dijo por fin—. La cena ya está fría.

Tina se recostó contra la puerta cerrada.

—No tengo hambre —respondió con un hilo de voz; sus tripas rugieron en protesta, indicando que, invisibles o no, seguían ahí—. No tengo hambre, de verdad —repitió, con más convicción—. Estoy cansada. Me voy a dormir.

—¿Estás bien? A ver si tienes gripe.

—Que no, mamá. Solo necesito dormir.

Su madre trató de abrir la puerta, pero Tina había echado el pestillo.

—¿Y se puede saber por qué cierras la puerta?

—Porque me estoy cambiando de ropa —improvisó la chica.

—¿Y qué?

Pese a la gravedad de la situación y lo aterrorizada que se sentía, Tina logró encontrar fuerzas para rebelarse ante aquella falta de respeto:

—Mamá, que tengo ya catorce años. Necesito intimidad.

Camila bufó con desdén. Pero finalmente, tras unos segundos que a Tina le parecieron eternos, soltó el pomo y se apartó de la puerta, aún reticente.

—Bueno, pues cuando termines de ponerte la piyama, sales y vienes al salón, que te vea.

Tina tembló.

—Vale —respondió sin embargo.

Oyó que su madre se alejaba por fin, y respiró hondo. Se separó de la puerta y volvió a mirarse al espejo.

Nada.

¿Qué le estaba pasando? ¿Por qué no se veía? Se preguntó de pronto si se habría convertido en un vampiro. Los vampiros no se reflejaban en los espejos, según tenía entendido.

Se miró las manos y no las vio. No, aquello no tenía nada que ver con los espejos. Los vampiros no eran invisibles, que ella supiera.

«¿Soy invisible?», se preguntó de pronto. «¿Nadie me ve?».

Decidió que tenía que comprobarlo. Quizá solo era ella quien no se veía a sí misma. Y tampoco podía fiarse mucho de la percepción de un vecino borracho, pensó con ironía.

Lentamente, descorrió el pestillo y abrió la puerta en silencio. Se deslizó hasta en salón, procurando no hacer ruido.

Allí estaba su madre, sentada en el sofá, frente al televisor. Tina se plantó ante ella sin una palabra y se quedó contemplándola.

Camila no se inmutó. Seguía con la mirada fija en la pantalla, como si Tina no estuviese allí.

Mirando a través de ella.

Tina suspiró, sintiéndose más sola que nunca. Su madre la oyó y miró a todas partes, desconcertada.

—¿Valentina?

La chica, asustada, corrió de nuevo a refugiarse en su cuarto. Y cerró el pestillo con firmeza.

Se sentó sobre la cama, sobrecogida. No comprendía nada. ¿Por qué nadie podía verla? ¿Qué le estaba pasando? ¿Y si se quedaba así... para siempre? Sobrepasada por las circunstancias, se puso a llorar.

Quizá estuvo así cinco minutos, tal vez diez. Hasta que oyó de nuevo a su madre llamar a la puerta.

—Valentina, ya es suficiente. Sal o echo la puerta abajo.

Tina alzó la mirada y entonces, por fin, se vio.

El espejo reflejaba su imagen, todavía algo traslúcida. Pero era ella, sin duda, con los ojos rojos de tanto llorar y el cabello oscuro alborotado, con la coleta medio deshecha. Se secó las lágrimas y se vio las manos. Aunque también vio un poco a través de ellas, como si no fueran del todo reales. Las contempló, desconcertada, y sonrió de pura felicidad al comprobar que, poco a poco, iban ganando corporeidad.

—¿Valentina? —insistió Camila.

Tina se puso en pie y se acercó al espejo para observarse con mayor detalle.

—¡Ya voy, mamá! —respondió, y le encantó ver cómo su boca se abría para pronunciar aquellas palabras—. ¡Cinco minutos, por favor!

Fueron siete en realidad, pero a Tina no le importó. Cuando salió por fin de su habitación para someterse a la mirada escrutadora de su madre, volvía a ser ella misma.

Aquella noche apenas pudo dormir. Encendía la luz para mirarse las manos una y otra vez, para asegurarse de que seguían ahí. Cuando Camila la riñó por ello, rebuscó en sus cajones hasta encontrar una pequeña linterna. La mantuvo encendida bajo la sábana, enfocando sus manos, hasta que la pila se agotó.

Las luces del amanecer la sorprendieron en un inquieto duermevela. Lo primero que hizo fue levantarse de un salto para volver a mirarse al espejo.

Seguía allí.

Pero nada le aseguraba que no fuera a volver a pasar. Necesitaba contárselo a alguien, compartir su angustia y buscar respuestas a la avalancha de preguntas que asaeteaba su mente.

Apenas eran las nueve de la mañana cuando llamó al timbre de la casa de Salima. Tuvo que aguardar pacientemente veinte minutos en el portal hasta que su amiga bajó por fin.

—Buenos días —saludó—. ¿Cómo es que vienes tan temprano?

—Lo siento, pero es que tengo que hablar contigo. Es importante.

Salima se inquietó al ver el gesto preocupado de su amiga.

—¿Qué ha pasado? ¿Estás bien?

Tina negó con la cabeza.

—Es difícil de explicar. Vámonos a un sitio más tranquilo, por favor.

Caminaron juntas hasta el parque y ocuparon un banco

cerca de los columpios. Tuvieron que limpiarlo previamente porque alguien había dejado claras señales de su paso; echaron las botellas vacías a la papelera y apartaron un poco las colillas con el pie.

—Bueno, cuéntame —dijo por fin Salima—. ¿Qué te ha pasado?

Tina comenzó a relatar a su amiga lo que le había sucedido la noche anterior. Empezó vacilante, tartamudeando y un poco colorada, pero fue ganando seguridad y convicción a medida que avanzaba en su historia. Cuando evocó aquel angustioso momento en el que sintió el cuerpo del hombre borracho abalanzándose sobre ella, sin embargo, se calló de golpe. No sabía cómo describir lo que había sucedido a continuación. El espejo vacío, sus manos invisibles, el terror de creer que no volvería a verse nunca más...

Salima malinterpretó su silencio.

—¡Tina! —exclamó muy preocupada, rodeando con un brazo los hombros de su amiga—. ¿Cómo estás? ¿Ese hombre...?

Tina volvió a la realidad. Miró a Salima y comprendió que no sería capaz de seguir hablando.

De pronto, ya no le parecía tan buena idea compartir sus inquietudes con ella. Al menos no en aquel momento, cuando aún no estaba segura de lo que había pasado, ni de cómo ni por qué había sucedido, ni siquiera de si lo había hecho realmente. Tampoco estaba segura de que Salima la creyera si se lo contaba.

Necesitaba más tiempo para pensar.

Pero tenía que decirle algo. No quería que se llevara una idea equivocada de lo que había ocurrido aquella noche.

—No —dijo por fin—. No era ningún violador. Era mi vecino, que llegaba completamente jalado —respondió, utilizando un término colombiano sin darse cuenta.

—¿Que llegaba cómo?

—Borracho —tradujo Tina.

Salima la miró sin comprender.

—¿Y entonces? ¿Qué pasó después?

Tina vaciló. A la luz de la mañana, todo aquel asunto de la invisibilidad no parecía otra cosa que un mal sueño. Y, si ella misma dudaba, Salima desde luego no se lo creería.

Forzó una sonrisa.

—Bueno, fue incómodo. Me pidió disculpas y tuve que abrirle la puerta porque no atinaba con la llave —mintió.

Salima seguía mirándola, sin dar crédito a lo que oía.

—¿Cómo? —se indignó—. ¿Me sacas de mi casa con tanta urgencia para contarme que te cruzaste con tu vecino borracho en tu portal?

Tina pensó a toda velocidad.

—No es eso —trató de justificarse—. Es que tuve mucho miedo... Pensé que me estaba siguiendo, y cuando se me echó encima...

Se le empañaron los ojos y se los secó, casi con rabia. Su amiga se ablandó.

—Ay, Tina... No sufras más. Todo ha quedado en un susto, *alhamdulillah*.

—Pero es que me vi tan pequeña... tan débil... —sollozó Tina; y sus sentimientos de miedo e indefensión eran reales.

Salima no hizo ningún comentario, pero la contempló un momento, pensativa, antes de abrazarla con fuerza.

No volvieron a hablar del asunto ni aquel día ni al siguiente. Camila, molesta porque Tina había llegado tarde la noche anterior y porque después había salido a la calle sin desayunar ni avisar siquiera, la tuvo muy controlada todo el fin de semana. La chica pasó aquellos días muy inquieta, temiendo desaparecer en cualquier momento. Se miraba constantemente las manos para comprobar que seguía allí, para irritación de su madre, que no comprendía aquella nueva obsesión. El domingo por la tarde se cruzó con su vecino en el portal; en esta ocasión iba sobrio, y la saludó con normalidad.

Poco a poco, Tina volvió a relajarse. Acabó por pensar que tal vez lo había soñado todo, y se alegró de no haberlo compartido con Salima.

4

—Oye, he estado pensando en lo que me contaste anteayer en el parque —le dijo Salima el lunes, durante el recreo.

—¿El qué? —preguntó Tina distraída. Había localizado a Rodrigo Herrera un poco más allá y lo seguía disimuladamente con la mirada.

—Lo que te pasó en el portal de tu casa.

—Ah, eso —respondió ella con prudencia—. Olvídalo, ya se me ha pasado el susto.

—No, no, espera, tienes que ver esto. Creo que te interesará.

Salima hurgó en los bolsillos de sus vaqueros hasta encontrar lo que buscaba. Era una hoja de publicidad de un color amarillo chillón, cuidadosamente doblada. Se la tendió a Tina, que la desplegó para leerla con curiosidad:

«¿Te sientes insegur@ cuando caminas por una calle vacía? ¿Te intimidan los matones? ¿Te gustaría saber cómo responder ante una agresión, tanto física como verbal, o incluso psicológica? ¡No lo pienses más y apúntate a nuestro nuevo curso de *jiu-jitsu* y defensa personal! Para todo el mundo: chicos y chicas, jóvenes y mayores, de todo tipo y condición física. ¡En nuestras clases aprenderás a enfrentarte a situaciones de riesgo y a salir airos@ de ellas, ganarás seguridad en ti mism@ y además te pondrás en forma! Curso impartido por instructores titulados. Martes y jueves, de 19:00 a 20:00 h. ¡Reserva tu plaza ya!».

—¿Quieres... apuntarte a artes marciales? —preguntó Tina desconcertada.

—No, quiero que las dos, tú y yo, nos apuntemos a artes marciales —corrigió Salima—. Y no son exactamente artes marciales. Es defensa personal.

—Aquí pone *jiu-jitsu*.

—Aplicado a la defensa personal, lo dice bien claro. Bueno, ¿qué? ¿Te animas?

—¿Nosotras solas? —se asustó Tina.

—Y Yassin. Me ha dicho que quiere venir también, le llaman mucho la atención estas cosas.

Tina dudó. Por un lado le atraía lo que prometía aquel curso. Si fuese verdad... si le enseñasen a defenderse... tal vez dejaría de tener miedo. Por otra parte, y aunque el folleto decía que las clases estaban abiertas a todo tipo de participantes, temía que todos los alumnos resultaran ser jóvenes ágiles y atléticos y que acabaran riéndose de su torpeza.

Además, Camila no le permitiría apuntarse.

—Mi madre no me va a dejar —se limitó a decir.

—¡Pregúntaselo! No te rindas sin intentarlo siquiera. Tú dile que es por tu seguridad. Además, no estarás sola. Irás conmigo y con mi hermano.

Tina se abstuvo de comentar que probablemente aquel último dato alarmaría a Camila todavía más.

—¿Y no sería más sencillo llevar un espray de pimienta en la mochila, o algo parecido? —dijo sin embargo.

—Las dos cosas son perfectamente compatibles.

Tina dudaba. Tal vez si se hubiese negado en redondo,

Salima no habría insistido. Pero como la veía indecisa, siguió dándole vueltas al tema a lo largo del día. Al despedirse antes de regresar a casa, aún le recordó:

—Piensa que quizá la próxima vez no sea un vecino borracho, Tina.

Ella asintió, pero no respondió. Mientras caminaba por la calle, seguía cavilando sobre cómo se había desarrollado la situación. Si el hombre del portal hubiese sido un desconocido, si hubiese tratado de agredirla... no lo habría conseguido.

Porque no podía verla.

Se detuvo de pronto, sorprendida ante aquella idea. Por primera vez se preguntó si su cuerpo no habría reaccionado instintivamente, ocultándola de las miradas de los demás, como un insólito mecanismo de defensa ante su sentimiento de terror y desamparo.

Sacudió la cabeza, confusa. Si su miedo era tan poderoso que era capaz de borrarla literalmente de la realidad visible, debía encontrar la forma de afrontarlo. Tenía que aprender a defenderse de alguna otra manera, o arreglárselas para no tener miedo, costara lo que costase. No podía arriesgarse a desaparecer otra vez.

Le estuvo dando vueltas durante toda la tarde, incapaz de centrarse en las tareas que le habían puesto en el instituto. Cuando llegó su madre de trabajar, esperó a que se duchase y se pusiese cómoda para plantearle:

—Mamá, me gustaría apuntarme a un cursillo de defensa personal.

Ella giró en redondo para mirarla como si no hubiese oído bien.

—¿Defensa personal? ¿Tú? ¿Para qué?

Tina tragó saliva. Ya había decidido que no pronunciaría los términos *jiu-jitsu* o *artes marciales* porque probablemente a Camila le parecería algo demasiado violento y masculino como para considerarlo siquiera. De modo que la tanteó por otro lado:

—Para poder defenderme si alguien me ataca.

—Tú no necesitas defenderte, Valentina, porque nadie te atacará si no te metes en líos —zanjó Camila.

—Eso no lo sabes —protestó Tina—. Mira lo que le pasó a la sobrina de Mariela.

—Tú no eres como la sobrina de Mariela.

—¿No? ¿Y cómo es ella? —Camila se quedó un momento sin habla ante aquella pregunta, y Tina aprovechó para añadir—. ¿Por qué no me puede pasar a mí también?

—Porque tú no vas provocando por ahí. Y que no me entere yo de que lo haces, ¿me oyes?

Tina sacudió la cabeza, perpleja. Conocía a su madre, sabía cómo era y cómo pensaba, y aun así siempre la sorprendía con comentarios como aquel. Por lo general se limitada a asentir y a callar, pero lo cierto era que, a medida que crecía y desarrollaba ideas propias, le costaba cada vez más identificarse con algunas de las cosas que decía Camila. Y, aunque no solía expresar sus opiniones en voz alta para no disgustarla, en aquella ocasión sintió que tenía que decir algo al respecto.

—Mamá, los violadores no necesitan que los provoquen de ninguna forma. Y ya tengo edad para que me hagan un bombo —le recordó oportunamente.

—¿Un bombo? —se indignó ella—. ¿Qué forma de hablar es esa?

—Bueno, tú ya sabes lo que es un bombo. Siempre me estás diciendo que mi padre te embarazó cuando eras muy joven, y te quedaste sola y...

—Ni me menciones a ese desgraciado, hazme el favor.

Tina calló de golpe, temiendo haber ido demasiado lejos. Dejó que sus palabras calaran en la mente de Camila y después siguió argumentando:

—Es en un gimnasio del barrio. No está lejos. Y no iría sola. Tengo una amiga del instituto que se apuntaría también.

—¿Una amiga? No será esa terrorista, ¿no?

—Salima no es una terrorista —replicó Tina por enésima vez.

Pero no continuó con la discusión porque sabía que no conseguiría cambiar la mentalidad de su madre con palabras. En su lugar, decidió aprovecharse de sus prejuicios en su favor para llevarla a pensar que la amiga con la que quería ir al gimnasio no podía ser Salima.

—De todas formas no sé si su religión le permite hacer estas cosas —dejó caer.

Camila asintió con cierto aire de superioridad.

—Ya me parecía. ¿Y de verdad piensas que ese curso te evitará situaciones riesgosas? —preguntó en otro tono.

—No sé si me las evitará, mamá, pero a lo mejor me ayuda a salir bien de ellas. Para que no me pase lo que a la sobrina de Mariela —le recordó de nuevo.

—Ya sé, ya sé, no lo vuelvas a repetir. —Dudó un momento antes de preguntar—. ¿Y cuesta mucho?

—Aún no lo he preguntado, pero yo me lo puedo pagar con mis ahorros.

—Bueno, tú entérate de qué tan caro es y ya lo hablamos.

Tina asintió, tratando de disimular una sonrisa de alegría.

Días más tarde, sin embargo, cuando se plantó junto a Salima y Yassin en el tatami del gimnasio, estaba temblando de pies a cabeza. Echó un vistazo de reojo a los otros alumnos: una joven asiática, a la que reconoció de haberla visto en la tienda china de Todo a un Euro; un chico de su instituto, un poco mayor que ella, de figura rechoncha y mirada huidiza; una señora de unos cincuenta años, teñida de rubia, con un chándal de color rosa chillón; un muchacho alto y musculado que parecía perfectamente capaz de defenderse solo, y, por último, una chica imponente y curvilínea que le recordaba a una Barbie.

Los ocho formaban una fila frente al profesor, que se había presentado como Mario, aguardando sus instrucciones. Tina estaba tan nerviosa que, cuando la aguda mirada del instructor se posó sobre ella, bajó los ojos al tatami, incapaz de sostenérsela.

Mario pasó de largo ante ella, y Tina respiró aliviada.

Se detuvo ante Salima, que le devolvió una mirada resuelta.

—¿Vas a poder entrenar con eso en la cabeza? —fue lo primero que le preguntó el profesor, señalando el *hiyab* que cubría el cabello de la chica.

Tina dirigió una breve mirada a Yassin; pero este se había cruzado de brazos y contemplaba la escena con una sonrisa, consciente de que su hermana era perfectamente capaz de arreglárselas sola.

—¿Por qué? —preguntó Salima con los ojos muy abiertos—. ¿Es que vamos a hacer el pino rotando sobre la coronilla?

Tina sabía muy bien que la ingenua sorpresa de ella era fingida. Pero sus réplicas, perfeccionadas a base de años de contestar una y otra vez las mismas preguntas, brotaban de sus labios con absoluta naturalidad. Luchó por contener la risa, admirada una vez más del desparpajo de su amiga, y atemorizada al mismo tiempo por la posible reacción del instructor.

Pero él solo la contempló apreciativamente y sonrió de medio lado.

—Muy bien, entonces vamos a empezar.

Dio media vuelta y no volvió a prestar atención al pañuelo de Salima en toda la clase, ni tampoco en las siguientes.

Los primeros días, Tina estaba tan nerviosa que tenía la sensación de que todo lo hacía mal. El calentamiento se le hacía muy cuesta arriba; siempre terminaba completamente colorada, jadeando y sudando por todos los poros. Salima acababa igual, pero se lo tomaba con humor y con una fuerza de voluntad inquebrantable. Tina se esforzaba por imitarla y hacer los ejercicios lo mejor posible. La ayudaba bastante el hecho de que Mario apenas le prestase atención, salvo en momentos puntuales para corregirle alguna postura o para decir: «Bien, Tina, bien». Así, poco a poco se fue relajando.

A la tercera semana, Yassin empezó a faltar a las clases. Y un día dejó de aparecer. A Tina le resultó extraño, pero Salima no le concedió importancia.

—Él es así —dijo—, le cuesta mucho terminar las cosas que empieza.

Tina, en cambio, empezaba a sentirse a gusto allí. El curso la ayudaba a descargar tensiones y, por otro lado, superadas las dificultades iniciales, ya iba por momentos aguantando mejor las sesiones y ganando en velocidad, agilidad y reflejos. El día que fue capaz de tumbar a un compañero que hacía el papel de agresor en un ejercicio práctico, se sintió de pronto muy grande y poderosa. Y segura de sí misma, por primera vez en mucho tiempo.

Una tarde, después de la clase, Mario les dijo:

—Bueno, creo que ya estáis preparados para pasar al otro curso.

—¿Al otro curso? —repitió Salima sorprendida.

El grupo de ocho se había visto reducido a cinco alumnos solamente; aparte de Yassin, también la Barbie y el chico musculoso habían desertado al poco de empezar. Pero el resto seguía allí, todos los martes y jueves, con puntualidad británica.

—Ya sabéis que el curso termina dentro de dos semanas

—prosiguió Mario—. Pero podéis pasaros al grupo de *jiu-jit-su* de los lunes y miércoles, que dura hasta finales de junio. Artes marciales de verdad.

El corazón de Tina latió un poco más deprisa. Aún le duraba el subidón de haber rechazado con éxito la agresión fingida, y quería seguir aprendiendo. Volverse más fuerte. Más veloz. Más enérgica. Sin embargo, no se atrevió a plantearlo. Temía que Mario hablara por pura cortesía. Después de todo, una cosa era apuntarse a un grupo de defensa personal abierto a todo el mundo y otra muy distinta... artes marciales «de verdad».

—¿En serio crees que estamos preparados? —preguntó el chico rollizo, que Tina ya sabía que se llamaba Juanjo.

—Nunca lo sabrás si no lo intentas —fue la críptica respuesta de Mario.

—«Hazlo o no lo hagas, pero no lo intentes» —corrigió Salima por lo bajini, citando al maestro Yoda.

La mente de Tina ya giraba a toda velocidad. Podía decirle a su madre que habían cambiado el cursillo de día. No tenía por qué contarle que había cambiado de grupo. Y seguramente ella no recordaría si el curso duraba dos meses o diez.

Salvo por el detalle de que necesitaría más dinero.

Al final de la clase se acercó a hablar con el instructor. Era la primera vez que lo hacía, y empezó tartamudeando, como de costumbre:

—A mí m... me gustaría a... apuntarme al otro curso.

—Me parece muy bien, Tina —respondió Mario—. ¿Cuál es el problema?

Ella respiró hondo y respondió, muy colorada:

—Que no tengo dinero para pagar.

—Bueno —respondió el instructor, deteniéndose a pensar—. Bueno —repitió—, todavía no hemos hablado de las tarifas.

—No hace falta, no tengo dinero. Pagué este curso con mis ahorros y ya no tengo más.

Si Mario se hubiese limitado a responder algo como «No pasa nada, otra vez será», probablemente Tina no habría insistido. Pero lo que contestó fue:

—Bueno, tienes pagado este curso hasta el final. Puedes cambiarte ahora a la clase de *jiu-jitsu* y asistir gratis las dos primeras semanas. Haremos una pausa en Navidades; puedes pensártelo mientras tanto, y si decides seguir... a lo mejor puedes ir pagando mes a mes, y no todo de golpe.

Tina no supo qué responder. Dicho así sonaba muy sencillo; podía probar en la otra clase para ver qué tal le iba, y además le daban un margen de tiempo para conseguir el dinero que necesitaba.

Pero lo más importante era que Mario le estaba dando facilidades para que siguiera adelante. «A lo mejor es verdad que cree que lo puedo hacer», pensó. «A lo mejor no lo dice solo por cortesía».

Y eso fue lo que terminó de decidirla.

—Vale, de acuerdo, pues me apunto —dijo por fin.

Le temblaron las piernas en cuanto terminó de pronunciar aquellas palabras, pero una parte de ella se sentía como si acabase de coronar una cima muy alta: aliviada, triunfal, sin aliento y con mucho vértigo.

Su instructor le respondió con una sonrisa alentadora.

—Bien, pues mañana nos vemos, entonces.

—¿Mañana? —repitió Tina medio desmayada.

—Es miércoles, así que ya sabes.

Ella asintió y fue a reunirse con Salima, que la esperaba fuera. Por alguna razón, había dado por supuesto que su amiga sí querría cambiarse a la clase de nivel superior, y la decepcionó un poco comprobar que no era así:

—¿Al grupo de *jiu-jitsu*? No, yo no puedo, Tina. Quiero

terminar el curso de defensa personal, y además me gustaría apuntarme al periódico del instituto. He visto que han puesto carteles porque necesitan gente.

Tina la miró sorprendida. Había visto algún ejemplar de la publicación, aunque no le había prestado demasiada atención. Se llamaba *Voces*, y no era más que un panfletillo que hablaba de las novedades del centro y recogía también artículos de opinión, entrevistas a alumnos y profesores destacados y algún que otro poema, compuesto con mayor o menor fortuna. Tina no tenía muy claro cada cuánto tiempo lo publicaban exactamente; a veces tenía la sensación de que lo sacaban cuando podían y no seguían ningún calendario fijo.

—Me va muy bien —estaba diciendo Salima— porque, si me cogen, empezaría justo después de terminar el curso de defensa personal y no se me juntarían las dos actividades.

—No sabía que te interesaran esas cosas.

—¿Desde cuándo no me ha interesado enterarme de todo, compartirlo con los demás y dar mi opinión al respecto?

—Pues también tienes razón —reconoció Tina, un poco desalentada—. En fin, lo de las artes marciales es una tontería. Quizá sea mejor que termine este curso contigo y ya está.

—Pero ¿qué estás diciendo? Si quieres pasarte al grupo de *jiu-jitsu*, ¡debes hacerlo!

—¿Yo sola?

—¿Y por qué no?

Tina no respondió. Lo cierto era que sí quería; ya se había hecho a la idea de seguir entrenando y estaba ilusionada. Pero no se veía capaz de hacerlo sin la compañía de Salima.

Ella se ablandó un poco.

—Bueno, no te preocupes, quizá no me cojan para el periódico. Mañana iré a preguntar. Puede que a estas alturas ya tengan gente de sobra y no necesiten más, o que no les guste mi estilo, o lo que sea. Si es así, me volveré a plantear lo del *jiu-jitsu*, ¿vale?

Tina asintió, aunque no acertaba a adivinar qué clase de idiota vetaría a una chica brillante e inteligente como Salima en la redacción de una revista.

Se quedó de piedra al ver aparecer tras la puerta a Rodrigo Herrera. Inspiró hondo y se esforzó por evitar, con escaso éxito, que los colores se le subieran a la cara.

—Buenas —saludó el chico con amabilidad—. ¿Queríais alguna cosa?

Tina no pudo responder. Nunca había visto a Rodrigo tan de cerca. En general seguía siendo aquel chiquillo de cabello alborotado al que recordaba debatiéndose entre los brazos del policía, llorando por su hermano muerto; pero ahora se lo veía mayor, más sereno y reflexivo. El famoso estirón se había cebado cruelmente con su cuerpo, todo codos y rodillas, y aun así tampoco era demasiado alto. Pero a Tina le parecía guapo de todas maneras; le gustaba la forma en que el pelo castaño se le ensortijaba sobre la frente y le tapaba las orejas casi por completo, en un peinado que le daba una cierta apariencia de *hobbit*; le encantaba la manera que tenía de alzar una sola ceja cuando estaba sorprendido o quería hacerse el interesante, y la volvían loca los hoyuelos que se le formaban a ambos lados de la cara cuando sonreía.

Además, por primera vez se dio cuenta de que tenía los ojos pardos. De lejos le habían parecido marrones, sin más.

A Salima, en cambio, no la impresionaba lo más mínimo.

—Sí, ¿está Diego por aquí? —preguntó, tratando de otear el interior del aula por encima del hombro de Rodrigo.

—¿Diego, el de lengua?

—Ese mismo. Me han informado de que es el director del periódico.

—Pues te han informado mal. El director de *Voces* soy yo. Diego es el coordinador.

—Bueno, y entonces, ¿con quién tengo que hablar para formar parte de la redacción? —se impacientó Salima.

—Conmigo. ¿Quieres entrar en el equipo?

—Eso acabo de decir.

Rodrigo la observó atentamente, evaluándola.

—Pues... —empezó, escogiendo con cuidado las palabras—, el caso es que no sé si lo que hacemos aquí se ajusta a tus intereses.

—¿Mis... intereses? —repitió Salima alzando una ceja.

—Quiero decir... que no encajas en el perfil habitual de los redactores de la revista, eso es todo.

—¡Ah! ¿Es porque soy una chica?

—¿Qué? ¡No, no, qué va, para nada! De hecho, en el equipo de redacción hay más chicas que chicos...

Salima se cruzó de brazos.

—Entonces, no entiendo cuál es el problema.

Rodrigo empezaba a ponerse nervioso.

—Oye, no me interpretes mal, es que...

—Ah, espera, creo que ya sé lo que intentas decirme. —Salima sonrió como un tiburón—. Obviamente no tiene sentido que una pobre chica musulmana sometida al yugo de una cultura retrógrada y machista forme parte de un medio de comunicación tan abierto y progresista como este.

Tina carraspeó para contener la risa. Pero Rodrigo las sorprendió a las dos respondiendo:

—Pues mira por dónde, es exactamente lo que estaba pensando. Yo no lo habría expresado mejor. Minipunto para ti.

Pero Salima no había terminado con él.

—Ah, comprendo, has llegado a la conclusión de que soy una chica sumisa porque llevo *hiyab*.

—Tú misma te lo dices todo.

—A lo mejor eres tú el que está mal informado. El *hiyab* es un símbolo de mi cultura.

Salima empezaba a picarse, y Tina asistía a la conversación, sorprendida. Desde que la conocía, nadie había logrado sacarla de sus casillas.

—Es un símbolo de una cultura retrógrada y machista, como bien has dicho —respondió Rodrigo.

—Lo es en los lugares donde es obligatorio ponérselo. Pero da la casualidad de que estamos en Europa, hay libertad de expresión y yo lo llevo porque quiero y porque no hago daño a nadie.

—No me digas.

—Sí te digo. En mi familia es una opción, no una imposición. Mi prima Aicha no lo lleva. Mi hermana pequeña tampoco tiene intención de ponérselo. Y no pasa nada. Yo defiendo su derecho a no llevar *hiyab* de la misma manera que defiendo mi derecho a ponérmelo si me da la gana.

Rodrigo entornó los ojos, reflexionando sobre aquel nuevo argumento. Replicó sin embargo:

—Es una opción para las mujeres, claro. Los hombres no tienen que cubrirse la cabeza, según tengo entendido.

Los ojos de Salima brillaron con picardía.

—Ah, vaya. Entonces, los hombres occidentales empezaréis a usar zapatos de tacón... ¿exactamente cuándo?

—¡No es lo mismo! —protestó Rodrigo, turbado ante aquella imagen.

—No, claro que no es lo mismo, ni por asomo —coincidió Salima—. A mí el *hiyab* no me impide correr para alcanzar el autobús. Ni para escapar de alguien que quiera hacerme daño. Tampoco multiplica mis posibilidades de sufrir un esguince, ni me puede provocar callos en los pies, problemas en los gemelos, artrosis en las rodillas o lesiones de columna.

—Bueno —repuso Rodrigo, un tanto abrumado—, pero reconocerás que en este caso las mujeres que se ponen zapatos de tacón sí que lo hacen porque quieren.

—Naturalmente —asintió Salima—. Porque quieren mostrar unas piernas más bonitas y estilizadas para complacer a la mirada masculina. O quizá porque solo sobre unos tacones se sienten más... ¿cómo diría yo?, a la altura de un hombre. Literal y metafóricamente hablando. Escoge la razón que prefieras.

—A lo mejor atribuyes demasiado poder a eso que llamas «la mirada masculina».

—¿Y por qué será? Quizá porque me has juzgado por la ropa que llevo. Lo cual no está tan mal, supongo. Si te fijas en mi *hiyab* por lo menos estás más cerca de mirarme a los ojos que si me miras las tetas.

—¿Qué te hace pensar que tengo interés en mirarte las tetas?

Salima se rio.

—Venga, por favor, que no nací ayer.

Pero Rodrigo seguía serio.

—No estoy de coña. A lo mejor resulta que soy gay y tus tetas no me interesan en absoluto.

Salima calló de golpe.

—¿Qué pasa? —sonrió Rodrigo—. ¿Tienes algún problema con eso?

Salima vaciló solo un momento.

—No, para nada —dijo por fin con energía—. Pero que seas o no seas gay no tiene nada que ver con que yo use pañuelo o no.

—No, es verdad —coincidió Rodrigo—. En eso te doy la razón.

Hubo un breve silencio.

—No te he convencido, ¿verdad? —dijo entonces Salima con una amplia sonrisa.

—No, pero me has dado muy buenos argumentos —reconoció él—. Me gusta cómo razonas y cómo defiendes tus ideas. Bienvenida a *Voces*...

—Salima —respondió ella al instante—. Salima El Hamidi.

—¿El Hamidi? —repitió Rodrigo—. ¿Eres pariente de Abdullah?

—Es mi primo.

En un segundo plano, Tina asistió al diálogo amistoso que se establecía entre Salima y Rodrigo, en un tono muy diferente al encendido debate que habían mantenido momentos atrás. Aún estaba digiriendo la situación y preguntándose si el chico sería homosexual de verdad cuando él reparó en su presencia por fin.

—¿Tú también quieres unirte al equipo? —le preguntó.

Ella dio un paso atrás automáticamente.

—No, yo... solo he venido de acompañante —respondió.

Era muy consciente de que no podía estar a la altura de Salima en aquel terreno. Y ella acababa de demostrárselo a ambos con creces.

Por un momento, sin embargo, estuvo tentada de rectificar y decir que sí, que estaba interesada, que por favor le reservaran un puesto en el equipo de redacción; así estaría con Salima y al mismo tiempo podría conocer mejor a Rodrigo. Pero el sentido común mantuvo sus pies pegados al suelo: ella no pintaba nada allí y, además, no era lo que quería en realidad.

Se despidió de ellos con un poco de pena y salió del instituto, preguntándose aún si no había cometido un error. Ella no tenía ninguna vocación periodística, pero quería estar con

Salima y con Rodrigo. Por otro lado, si se dejaba guiar por sus intereses, si daba pasos para seguir su propio camino, tendría que hacerlo sola.

Se dirigió, pues, al gimnasio, y se asomó al tatami justo cuando comenzaba la clase de *jiu-jitsu*. Mario la vio y acudió a recibirla.

—¿Qué? ¿Te quedas?

Tina suspiró.

—No he traído ropa de deporte. No tenía previsto venir —confesó.

Él dirigió una mirada evaluadora a los *leggings* de la chica y a su sudadera de manga larga.

—Bueno, servirá. Parece ropa cómoda.

Tina lo siguió hasta el interior de la sala. Se sintió muy intimidada al comprobar que casi todos los alumnos eran jóvenes fibrosos y atléticos. A punto estuvo de girar sobre sus talones y salir huyendo... pero entonces localizó a Juanjo, su compañero de la clase de defensa personal, que la saludaba desde la última fila, claramente aliviado por no ser el único novato del grupo.

Tina sonrió a su vez, se descalzó y ocupó un espacio libre en el tatami.

5

Los inicios en el grupo de *jiu-jitsu* fueron aún más duros de lo que se había imaginado. El calentamiento, más intenso que el que hacían en la clase de defensa personal, dejaba a Tina tan agotada que apenas podía seguir los ejercicios posteriores. Estuvo a punto de abandonar en las primeras clases, pero se impuso como objetivo aguantar hasta las vacaciones de Navidad; entonces podría descansar, y de todos modos, no tenía dinero para pagar el resto del curso después de año nuevo. No obstante, cuando se despidió de Mario y los demás tras la última clase, deseándoles felices fiestas, se sintió triste a pesar del cansancio y las agujetas. Realmente estaba haciendo progresos, aunque fuese poco a poco. Era una lástima que tuviese que dejarlo justo cuando empezaba a seguir el ritmo, pero no había gran cosa que pudiese hacer al respecto.

Durante las vacaciones, Tina perdió contacto con Salima y con el resto de sus compañeros y se resignó a pasar las Navidades con la única compañía de su madre, que la tuvo muy ocupada con mil y un recados, debido a que le tocó hacer horas extras en el supermercado en el que trabajaba como reponedora. Tina, por tanto, se vio obligada a sustituirla en las tareas del hogar, haciendo compras, comidas y labores de limpieza. Durante un par de semanas se sintió como en una burbuja, lejos de todo, de los problemas del barrio y del instituto. En algunos momentos, mientras escuchaba a Camila quejarse de lo solas que estaban en el mundo en aquellos días tan señalados, hasta llegaba a plantearse qué le había hecho pensar que una chica como ella podría llegar a aprender *jiu-jitsu*.

Una tarde, su madre le contó que una amiga suya había encontrado un buen trabajo que no podía rechazar. El problema era que su nuevo horario no le permitiría recoger a su hija Ana María en el colegio por las tardes.

—Así que necesita a alguien que vaya a buscar a la niña, la ayude a hacer las tareas y la vigile hasta que ella vuelva —le dijo a Tina—. Me preguntó si a ti te interesaría, y por supuesto le dije que sí. No puede pagar mucho, pero es mejor que nada.

El corazón de Tina empezó a latir con fuerza.

—¿Me has buscado un trabajo? ¿Como canguro?

—Yo creo que sería bueno para ti tener responsabilidades. Ya eres mayor, Valentina.

La chica se detuvo a pensar, perpleja. Conocía a Ana María, una chiquilla de siete años un tanto tímida, con la que siempre se había llevado bastante bien. No pensaba que eso fuera un problema.

Se acordó enseguida de las clases de *jiu-jitsu*: si aceptaba aquel trabajo, tal vez podría seguir pagándolas. Pero, si tenía que ocuparse de la niña por las tardes, quizá no tendría tiempo de ir al gimnasio.

—Pero es que... me lo tengo que pensar —respondió con prudencia.

—¡Te lo tienes que pensar! —repitió Camila, pasmada—. ¡Ni que fuera una petición de matrimonio!

Pero Tina necesitaba recabar más información. Siguió preguntando, habló con la madre de Ana María y comprobó que el horario le permitiría seguir con las artes marciales; el dinero que ganaría cuidando a la niña, además, le permitiría pagar el cursillo.

Y ya no lo pensó más.

Al principio le resultó complicado llegar a todo, pero poco a poco se fue habituando a la nueva rutina. Disfrutaba con las clases de artes marciales, se sentía cada vez más ágil y fuerte, y el trabajo como canguro le permitía pagarlas. Era cierto que tenía menos tiempo para estudiar, y eso se vio reflejado en su rendimiento en el instituto, pero no le importaba.

El incidente del portal parecía cada vez más lejano. Llegó un momento en que pensó que estaba completamente superado, y que ya no se volvería invisible nunca más... Y entonces ocurrió de nuevo.

Fue un día en el instituto, una mañana como tantas otras. Tina se había acercado a la fuente más próxima para calmar su sed, y al incorporarse se topó con un cuerpo alto y fornido justo junto a ella.

—Fuera de aquí —gruñó Kevin Ramírez.

Los fantasmas del pasado despertaron de pronto. Tina inspiró con fuerza, alarmada, y se apartó de su camino. Pegada a la pared, con el corazón latiéndole a toda velocidad, contempló a una prudente distancia cómo él se inclinaba para beber en la fuente. Se obligó a calmarse. «No pasa nada», se dijo a sí misma. «Solo está representando su papel de macho alfa. No tiene nada contra mí. No me recuerda».

Se esforzó por no olvidarlo. Una parte de ella se sentía furiosa consigo misma: llevaba varias semanas entrenándose con esfuerzo y constancia y aún la aterrorizaba que un antropoide como Kevin Ramírez le dirigiese la palabra.

Decidida a dispararle como mínimo una mirada de indignación, aguardó a que él alzara la cabeza de nuevo. Lo vio darse la vuelta con el entrecejo fruncido y pasear la vista por la pared contra la que Tina se apoyaba... como si ella no estuviera allí.

La chica se llevó la mano a la boca para reprimir una exclamación de angustia. Sintió sus dedos sobre sus labios, pero no los vio. No estaban allí.

Y ella tampoco.

Lanzó un grito de sorpresa. Kevin, sobresaltado, miró a su alrededor con el desconcierto de un gorila recién despertado de la siesta. La había oído, quizá hasta había percibido su presencia... pero no la veía.

No la veía.

Cuando finalmente fue a reunirse con sus amigos al otro extremo del patio, Tina resbaló hasta el suelo y se quedó allí, acurrucada junto a la pared. Había dejado caer la cabeza sobre los brazos, apoyados en sus rodillas, pero lo único que veía era el suelo empedrado. Sentía el contacto de su propia piel, su cabello resbalando sobre sus hombros... pero no los veía.

«No puede estar pasando», se repetía a sí misma. «Otra vez, no».

Permaneció en la misma posición, invisible, hasta que sonó el timbre que señalaba el final del recreo. Captó las voces y las risas de los estudiantes mientras regresaban a clase, incluso oyó a Salima llamándola a lo lejos, pero no se movió. No se atrevía.

Se esforzó por recordar que la última vez había sido cuestión de esperar. Al cabo de un rato volvería a ser ella misma. Recuperaría la visibilidad y podría presentarse en clase con normalidad.

O eso esperaba.

Trató de respirar lenta y profundamente. Quizá relajarse la ayudaría a recuperarse antes.

Entonces oyó un chirrido y una puerta se abrió cerca de ella. Alzó la cabeza y descubrió a una alumna jovencita, probablemente de primero, que salía con cautela del baño de chicas del patio.

La observó con curiosidad. No la había visto entrar, por lo que, pensó, debía de llevar allí bastante tiempo. A Tina le llamaron la atención su gesto atemorizado y sus movimientos furtivos.

La chica se asomó a la esquina para comprobar que no quedaba nadie en el patio... y entonces fue interceptada por dos compañeras de su misma edad.

—¡Sofía! ¡Estabas aquí! —la saludó una de ellas con fingida alegría.

Ella dejó escapar un grito de sorpresa y suplicó, muerta de miedo:

—Por favor, por favor..., dejadme marchar... Voy a llegar tarde a clase.

—Si es solo un momento..., ¿verdad, Nerea?

—Claro —asintió su compañera—. Llevamos todo el día buscándote para hablar contigo. Si no te escondieras de nosotras...

—Yo no me escondo —dijo Sofía con voz temblorosa.

—Mentira podrida. Eres una embustera asquerosa y lo vas a pagar.

Ella se echó a llorar. Tina se puso en pie de un salto, indignada.

—Yo no soy una mentirosa... no... —gimoteaba la pobre Sofía.

—Claro que sí —le discutió la primera chica—. Le dijiste a la de mates que fuimos nosotras las que escribimos aquellas cosas en su mesa, y no es verdad.

—¡Pero si yo os vi!

—No es verdad.

La empujaron contra la pared.

—Alba, por favor... por favor, déjame, me quiero ir... —seguía llorando Sofía.

—No oigo nada —replicó Alba con cruel indiferencia—. ¿Tú oyes algo, Nerea?

—Naaaadaaaa... —canturreó su compañera.

—Soltadme... no, soltadme... ¿qué me vais a hacer?

—Pues no lo sé. A lo mejor te hacemos beberte tu propio pis, ¿verdad? Para que sepas a qué saben las mentiras.

Pero Sofía no llegó a descubrir a qué sabían las mentiras. De pronto, una fuerza misteriosa arrastró a Alba hacia atrás y la separó de ella. La niña lanzó un grito ahogado y manoteó para recuperar el equilibrio, sin éxito. Las otras dos contemplaron perplejas como caía de espaldas al suelo sin razón aparente.

—¿Qué...? —empezó Nerea.

No pudo terminar. Algo o alguien la arrastró de la coleta para alejarla de su víctima. Ella chilló de miedo y de dolor y trató de soltarse. Pero no veía a su agresor. Solo sentía que le tiraban con fuerza del pelo, y no tuvo más remedio que retroceder.

—¿Qué está pasando? —gimoteó Alba desde el suelo.

Una mano invisible la aferró por la capucha de la chaqueta y tiró de ella hasta ponerla en pie. La muchacha chilló.

—¿Qué? ¡Ay! ¡No, suéltame! ¡Suéltame!

Aún encogida contra la pared, Sofía contempló, perpleja, cómo algo invisible arrastraba a sus agresoras, a una por el pelo y a otra por la chaqueta, hacia el enorme charco que la lluvia había formado al pie de un árbol. Ellas gritaban y pataleaban, pero no pudieron evitar que las arrojaran al barro. Si no hubiese estado tan asustada, Sofía se habría permitido sonreír.

Las dos chicas, confusas y aterrorizadas, se pusieron de pie, con el agua por los tobillos.

—¿Qué ha sido eso? —sollozó Nerea.

—Soy la Justicia —tronó de pronto junto a ellas una voz terrible que les hizo dar un salto del susto—. Si volvéis a acercaros a esta niña...

No la dejaron terminar. Las dos salieron corriendo entre gritos de espanto, dejando tras ellas una hilera de huellas de barro.

Sofía aguardó un tiempo prudencial y después regresó corriendo a su clase. No comprendía qué había pasado, pero no le importaba: estaba a salvo.

Por el momento.

Tina la siguió, invisible todavía, riéndose por dentro. Se sentía extrañamente bien consigo misma.

Se internó por los pasillos del instituto. Caminaba muy pegada a su derecha, pasando la mano por la pared para sentir su tacto, corpóreo y real. Y mientras tanto, pensaba.

Había intervenido en la pelea siguiendo un impulso. Podría haberlo hecho igualmente siendo visible, porque era un par de años mayor que ellas y quizá —solo quizá— habría sido capaz de infundirles un mínimo de respeto. Pero así había sido más divertido. Sofía nunca sabría quién la había ayudado y, además, reflexionó Tina, probablemente las otras dos no se habrían atrevido a atacarla si la hubiesen visto cerca. O tal vez sí.

Le vino a la cabeza la visión de otra niña intimidada por matones. Una chiquilla pelirroja que la había considerado su amiga. En aquel momento, Tina le había dado la espalda a Raquel y había salido huyendo, dejándola sola. Se sintió culpable y cobarde por ello.

Pero a Sofía la había ayudado. A ella, sí.

Se detuvo, indecisa, ante la puerta de su aula; oía desde el interior a la profesora de inglés leyendo un texto en voz alta, y se preguntó cuánto rato hacía que había comenzado la clase. No podía consultar su reloj de pulsera porque había desaparecido con ella.

Se miró las manos. No las vio.

Respiró hondo y trató de calmarse. «No pasa nada, no pasa nada, es cuestión de tiempo».

Fue al baño y se encerró en uno de los cubículos. Se sentó sobre la tapa del váter, cerró los ojos e inspiró profundamente. Una, dos, tres veces.

Cuando abrió los ojos de nuevo, el contorno de su cuerpo comenzaba a reaparecer de un modo difuso, pendulando entre lo etéreo y lo material. Tina sonrió y se quedó contemplando como sus manos iban poco a poco recuperando su opacidad. Cuando por fin se atrevió a salir del baño, se miró en el espejo para asegurarse de que volvía a ser ella y se dirigió a su clase.

La profesora la riñó por llegar tarde, pero Tina apenas la escuchó.

—¿Dónde estabas? —cuchicheó Salima cuando se sentó a su lado.

—En el baño —respondió Tina sin mentir.

—¿Tanto tiempo? ¿Se puede saber qué has desayunado?

Tina se llevó un dedo a los labios indicando silencio, y su amiga no insistió.

Pasó el resto de la clase reflexionando sobre lo que había sucedido. Fantaseando sobre todas las cosas que podría hacer si pudiera volverse invisible a voluntad. Si supiera controlar aquella... peculiaridad. O lo que fuera.

Parecía claro que le sucedía cuando se asustaba, pero... ¿y si pudiese hacerlo... y deshacerlo... cuando ella quisiera?

Practicó durante toda la semana. Encerrada en su cuarto, o en el baño durante los recreos, cerraba los ojos, pensaba:

«Deseo volverme invisible» e imaginaba que perdía opacidad poco a poco. Al principio no sucedía nada, pero lentamente fue obteniendo resultados. La primera vez que consiguió algo solo pudo volverse un poco traslúcida, y aun así le costó más de media hora recuperar su estado normal.

Descubrió cuál era el truco durante el fin de semana, cuando tuvo más oportunidades para practicar. La tarde del sábado, cansada de intentarlo una y otra vez, repasó mentalmente los momentos en los que le había sucedido sin saber por qué. Le parecía evidente que el miedo desencadenaba el proceso, pero ¿era imprescindible estar asustada para conseguirlo? Se imaginó en una situación de peligro, y su mente no deseó volverse invisible. Lo que susurró exactamente fue: «Que no me vean, que no me vean...».

Tina abrió los ojos y contempló, entre inquieta y maravillada, cómo su imagen se borraba de la superficie del espejo.

Segundos después, se había vuelto completamente invisible.

Comprendió entonces que su habilidad no tenía relación con el concepto que ella tenía de sí misma... sino con lo que quería mostrar a los demás. Y fue así como tomó el control.

«Que no me vean», pensaba. Y su figura se disolvía, como un arabesco de tinta china bajo la lluvia.

«Ya pueden verme», se decía. Y reaparecía en el mundo visible.

El lunes, cuando regresó al instituto, ya dominaba el proceso bastante bien. Entró por la mañana en el patio con el corazón latiéndole con fuerza de la emoción y un amago de sonrisa en los labios.

—¿Qué te pasa? —le preguntó Salima curiosa—. ¿Por qué estás tan contenta?

Tina estuvo tentada de contárselo todo. Su sonrisa se ensanchó al imaginar la cara que pondría su amiga cuando la viera desaparecer ante sus ojos; pero sacudió la cabeza y dijo:

—Nada, cosas mías.

—¿Te ha pasado algo interesante este fin de semana? ¡Oh! ¿Has conocido a un chico?

Tina enrojeció.

—¡No!

—Aaaah, te has puesto coloraaadaaa —canturreó Salima.

—¿Por qué haces tantas preguntas?¿Me estás entrevistando para tu periódico?

—No es mi periódico, y no publicamos cotilleos... Bueno, no muchos.

—¿Ah, no? Y entonces, ¿en qué estáis trabajando ahora? —preguntó, aprovechando para cambiar de tema.

Salima se percató de la maniobra, pero respondió de todas formas.

—Lo mío no es nada emocionante. Rosa, la profe que da lengua a los de bachillerato, se jubila este año, y estoy haciendo un reportaje-homenaje, o como se diga. Entrevistando a alumnos y exalumnos suyos, haciendo un repaso de las actividades chulas que ha organizado... esas cosas.

—Oh. Es bonito, pero tienes razón. No suena muy emocionante.

—Lo de Rodrigo, en cambio..., es una historia muy distinta.

Tina se detuvo en seco.

—¿Por qué? ¿Qué está haciendo?

Salima dudó antes de proseguir, en voz baja:

—¿Ves a esos chicos de la cancha?

Tina se volvió para mirar en la dirección que ella le indicaba. En la pista de baloncesto había un grupo de alumnos mayores que jugaban un partido rápido antes de entrar en clase. Tina localizó de inmediato a Rodrigo, sentado en las gradas. Parecía que estaba concentrado en sus apuntes pero, al observarlo con atención, la chica descubrió que lanzaba miradas furtivas a los jugadores.

—¿Sabes cuántas veces han roto las canastas en lo que va de curso? —preguntó Salima; Tina negó con la cabeza—. Ocho. Y siempre se han reparado con dinero del consejo escolar. Mientras tanto, los baños del segundo piso no funcionan, la biblioteca da pena, y de los tres ordenadores de la sala de informática solo funciona uno, y eso si le apetece.

—¿Y?

—Rodrigo opina que el que la hace la paga. Y que son los chavales que rompen la canasta quienes deberían abonar las reparaciones. O sus padres.

En aquel preciso momento, uno de los chicos saltó para hacer un mate; encestó y se colgó del aro un momento antes de saltar al suelo. La canasta entera tembló.

—¿Ves? —señaló Salima—. Así es como se rompen.

—Bueno, todos sabemos quiénes son esos tíos. No es ninguna novedad.

—Sí, todos lo sabemos, pero nadie dice nada. Y nadie hace nada tampoco. Pero Rodrigo está elaborando una lista de la gente que se cuelga del aro. Con nombres y apellidos. Y foto del momento de los hechos, para mayor escarnio. Cuando la canasta vuelva a romperse, publicará la lista con la factura de las reparaciones en el próximo número de *Voces*. Y exigirá que la paguen ellos.

Tina se quedó boquiabierta.

—Oh-oh —acertó a decir—. Alguno se picará mucho por eso.

—Levantará ampollas, seguro. Pero él es así: cree que las injusticias hay que denunciarlas y que ya está bien de aguantar que unos pocos troles impongan su ley a todos los demás. Hoy será la canasta, y mañana... ¿quién sabe? Pero puede que algún día se meta en problemas, sí.

—Y sin embargo... —aventuró Tina, adivinando que Salima tenía algo más que añadir.

—Y sin embargo, alguien tiene que decirlo —concluyó ella un tanto alicaída—. Y le doy la razón. Aunque me consta que Ismail se cuelga de la canasta también.

Tina reprimió una risita.

—¿En serio?

—Sí. Y cuando salga el reportaje, si al final el instituto decide pasarnos la factura, mi padre se va a poner hecho una furia. En fin, me consuelo pensando que, entre todos, no nos saldrá mucho a pagar. Espero.

—Mal de muchos...

Sonó entonces el timbre, y los grupos del patio se fueron deshaciendo para encaminarse al interior del edificio. Tina y Salima se cruzaron con Rodrigo en el pasillo y lo saludaron.

—No cuentes nada de esto, ¿eh? —le susurró Salima a su amiga—. No nos vayas a chafar la primicia.

—La primicia —repitió Tina estupefacta—. Sí que te lo estás tomando en serio, ¿eh?

—Por favor —insistió ella—. Y no le cuentes tampoco a Rodrigo que te lo he dicho, ¿vale?

—¿Yo? Pero si yo nunca hablo con Rodrigo. No es amigo mío —reconoció con cierto pesar.

No volvieron a mencionar el tema, pero Tina pensó mucho en ello a lo largo del día. Sobre todo daba vueltas a las palabras que Salima había puesto en boca de Rodrigo: «Las injusticias hay que denunciarlas. Ya está bien de aguantar que una pandilla de troles imponga su ley a todos los demás». Secretamente estaba muy de acuerdo con aquella idea, pero contravenía todo lo que su madre siempre le decía: «No te metas en problemas, Valentina. Mantente al margen. No llames la atención».

«Que no te vean», comprendió Tina de pronto.

Pero podía hacer las dos cosas. Podía ayudar de alguna manera y mantenerse a salvo al mismo tiempo; porque, si nadie la veía, si no la identificaban, no podrían pedirle cuentas después.

Se irguió en su pupitre, tratando de disimular su excitación. Aprovecharse de su invisibilidad para ayudar a la gente sin correr riesgos no parecía elegante ni desde luego tan valiente como lo que hacía Rodrigo, que no tenía miedo de dar la cara.

Pero a Sofía le había servido.

La había visto un par de veces más desde el día en que la había librado de sus acosadoras. En la primera ocasión le había sonreído, pero Sofía le había devuelto una mirada extrañada. Tina tuvo que recordarse a sí misma que oficialmente no se conocían.

Desde entonces había estado pendiente de ella, en la distancia. También vigilaba a Alba y Nerea cuando las veía en el patio. No las había visto acercarse a Sofía de nuevo, pero nada le garantizaba que no volvieran a hacerlo cuando ella no estuviese pendiente.

Y mientras controlaba aquella situación, descubrió en el patio y por los pasillos otras muchas que le parecieron injustas. Y decidió hacer algo al respecto.

6

Los días siguientes se deslizó como una ráfaga de brisa por el instituto. En sus horas libres se encerraba en el cuarto de baño para que nadie la viera volverse invisible y después salía y recorría los pasillos, las aulas, el patio. Siempre vigilante.

Aprendió a moverse en silencio, pegada a las paredes para no tropezar con nadie. Acudía allá donde oía burlas, llantos, insultos o amenazas. Al principio sus intervenciones eran tímidas, pero siempre sorprendentes. Recuperaba las cosas robadas y las devolvía a sus legítimos dueños; y lo hacía delante de los ofensores, que se llevaban un susto de muerte cuando veían que los objetos sustraídos volaban solos lejos de ellos. Cuando estallaba una pelea, tiraba de las ropas y los cabellos de los contendientes hasta que lograba separarlos y los hacía huir, muertos de miedo, pasillo abajo. Arrebataba rotuladores permanentes, tizas, cúteres y bolígrafos cuando se usaban para estropear el mobiliario del colegio, y los arrojaba por la ventana ante la mirada desconcertada de sus propietarios.

Vigiló también a las acosadoras de Sofía, disuadiéndolas de acercarse a ella cuando lo intentaban, haciéndolas tropezar, acariciándoles la nuca y las orejas con dedos helados o llevándose lejos sus mochilas para que tuvieran que ir a buscarlas.

Al principio, sus movimientos eran torpes e imprecisos, porque no veía sus propias manos. Con el tiempo, sin embargo, sus acciones se volvieron más certeras y eficaces. Todavía no se atrevía a enfrentarse directamente a los agresores más fuertes o de más edad, pero se las arreglaba para entorpecerlos cuando trataban de molestar a alguien, o de castigarlos de algún modo si no conseguía detenerlos a tiempo.

Un día, sin embargo, estuvo a punto de ser descubierta. Había sorprendido a un estudiante de primero de bachillerato acosando a una compañera en un pasillo. Era obvio que quería ligar con ella; la chica repetía que no estaba interesada, y él insistía e insistía, acorralándola contra la pared e invadiendo su espacio vital. Tina se acercó, agarró al donjuán por la oreja y tiró de él.

—¡Aaaaay! —se quejó este—. ¿Qué demonios...?

Se quedó de piedra al no ver a nadie a su lado. Quiso volverse hacia su compañera, pero Tina lo aferró de nuevo, esta vez de la oreja derecha, y estiró con ganas.

Cuando logró hacerlo retroceder, lo soltó para que comprendiera qué era lo que quería. Pero el chico tenía pocas luces. Se volvió hacia todos lados, desconcertado, y luego miró acusador a la otra chica:

—¿Cómo has hecho eso?

Ella negó con la cabeza, muy asustada. El chico miró a todos lados, suspicaz, y se dispuso a retomar lo que había dejado a medias.

Pero Tina no se lo permitió. Primero tiró de una oreja, luego de otra, después del cuello de la camisa, una y otra vez, haciendo oídos sordos a las quejas y protestas de su víctima, hasta que logró separarlo de la chica, que aprovechó la distracción para salir huyendo.

Su pretendiente, furioso, lanzó un manotazo al aire... y golpeó a Tina en plena cara.

Ella retrocedió con un gemido, aturdida. El chico lanzó un grito de triunfo.

—¡He tocado algo! ¡Aquí hay algo! ¿Lo habéis visto? —preguntó a un grupo de compañeros que se acercaban, intrigados—. ¿Eh? ¿Lo habéis visto? —insistió.

Los otros contemplaron desconcertados como aquel lunático, con las orejas completamente rojas, bailoteaba en medio del pasillo, moviendo los brazos como si fuera un molino de viento, a la caza de algo que nadie más podía ver.

Tina se retiró discretamente, sorteó como pudo a la gente del pasillo y se alejó de allí.

Cuando se volvió visible, se miró en el espejo del baño y descubrió que tenía rojo el pómulo izquierdo, donde su contrincante la había golpeado. Se frotó con cuidado, prometiéndose a sí misma que sería más cautelosa en lo sucesivo.

Por descontado, todo aquello había terminado por despertar las sospechas de Salima. Al principio la chica no había concedido importancia al hecho de que Tina pasase todos los recreos «en la biblioteca», según le dijo, «para hacer las tareas pendientes, porque por las tardes, entre la niña y el gimnasio, apenas tengo tiempo de estudiar». La propia Salima estaba también ocupada con el periódico y aprovechaba los recreos para entrevistar a la gente o recabar la información que necesitaba para sus reportajes, por lo que apenas prestó atención a las ausencias de su amiga.

Sin embargo, no había tardado en descubrir que, a pesar de sus buenas intenciones, Tina iba cada vez peor en los estudios. Se ofreció a ayudarla, pero ella le puso todo tipo de excusas y le dijo que no hacía falta, que solo necesitaba habituarse al nuevo horario y que se las arreglaría sola. Salima sabía que todas las tardes hacía de canguro de la pequeña

Ana María y, además, los lunes y miércoles empalmaba con las clases de *jiu-jitsu*. Pero parecía compensarlo con los ratos que pasaba en la biblioteca, no solo durante los recreos, sino también antes y después de clase. Hacía ya tiempo que Salima no coincidía con ella a aquellas horas, porque Tina madrugaba más para poder entrar en el instituto en cuanto abrían la puerta y siempre se quedaba un rato extra al acabar las clases. Salima llegó a preguntarse cuándo comía, si es que comía alguna vez. Su amiga estaba perdiendo peso, eso era evidente; pero tenía la sensación de que se debía más al ejercicio físico que a la falta de alimentación. En las clases de deporte se mostraba más ágil y resistente, y a Salima no le parecía que estuviese pasando hambre.

En realidad, Tina iba a su casa a comer todos los días, como siempre; no se atrevía a llamar la atención de su madre con más cambios de rutina. Sin embargo, se volvía invisible cuando salía del instituto para mezclarse con los demás estudiantes sin que nadie se percatara de su presencia.

Salima tenía la impresión de que Tina le ocultaba algo, pero no encontraba tiempo material para tratar de averiguar qué era. El instituto andaba muy revolucionado en las últimas semanas; circulaban rumores sobre espíritus y sucesos paranormales, y su instinto le decía que allí había una historia que contar.

No la relacionaba, sin embargo, con las nuevas costumbres de Tina. Suponía que el secreto de su amiga se refería a algo más mundano y quizá más sórdido, y creyó ver confirmadas sus sospechas cuando le vio la cara aquella mañana en clase de ciencias sociales.

—¡Pero, Tina...! ¿Qué te ha pasado? ¿Cómo te has hecho eso?

Ella se llevó la mano inconscientemente hacia su rostro lesionado.

—Uf, esto... Nada, un pequeño accidente ayer en clase de *jiu-jitsu*.

Salima se la quedó mirando.

—Mientes fatal, ¿sabes?

—¿Por qué dices eso? —protestó ella; Salima detectó que, aunque tratara de hacerse la indignada, se sentía inquieta e insegura.

—Porque esta mañana al llegar al insti no lo tenías.

Tina respondió con una risa nerviosa.

—Será uno de esos moratones que tardan unas horas en aparecer...

—Está rojo, Tina. Esto es de ahora mismo.

—Ah, venga, ya ves fantasmas donde no los hay.

—¿Tú también estás con el rollo ese de los fantasmas?

Pero no pudieron seguir hablando, porque el profesor les llamó la atención y tuvieron que centrarse en la clase.

Salima se quedó convencida de que había alguien que acosaba o maltrataba a su amiga en el instituto, y estaba especialmente preocupada por el hecho de que ella no se lo quisiese contar. Tina, por su parte, la evitó todavía más, alarmada ante la posibilidad de que Salima llegase a descubrir su secreto. Una parte de ella creía estar todavía viviendo un extraño sueño; temía que, si lo compartía con su amiga, descubriría que nada de aquello era real, y que se estaba volviendo loca sin darse cuenta.

Pero lo cierto era que le gustaba su nuevo papel de justiciera en la sombra. Le encantaba dar su merecido a los abusones, asustarlos un poquito, hacer que se tambalearan en aquella posición de poder que habían conquistado por la fuerza, a base de hostigar y amedrentar a los demás. Le hubiese gustado poder compartir aquellas historias con Salima, reírse juntas, sentir que podían hacer que las cosas volvieran a su lugar... pero el éxito de su empresa se basaba, precisamente, en que nadie sabía quién o qué era aquella fuerza invisible.

Sin embargo, no tuvo más remedio que plantearse que quizá se estaba arriesgando demasiado. Por todo el instituto se hablaba ya de las cosas extrañas que pasaban, y hasta los profesores se permitían bromear sobre ello.

—Vaya, ahora no encuentro las fotocopias que os iba a repartir —dijo el de lengua un par de días más tarde, mientras revolvía en su maletín—, y juraría que las había traído. Habrá sido el *poltergeist* —añadió, de buen humor.

Algunos alumnos le rieron la gracia. Otro preguntó:

—¿Qué es un *poltergeist*?

—Un fantasma tocapelotas como tú —le replicó un compañero, y en esta ocasión la carcajada sí fue general.

Pero Tina se sentía indignada. «¿Fantasma tocapelotas?», se dijo. «¿Qué se han creído?».

Reconoció, sin embargo, que quizá había llegado la hora de echar el freno. Tenía la sensación de que los alumnos conflictivos se cortaban un poco más a la hora de causar problemas, pero también había algunos tan aterrorizados que habían dejado de asistir al instituto. Por otro lado, la gente estaba cada vez más alerta. Tarde o temprano, alguien tropezaría con ella, descubriría que era corpórea y...

Tina se estremecía cada vez que imaginaba a sus compañeros organizando la «caza del fantasma» por todo el instituto. Se reprimió, pues, y se esforzó por ser todavía más discreta. Seguía interviniendo, aquí y allá, pero siempre procuraba que no hubiese demasiados testigos.

Y también priorizaba. Y seleccionaba. Y pasaba por alto algunas escenas o comportamientos que la indignaban, pero que no podía detener si quería seguir manteniendo el secreto de su identidad. Hubo un acontecimiento, sin embargo, en el que no pudo evitar intervenir.

No fue en el instituto, en realidad, sino en el parque cercano. Tina volvía a casa después de dejar a Ana María con su madre. Solo eran las seis y media de la tarde, pero ya era de noche, y la chica caminaba deprisa, sumida en sus pensamientos. Había suspendido el último examen de matemáticas y quería aprovechar que aquella tarde no tenía entrenamiento para llegar pronto a casa y ponerse a estudiar.

Al atravesar el parque le llamó la atención un movimiento un poco más allá.

Era un grupo de chavales algo mayores que ella. A algunos los conocía de vista, a otros, no. Rodeaban a alguien a quien, sin embargo, Tina identificó al instante.

Se trataba de Juanjo, su compañero de la clase de *jiu-jitsu*. Y no parecía estar disfrutando con la compañía. Trataba de continuar su camino, esquivando a los otros chicos, pero ellos lo seguían, lo rodeaban y le cortaban el paso una y otra vez.

Tina dudó. Hasta aquel momento nunca había actuado fuera del instituto, un espacio conocido que tenía más o menos controlado. Porque, si el instituto ya le parecía aterrador a veces, el mundo que había más allá la superaba por completo.

Sin embargo, tenía que acercarse. Solo para asegurarse de que Juanjo estaba bien.

Salió del camino y se refugió tras un árbol para volverse invisible. Dejó su mochila oculta entre los matorrales para que no la estorbara y, en silencio, se acercó al grupo.

—Dejadme en paz, ¿vale? —estaba diciendo Juanjo—. Ya estoy harto de vosotros.

—Eh, eh, ¿a dónde vas tan deprisa? —replicó uno de los chicos, un chaval fornido y rubio con el pelo cortado a cepillo—. Ten cuidado, no vayas a tropezar —añadió, empujándolo con fuerza.

Juanjo trastabilló y cayó hacia adelante entre un coro de risas.

Mientras tanto, Tina se acercaba en silencio, invisible, entre las débiles sombras proyectadas por la luz de las farolas. Vio como Juanjo se levantaba y adoptaba una postura defensiva que habían aprendido en clase de *jiu-jitsu*. Comprendió que estaba dispuesto a contraatacar.

«No podrá», pensó Tina angustiada. «Son demasiados».

Los contó. Eran cuatro, aunque uno de ellos permanecía en segundo plano, incómodo, como si no estuviese seguro de querer participar en todo aquello.

Los demás se reían. Uno de ellos avanzó para agarrar a Juanjo del brazo, pero este se hizo a un lado y lo sujetó a su vez, adelantando la pierna para hacerlo tropezar, tal y como habían aprendido en clase de defensa personal.

Ejecutó la llave con cierta torpeza, pero funcionó, en parte porque el agresor no se la esperaba. Trastabilló, desconcertado, y Juanjo se lo quitó de encima. Los demás se callaron de golpe.

—Mira el gordo..., se nos ha puesto gallito —comentó el líder con cierta rabia.

Juanjo temblaba como un flan, pero se esforzaba por mantener la postura. «No podrá», pensó Tina de nuevo. Habían aprendido ya varios movimientos de ataque y defensa, patadas y puñetazos, pero eran muy básicos, y Tina no estaba segura de saber utilizarlos con efectividad en un combate real. Por no hablar del hecho de que ambos eran muy novatos todavía; les faltaba fuerza, potencia y velocidad.

Tina miró a su alrededor, desesperada, en busca de alguna idea que pudiera utilizar contra aquellos matones. Pero no se le ocurría nada.

El líder había vuelto a empujar a Juanjo con violencia. El chico se tambaleó y luchó por mantener el equilibrio, pero un segundo empellón lo mandó directo al suelo.

Tina se deslizó entre ellos en silencio, dispuesta a intervenir, pero sin saber todavía cómo.

El rubio se inclinó junto a Juanjo para decirle:

—No sé quién te has creído que eres, mierdecilla, pero conmigo no vas a jugar. ¿Estamos?

En ese mismo momento, Tina vio la cartera del matón sobresaliendo del bolsillo trasero de su pantalón. No lo pensó dos veces: se la sacó de un breve y rápido tirón. El chico alzó la cabeza, desconcertado, y Tina, guiada por un impulso, le dio un sonoro cachete en el trasero.

Tuvo que retroceder a toda prisa, alarmada, porque el rubio se incorporó de pronto de un salto y se dio la vuelta, furioso, aullando:

—¿Quién ha sido el maricón?

Sus compañeros se quedaron mirándolo desconcertados.

—¿Qué dices, tío? —preguntó uno—. ¿De qué vas?

Tuvo la mala suerte de ser el que estaba más cerca, por lo que el líder la tomó con él.

—¡Carlos! ¿Por qué cojones me has tocado el culo? ¿Qué pretendías, eh?

Lo empujó hacia atrás, y el otro, picado, respondió a la provocación.

—¡Que no sé de qué me hablas, Iván! ¡Que yo no te he tocado, ni ganas! ¿Oyes?

El rubio no atendía a razones. Se lanzó contra su compañero, que se defendió con saña. Los otros dos acudieron a separarlos.

—¡Eh, eh, parad ya! ¿Estáis grillados, o qué?

Finalmente, los dos se apartaron, resoplando como toros furiosos.

—Bueno, bueno, ya, ¿eh? ¿Qué ha pasado? —quiso saber el tercer miembro del grupo—. ¿Cómo te has puesto así?

Iván trataba de pensar con claridad. Fue entonces cuando se llevó la mano al bolsillo trasero del pantalón y descubrió que su cartera había desaparecido.

—¡Me han mangado, tíos! —bramó.

Miró a su alrededor, rojo de ira.

—¿Quién ha sido? ¿Quién ha sido el hijoputa?

Y justo entonces Tina depositó la cartera sobre la cabeza del cuarto matón, que había retrocedido, alarmado, y que dio un respingo al sentir aquella presencia invisible junto a él. Se llevó las manos a la cabeza, desconcertado, y cogió la cartera en el preciso instante en que Iván se volvía hacia él.

—¡Jorge! ¡Cabrón! ¡Devuélveme eso!

El chico, muy asustado, se deshizo de la cartera como si quemara.

—Que yo no he sido, tío... te lo juro... que me ha caído en la cabeza...

Carlos dejó escapar una risilla nerviosa.

—Sí, seguro... la habrá cagado una paloma —comentó.

Sus palabras solo sirvieron para encender todavía más el ánimo de Iván. Con un rugido de furia, recuperó su cartera y se abalanzó sobre el pobre Jorge, que trató de defenderse como pudo.

Mientras tanto, aprovechando la confusión, Juanjo se puso en pie lentamente, con cautela; pero uno de los matones lo vio.

—Eh, eh, dejad de pelear, que se nos escapa...

Iván se volvió hacia Juanjo como una flecha, pero Tina no estaba dispuesta a permitir que volviera a centrar su atención en él.

Se deslizó entre los acosadores, dando collejas, tirando de orejas y cabellos y palmeando traseros, y ellos empezaron a quejarse, a volverse hacia todas partes y a acusarse unos a otros. Por fin hicieron piña, cada vez más nerviosos, mirando a su alrededor.

—Tíos, alguien me está tocando.

—Te juro que no soy yo.

—No, no, había alguien detrás de mí pero no lo he visto. Alguien me ha tirado de la oreja. Unos dedos pequeños y fríos.

—Venga, Quique, no te rayes.

—Te lo juro...

—¿No será algo de la tele? ¿Un programa de esos de cámara oculta?

Cuando los vio mirar a su alrededor en busca de cámaras inexistentes, Tina no pudo reprimir la risa. Carlos dio un respingo y dijo, aterrorizado:

—¡Alguien se ha reído! ¡Justo a mi lado!

Quique intentaba mantener la cordura.

—Parad ya —pidió—. Se os está yendo la broma de las manos.

—Yo también lo he oído —intervino Jorge, temblando.

—¡Pero, vamos a ver...! ¿Qué somos, nenazas? —bramó entonces Iván—. ¿De qué tenemos miedo?

Tina se movió para alejarse de él, alarmada. Pero el chico estaba alerta y se volvió rápidamente hacia ella, agitando las manos en el aire, tratando de tocar aquella presencia invisible. Tina retrocedió, pero no fue lo bastante rápida. La mano de Iván aferró su chaqueta.

—¡Tíos, tengo algo! ¡He cogido algo!

Tina descargó el canto de la mano contra la muñeca de Iván, y este la soltó inmediatamente con un gemido de dolor. La chica se alejó todo lo que pudo, temblando, mientras su oponente se sujetaba la mano y gimoteaba, más aterrorizado que dolorido:

—Me ha dado... me ha dado... no sé qué es, pero me ha dado...

Tina, cansada y asustada, aprovechó que Carlos retrocedía para empujarlo y hacerle perder el equilibrio. Cuando el chico cayó con un grito de horror, llevándose a Quique por delante, los matones no lo soportaron más.

—¡Vámonos, vámonos! —apremió Jorge.

—¡Esperad..., esperad! —trató de detenerlos su líder, inútilmente.

Por fin dejó escapar una maldición y corrió tras ellos para no quedarse solo en la penumbra del parque.

Atrás dejaron a Juanjo, que se había levantado, atónito, sin terminar de asimilar su buena suerte. Tina comprobó que, aparte del susto, parecía estar bien. Iba a marcharse cuando la voz de su amigo la detuvo:

—Oye, espera, antes de que desaparezcas... gracias por ayudarme.

Tina se quedó quieta en el sitio, con el corazón latiéndole con fuerza. Juanjo miraba a su alrededor, en busca de alguna señal que delatase su presencia, y ella no estaba dispuesta a permitir que la descubriera. Pero las palabras de él habían despertado una cálida emoción en su interior.

Juanjo dejó escapar una risilla nerviosa, como si en el fondo temiera estar loco por hablar solo en medio del parque.

—Bueno, no sé si me oyes o no, pero he oído hablar de ti —prosiguió—. De las cosas que haces en el instituto.

Tina sonrió, complacida. Pero no se movió.

—Creo que sé quién eres —continuó él tras una breve vacilación.

Esperó para ver si había alguna reacción por parte de su salvador invisible. Pero Tina permaneció quieta, con el corazón latiéndole con fuerza.

—A lo mejor no puedes hablar, ni comunicarte conmigo —dijo entonces Juanjo, titubeante—. Eso lo hará más difícil, supongo. Lo de ayudarte a encontrar el túnel de luz y todo eso.

Tina pestañeó desconcertada.

—Pero quizá puedas responder sí o no —concluyó Juan-jo más animado—, o darme algún tipo de señal si acierto. Eres el chico de la azotea, ¿verdad?

Tina no respondió. No podía. Estaba tan perpleja que no sabía cómo reaccionar.

—Yo iba a otro instituto cuando pasó, pero me lo han contado. Te suicidaste, hace dos o tres años. —Hizo una pausa y continuó—. Lo siento, tío. La vida a veces es una mierda. Y si te acosaban en el insti, me parece muy lógico que ahora te dediques a perseguir a los matones.

Tina no daba crédito a sus oídos. Tenía entendido que muchos pensaban que era un fantasma... pero ignoraba que algunos, como Juanjo, la confundían con alguien real.

El chico de la azotea.

Como en un relámpago, le vinieron a la mente imágenes de aquella mañana en la que se había fijado en Rodrigo por primera vez.

Porque su hermano se había suicidado.

Aquel cuerpo que yacía sobre un charco de su propia sangre, cubierto por una sábana. Durante mucho tiempo, nadie se atrevió a pisar el punto en el que el suelo había detenido el vuelo fatal del chico de la azotea. Ahora, la gente pasaba por encima sin pensar.

Sin recordar.

Tina respiró hondo. Jamás se habría imaginado que alguien la tomaría por el fantasma del hermano muerto de Rodrigo. Sintió náuseas y retrocedió, aturdida.

Juanjo notó el movimiento y se volvió hacia el lugar donde la había percibido.

—S... sabía que seguías ahí —dijo, nervioso de pronto—. No te enfades, ¿eh? Solo quiero ayudarte.

Tina no pudo soportarlo más. Echó a correr, sin importarle que sus zapatillas hicieran ruido sobre la grava del parque. Oyó la voz de Juanjo tras ella, llamándola —llamando al «chico de la azotea» en realidad—, pero no se detuvo.

Regresó un rato más tarde, ya visible, para recuperar la mochila que se había dejado entre los arbustos, y se sintió muy aliviada al comprobar que seguía allí. No había ni rastro de Iván y sus amigos, y Juanjo también se había marchado.

Cuando llegó a casa era tan tarde que su madre le dio una bofetada por preocuparla sin necesidad. Pero Tina apenas reaccionó.

Tal vez, de tanto fingir que era un fantasma, estaba transformándose poco a poco en uno de ellos.

7

Impresionada por el episodio del parque, Tina se abstuvo de volverse invisible en los días siguientes. Trató de distanciarse un poco de Juanjo en las clases de *jiu-jitsu*, temiendo que él pudiera reconocerla de alguna manera. Al mismo tiempo lo miraba de reojo, intentando adivinar, en función de su estado de ánimo, si Iván y sus matones seguían acosándolo o no. Le pareció que su compañero se mostraba más tranquilo, y que también se esforzaba más durante las lecciones, hasta el punto de impacientarse cuando juzgaba que no estaba aprendiendo al ritmo que quería o necesitaba. Pero no podía estar segura, y no se atrevía a preguntarle.

En el instituto, volvió a pasar los recreos junto a Salima, que no hizo ningún comentario al respecto, para tranquilidad de Tina. Quizá porque estaba muy ocupada ultimando los detalles del nuevo número del periódico escolar.

Por fin, un lunes por la mañana, Rodrigo llegó al centro con los ejemplares fotocopiados de *Voces*, y Tina ayudó al equipo de redacción a repartirlos en la puerta del instituto. Encontró, sin embargo, un momento para examinar el periódico con interés.

Una parte de su contenido ya la conocía: el homenaje a la

profesora que se jubilaba, la sección de poemas y reseñas literarias, la entrevista a un alumno que había sido seleccionado para jugar en un club de fútbol local...

Y también estaba allí el reportaje sobre las canastas de baloncesto, con fotografías de los chicos que las rompían. La calidad de la impresión, en blanco y negro, no era muy buena, pero aun así se los reconocía perfectamente. Tina leyó, con creciente inquietud, el texto redactado por Rodrigo, que concluía de forma rotunda y lapidaria: «¿Por qué tenemos que seguir pagando todos el incivismo de unos pocos gamberros? Todos sabemos quiénes son: ya es hora de que asuman su responsabilidad por las cosas que destrozan».

—Uf —murmuró.

Salima la oyó y se volvió hacia ella para echar un breve vistazo a lo que leía.

—Sí, uf —convino—. Sinceramente, no creo que sirva para nada, salvo para cabrear a algunas personas. Porque los padres de la mayoría de esos chavales se van a negar a pagar. Y si alguno no paga, nadie lo hará. Pero bueno, Rodrigo ya es mayorcito para saber en qué se mete. Al menos él sí se hace responsable de las cosas que escribe.

Tina suspiró para sus adentros al comprobar que el reportaje estaba firmado con nombre y apellidos.

Siguió hojeando el periódico. Le llamó la atención un breve artículo escrito por Salima y titulado: «¿Fenómenos paranormales en el instituto?». Lo leyó con interés. Recogía algunos testimonios de alumnos que decían haber experimentado sucesos inexplicables. Objetos que se movían, presencias invisibles a su alrededor... En el texto, Salima se limitaba a registrar los rumores, pero no ofrecía ninguna interpretación de cosecha propia. A Tina le extrañó. Conociendo a su amiga, resultaba muy llamativo que hubiese resistido la tentación de deslizar su opinión al respecto.

—No lo has publicado completo, ¿verdad? —adivinó, mostrándole la página en cuestión.

—Ni por asomo —resopló ella—. En realidad yo lo había titulado «¡Llamemos a los cazafantasmas!», pero Rodrigo me lo censuró.

—¿Por qué?

—Bueno, circulan por ahí rumores sobre «el fantasma del instituto» y «el chico de la azotea». Suma dos y dos.

Tina asintió, comprendiendo.

—Yo habría investigado un poco más el tema —prosiguió su amiga—, pero a Rodrigo no le hacía gracia. Y la verdad, tampoco he insistido mucho. Porque le toca muy de cerca, ya sabes.

—¿Ah, sí? —murmuró Tina, fingiendo que no había establecido la conexión.

—El chico de la azotea, el que se suicidó, ¿recuerdas...?, era su hermano mayor.

—Ah, vaya.

—No me digas que no lo sabías.

—No lo conozco tanto como tú —replicó Tina.

Pero apenas prestaba atención a la conversación. Estaba más atenta a un grupo de chicos mayores que se encaminaban con decisión hacia Rodrigo, que seguía repartiendo ejemplares de *Voces*. Los lideraba Kevin Ramírez.

Tina se acercó a ellos, inquieta. Salima la siguió.

Kevin llevaba en la mano un ejemplar del periódico. Se lo lanzó a Rodrigo a la cara.

—¿Qué mierda es esta? —bramó.

Rodrigo echó un vistazo al panfleto como si lo viera por primera vez.

—¿Esto? Ah, pues... juraría que eres tú —respondió, mostrándole una página ilustrada con una foto de Kevin y sus amigos—. Destrozando el mobiliario escolar como si fueras un vulgar gamberro. Oh, espera...

Se oyeron algunas risas nerviosas, que fueron sofocadas rápidamente ante el gesto adusto de Kevin.

—Te crees bien chistoso, ¿verdad? Vámonos respetando, o acabarás como tu hermano...

El rostro de Rodrigo se ensombreció.

—¿Es una amenaza?

—¿A ti te lo parece?

—Sí, me lo parece. ¿Tienes algo que confesar, tal vez?

Tina se estremeció. Kevin frunció el ceño.

—¿Qué quieres decir?

Pero justo en aquel momento entró en escena un chaval moreno y nervioso que se interpuso entre Kevin y Rodrigo.

—¿Qué pasa, Ramírez? ¿Tienes algún problema?

—El problema lo vas a tener tú, Rosales, como no te quites de en medio.

Los dos quedaron frente a frente, amenazadores, dispuestos a pelear ante el mínimo gesto agresivo del contrario. Los demás los contemplaban en silencio, sin atreverse a intervenir.

Fue Rodrigo el que hizo el siguiente movimiento.

—Déjalo, Alexis —dijo, tirando del brazo de su inesperado aliado—. No vale la pena perder el tiempo con él.

Pero Tina se dio cuenta de que, de no ser por la oportuna intervención de dos profesores que llegaron en aquel momento a la carrera, muy probablemente Kevin y Alexis habrían llegado a las manos. Los conocía a ambos de sobra porque, en el tiempo que llevaba velando por la seguridad en el instituto, los había visto causar problemas en más de una ocasión. Kevin Ramírez, grande, fornido y de carácter violento; Alexis Rosales, inquieto, delgaducho y de genio vivo. Podrían haber sido amigos porque tenían la misma edad; pero iban con gente diferente, dentro y fuera del instituto y, por alguna razón que Tina desconocía, se odiaban a muerte y no necesitaban motivos para iniciar una reyerta.

Le extrañó, sin embargo, que Alexis hubiese salido en defensa de Rodrigo con tanta rapidez. Sabía que se conocían porque los había visto juntos alguna vez, aunque Tina no acertaba a imaginar qué podrían tener ambos en común.

Pero no era algo que la tranquilizase, precisamente.

Que Kevin se la tuviera jurada a Rodrigo por el asunto del periódico ya era bastante malo; pero, si además resultaba tan obvio que Alexis lo protegía, o que pertenecía a su círculo de amistades...

—Bah —dijo Kevin finalmente—. No sois nada, ni vosotros ni este estúpido panfleto.

Hizo una bola con el ejemplar de *Voces* y lo encestó limpiamente en una papelera, gesto que le granjeó los aplausos de sus amigos. Rodrigo sacudió la cabeza con una sonrisa irónica y se alejó de allí, arrastrando a Alexis.

Tina suspiró, aliviada, pero un tanto inquieta todavía. Llevaba dos semanas sin volverse invisible, en parte porque no quería que la confundieran con un fantasma, en parte porque temía que la descubrieran si se arriesgaba demasiado. No obstante, resolvió que vigilaría de cerca a Kevin, por si acaso.

Tomar aquella decisión le resultó más sencillo de lo que había calculado. Nada más sonar el timbre del recreo, después de una clase de ciencias naturales que se le hizo eterna, se despidió de Salima y salió disparada al cuarto de baño.

Le costó muy poco volverse invisible, pese a que habían pasado muchos días desde la última vez. Cuando lo hizo, suspiró aliviada, como si volviera a calzarse unas cómodas zapatillas después de mucho tiempo sufriendo unos zapatos demasiado pequeños. Pero no se detuvo a analizar aquella gratificante sensación de libertad; no quería perder de vista a

Kevin cuando saliera al patio, de modo que abrió la puerta del cubículo y salió a toda prisa...

...Y chocó con una alumna que entraba en el cuarto de baño en aquel mismo momento.

Era Salima.

—¡Ay! —exclamó esta, moviendo los brazos en el aire para no perder el equilibrio.

Sus manos tropezaron con el cuerpo invisible de Tina, y la sorpresa y la falta de referentes visuales hicieron el resto. Salima dio un paso atrás, trastabilló y cayó al suelo, arrastrando a Tina con ella.

—¿Qué... qué...? —acertó a decir, desconcertada.

Tina trató de retroceder, pero su amiga ya había notado el peso de su cuerpo sobre ella. Chilló de puro pánico, y Tina, muy nerviosa, intentó taparle la boca para que no siguiera gritando. Como había perdido práctica, tardó un poco en ubicar sus propias manos, y lo único que consiguió fue aterrorizar más a Salima, que manoteó, desesperada, al sentir aquellos dedos invisibles tanteando su cara.

—¡Ssssh, calla, Salima, soy yo! —susurró Tina, muy apurada—. No me ves, pero soy yo, estoy aquí...

Salima no atendía a razones. Logró ponerse en pie, y Tina retrocedió para apartarse de ella.

En aquel momento entró un grupo de chicas en tromba en el cuarto de baño. Iban encabezadas por la profesora de inglés.

—¿Salima? —preguntó esta, alarmada—. ¿Eres tú la que gritaba? ¿Qué ha pasado?

La muchacha se volvió hacia ellas, todavía temblando.

—No lo sé... Había algo... o alguien... no sé, estaba aquí, podía tocarlo... pero no lo veía...

Tina se acurrucó tras la puerta abierta y se quedó muy quieta mientras las chicas y la profesora examinaban el cuarto de baño. En cuanto le dejaron vía libre, se deslizó hasta el pasillo y buscó un lugar discreto para volverse visible de nuevo.

Ya no se acordaba de Kevin Ramírez. Tenía que arreglar las cosas con Salima cuanto antes.

La vio un poco más tarde, en la cafetería, tomando una tila junto a la profesora de inglés. Se acercó a ellas con cierta timidez.

—¡Qué bien, Tina, estás aquí! —dijo la profesora con evidente alivio—. ¿Te puedes quedar con Salima? Ha tenido un pequeño sobresalto en el cuarto de baño, pero parece que ya se encuentra mejor.

Tina se sentó junto a su amiga y le dirigió una mirada de disculpa. Salima parecía haber recobrado la calma, en parte; clavó en ella sus ojos inteligentes, repletos de preguntas.

—Eeeeh..., lo siento —murmuró por fin Tina cuando se quedaron solas.

—¿Lo sientes por...? —respondió Salima; seguía mirándola fijamente, sin pestañear.

—Por lo del baño. No era mi intención asustarte.

—Me pareció escuchar tu voz. Pero pensaba que eran imaginaciones mías. Como broma pesada ha sido muy buena, lo reconozco...

—Yo no...

—Pero no me esperaba algo así de ti.

—No ha sido una broma, Salima, te lo juro. Yo... —Tina miró a su alrededor para asegurarse de que nadie la oía y prosiguió, en voz baja—: puedo volverme invisible. No sé cómo, simplemente pasa.

La mirada de Salima seguía clavada en ella, escéptica y dolida.

—¿Crees que soy idiota?

—¡Claro que no! Te estoy diciendo la verdad. ¿Sabes todas esas cosas que cuentan sobre el fantasma? Bueno, pues no hay ningún fantasma. Era yo —confesó, roja de vergüenza.

—Tina...

—Y te lo puedo demostrar —añadió ella, alzando la cabeza con decisión—. Cuando quieras, donde quieras. Siempre que no haya más personas delante, claro. Porque lo quiero mantener en secreto todo lo que pueda.

Salima ladeó la cabeza y entornó los ojos, pensativa.

Justo en aquel momento llegaron Ismail y Yassin.

—¡Salima! —exclamó el primero—. ¿Qué ha pasado? ¿Estás bien?

—Dicen que te han atacado en el baño o algo así... —añadió Yassin.

—¿Qué...? —Salima volvió a la realidad y apartó por fin la mirada de Tina—. No, no ha sido nada. Me he asustado por una tontería..., creo.

—Bueno, pero ¿qué te ha pasado? ¿Qué has visto?

—No he visto nada. Curiosamente —concluyó Salima, lanzando una nueva mirada acusadora a Tina. Ella enrojeció de nuevo.

Le costó un poco convencer a sus hermanos de que se encontraba bien; para cuando lo consiguió, el timbre volvía a resonar ya por todo el instituto, señalando el final del recreo.

Mientras las dos chicas caminaban por el pasillo, de vuelta a su clase, Salima susurró:

—Tú y yo tenemos una conversación pendiente.

Tina asintió, mirando de reojo a Rodrigo, que regresaba a su aula, charlando con unos compañeros y aparentemente ileso. Respiró hondo; probablemente había exagerado un poco y Kevin Ramírez no era más que un bravucón, después de todo.

Acordaron verse aquella tarde, después de clase. Salima tenía una reunión con sus compañeros del periódico, y Tina le dijo que pasaría a buscarla al instituto en cuanto quedara libre de su trabajo diario como canguro.

Sin embargo, la madre de Ana María llegó a casa media hora más tarde de lo habitual, por lo que, cuando Tina se plantó por fin ante la puerta del aula donde se gestaba *Voces*, se la encontró cerrada.

Deambuló por el instituto, que a aquellas horas estaba medio vacío, ocupado solo por los alumnos del bachillerato vespertino. Vio entonces a Rodrigo, sentado en un banco del patio, solo. Dudó sobre si dirigirse a él o no, pero finalmente se armó de valor y se acercó.

—Hola —saludó con un hilo de voz—. ¿Sabes... sabes dónde está Salima?

El chico le sonrió, y el corazón de Tina se aceleró.

—Tú eres Tina, ¿verdad? Salima te espera en la biblioteca, o eso me ha dicho.

—Ah, claro —respondió ella, muy aliviada, sintiéndose un poco tonta por no haberlo pensado antes—. Bueno, pues... gracias, y adiós.

Se dio la vuelta para marcharse, pero de pronto pensó que quizá no tuviese otra oportunidad de hablar con él a solas. De modo que inspiró hondo y se dirigió de nuevo a él para decirle, con cierta timidez:

—He leído vuestro periódico. Y también tu artículo sobre las canastas. Creo que tienes mucha razón.

—Gracias —respondió Rodrigo.

—Ya he visto que a algunos no les ha sentado muy bien —prosiguió ella, cada vez más nerviosa—. Esta mañana, Kevin Ramírez casi te sacude.

—Bah —dijo el chico con indiferencia—. No es más que un bocazas cobarde.

—No estuvo bien que mencionara a tu hermano —opinó Tina, sin poder creerse todavía que estuviese manteniendo una conversación con él—. Me pareció un golpe muy bajo por su parte.

Rodrigo frunció el ceño, y Tina comprendió de pronto, horrorizada, que había cometido un error al sacar el tema.

—Mucha gente menciona a mi hermano, al parecer. Gente que no lo conocía y que aun así habla de él en cuanto tiene la oportunidad.

—Disculpa, no quería molestarte —se apresuró a aclarar ella—. Lo siento si te he ofendido.

Rodrigo la miró un instante, como si tratara de evaluar la intención más allá de sus palabras, y finalmente sonrió.

—No pasa nada, estoy acostumbrado. Y bueno, Kevin es un bocazas, así que no se puede esperar otra cosa de él. Y casi es mejor que hable, porque algún día le contará a alguien la verdad sobre mi hermano. Y espero estar allí para escucharlo.

—Pero tu hermano... —empezó Tina, y se calló de golpe.

—No se suicidó —cortó Rodrigo, casi con rabia—, pero me da igual que nadie lo crea. Algún día, todo se sabrá.

—¿Y crees que Kevin...?

Tina no terminó la pregunta, pero Rodrigo no respondió. Se limitó a mirarla fijamente, como si se diera cuenta por fin de que estaba hablando con alguien que era prácticamente una desconocida para él.

—Lo conozco desde el colegio —añadió Tina—. Allí ya acosaba a los niños más pequeños cuando era crío. Un delincuente en potencia, vamos —concluyó, frunciendo el ceño.

En los ojos de Rodrigo apareció un brillo de interés.

—Yo también coincidí con él en Primaria. ¿Fuimos al mismo colegio, tú y yo? Qué pequeño es el barrio.

—Sí —acertó a decir Tina, sin saber si sentirse complacida porque Rodrigo hubiese hallado un punto en común con ella, o decepcionada porque no recordase siquiera haberse cruzado con ella en el colegio.

—Kevin Ramírez es un matón de medio pelo —prosiguió Rodrigo—. Valiente solo cuando se enfrenta a rivales más débiles o más pequeños, y solo si tiene esbirros que le rían las gracias. Fuera del instituto no es nadie. La gente con la que se junta en el barrio, sin embargo, es harina de otro costal. Gente peligrosa que no tiene reparos en cargarse a los que les molestan. Y lo bastante lista como para hacer que parezca un accidente... o un suicidio.

Tina se quedó mirándolo, sin poder creer lo que estaba oyendo. Rodrigo se dio cuenta entonces de que había hablado de más.

—¿No habías quedado con Salima? —preguntó de pronto, cambiando de tema con tanta brusquedad que Tina parpadeó, desconcertada—. Mírala, por ahí viene.

Tina se volvió hacia donde señalaba el muchacho, y vio a su amiga acercarse a ella con paso ligero. Venía casi echando chispas.

—¡Valentina Reyes! —la riñó en cuanto llegó a su lado—. ¿Sabes que llevo una hora esperándote? ¡Ya me iba a casa porque se ha hecho tardísimo!

—Lo siento mucho —se disculpó Tina—, hoy he tenido un imprevisto y no he podido llegar antes.

Salima resopló y, agarrándola del brazo, tiró de ella hacia la salida.

—Excusas, excusas —gruñó—. Nos vemos mañana, Herrera —añadió.

—Hasta mañana, El Hamidi —respondió Rodrigo.

Tina farfulló por su parte una torpe despedida y se dejó arrastrar por Salima fuera del instituto.

—Bueno, y ahora vamos a hablar muy seriamente, tú y yo —dijo por fin Salima mientras caminaban juntas por la calle.

—¿De qué? —preguntó Tina distraída, pensando todavía en lo que Rodrigo le había contado.

—¿Cómo que de qué? De lo que ha pasado esta mañana en el baño. ¿Te parece poco?

—Oh..., ah, claro —murmuró ella; sacudió la cabeza, tratando de centrarse—. Bueno, ¿por dónde empiezo?

—¿Por algo que no sea una fantasía absurda, por ejemplo? —sugirió su amiga.

—No es una fantasía. Yo..., bueno, no lo vas a creer por más que te lo explique, así que tendré que enseñártelo. ¿Podemos ir a un sitio tranquilo?

Entraron en una cafetería y se encerraron las dos en el baño de mujeres.

—Que sea rápido —urgió Salima—, que voy a llegar tarde a casa.

Tina trató de concentrarse, pero le resultaba difícil con su amiga delante. «Que no me vea, que no me vea», pensó... Y por fin, poco a poco, su cuerpo fue desapareciendo, hasta volverse tan transparente como una gota de lluvia.

Salima lanzó una exclamación de sorpresa.

—¿Qué... qué has hecho? ¿Cómo...?

Se volvió hacia todos lados, desconcertada.

—Estoy aquí —informó Tina.

Salima dio un respingo y alzó la mano para tocarla. Respiró hondo al comprobar que, aunque sus ojos ya no la veían, sus dedos tocaban el rostro de su amiga, real y perfectamente corpóreo.

—¿Cómo...? —repitió, sin salir de su asombro.

Se volvió hacia el espejo para asegurarse de que no estaba soñando. El cristal le devolvió su imagen reflejada, pero no la de Tina.

—Estoy soñando, ¿verdad? Dime que no es real.

—Sigo aquí. Mira.

Tina se volvió visible de nuevo, ante la mirada maravillada de su amiga.

—¿Cómo es posible?¿Cómo lo haces?

—No lo sé. Solo...

Unos golpes en la puerta las interrumpieron.

—¿Está ocupado? —inquirió una voz femenina desde fuera.

—¡Disculpe, ya salimos! —respondió Salima.

Agarró a Tina de la muñeca, casi sorprendiéndose de que fuese tangible, y salió del cuarto de baño arrastrándola tras de sí.

—Bueno —empezó, cuando ambas estuvieron de nuevo en la calle—. Bueno —repitió, sin saber qué más añadir.

Tina no pudo reprimir una sonrisa. Había muy pocas cosas capaces de dejar a Salima sin palabras.

—Será mejor que me lo cuentes todo —dijo ella por fin—. Desde el principio.

Tina asintió, muy aliviada de pronto. Mientras caminaban juntas en dirección a casa, le relató cómo se había vuelto invisible aquella primera vez, en su portal, asustada ante la súbita presencia de su vecino ebrio. Le contó luego cómo le había sucedido por segunda vez, en el instituto; cómo había aprendido a controlar el proceso y cómo lo había aprovechado para ayudar a la gente en la medida de lo posible.

Su amiga escuchaba en silencio. Cuando llegaron al cruce en el que ambas debían separarse, Tina había terminado de hablar y Salima no había dicho nada todavía.

—¿Y bien? —preguntó Tina con cierta timidez—. ¿Me crees?

Salima sacudió la cabeza, desconcertada.

—¿Cómo creerte? Me he pasado medio curso creyendo que te acosaban en el insti... ¡y resulta que en realidad te dedicas a escarmentar a los acosadores! Si eso es verdad, yo...

—¿Creías que me acosaban? —interrumpió Tina perpleja.

—¿Y qué iba a pensar, si no? Te apuntas a un curso de artes marciales, desapareces en los recreos y después de clase, te presentas con heridas y moratones y explicaciones muy poco creíbles...

—¿Pensabas que me escondía en los recreos para que no me pegaran?

—Bueno, era la explicación más lógica. Llevo tiempo intentando descubrir quién te hace la vida imposible, pero siempre te las arreglabas para darme esquinazo. ¿Cómo iba a imaginar...?

—Espera —la interrumpió su amiga—. ¿Me has estado siguiendo? ¿Por eso venías detrás de mí esta mañana, cuando hemos chocado en el baño?

—¡Estaba preocupada por ti! —se defendió ella—. Sabía que te pasaba algo, pero tú no querías contármelo...

—Bueno..., era difícil de contar. Pero puedes estar tranquila, Salima. No me acosa nadie, y si alguien quisiera vengarse de mí por lo que hago en el instituto... no podrían, porque nadie sabe que soy yo, ni lo sabrán. Si tú no lo cuentas, claro.

—¿Cómo lo voy a contar? Probablemente nadie me creería...

—Hay quien sí que cree en los fantasmas —le recordó Tina.

—Ay, sí. —Salima se estremeció—. Pobre Rodrigo, teniendo que soportar que la gente hable del espíritu de su hermano muerto... y resulta que eras tú...

—¡No lo hago a propósito! Bueno, lo de escarmentar a los matones, sí... pero no sé cómo ni por qué puedo volverme invisible —concluyó Tina, algo incómoda—. No lo entiendo, así que no puedo explicártelo. Ojalá pudiera.

—Ya veo —murmuró Salima por fin—. Bueno, déjame que investigue un poco, ¿de acuerdo? Y en unos días te diré algo, *inshallah*.

8

Pero pasaron los días, y Salima no volvió a mencionar el tema. Tina ya no se atrevía a volverse invisible durante los recreos, aunque vigilaba a Kevin de reojo. Este parecía haber olvidado el asunto de las canastas. Durante unos días se habló de ello, pero desde el instituto no se tomó ninguna medida, por lo que la propuesta de Rodrigo, como tantas otras, tenía todo el aspecto de ir a caer en saco roto.

Por las tardes, Tina cuidaba de Ana María y asistía a las clases de *jiu-jitsu*. Se esforzó por centrarse en los estudios, hacer los deberes en sus ratos libres y reincorporarse al ritmo de las clases en general; pero le resultaba difícil concentrarse con todo lo que le estaba pasando.

Cuando llegaron las vacaciones de Semana Santa, trató de aprovechar el tiempo libre para ponerse al día en los estudios. Pensó en llamar a Salima para pedirle ayuda; pero no había tenido noticias de ella desde que acabaron las clases, y Tina temía que todo aquel asunto de la invisibilidad la hubiese asustado o incomodado.

Así pasaron las vacaciones sin que ninguna de las dos llamase a la otra. El primer día de clase, sin embargo, Salima le salió al encuentro a la entrada del instituto.

—Tengo que hablar contigo —le dijo sin rodeos.

—Buenos días a ti también —murmuró Tina, un poco aturdida por su brusquedad—. ¿Qué tal las vacaciones?

—Buenos días, las vacaciones bien, gracias por preguntar, blablablá, ¿podemos pasar a lo que nos interesa? —replicó Salima.

—Depende. ¿Qué es lo que nos interesa?

—Pues tu pequeño problema de... eh... «transparencia». Tú me entiendes, ¿verdad?

Tina se despejó de golpe.

—Creo que sí, pero ¿de qué quieres hablar exactamente?

—Me he estado documentando. ¿Podemos quedar en tu casa esta tarde?

Tina lo pensó. Su madre estaría trabajando y no volvería a casa hasta la hora de cenar.

—Vale —aceptó—, pero tendrá que ser a partir de las seis y media.

—Allí estaré —confirmó su amiga.

Salima sacó un montón de libros de la mochila y los dejó uno a uno sobre la cama de Tina. Ella se quedó mirándola con los ojos como platos.

—¿Qué se supone que es esto?

—Espera, que aún hay más.

Tina contempló asombrada los cómics, DVD, folios impresos y recortes de prensa que Salima iba añadiendo a la colección.

—¿Qué se supone que es todo esto? —repitió.

—Mi investigación —respondió Salima satisfecha.

Sacó por fin una pequeña libreta y la abrió por una página llena de notas escritas en su rápida y apretada caligrafía.

—Veamos, ¿por dónde empiezo? Ah, sí: la invisibilidad existe.

—¿Cómo que existe?

—Existe una manera de hacer invisibles los objetos y a las personas. Lo han inventado en Estados Unidos y es un sistema de lentes que oculta las cosas a la vista de los demás... como si no estuvieran ahí.

Tina echó un vistazo desinteresado a la fotocopia que Salima le mostraba. El titular decía: «Crean una capa de invisibilidad revolucionaria».

—Pero esto no tiene nada que ver conmigo —objetó, apartando el artículo sin leerlo siquiera—. No me he mirado a través de ninguna lente, solo desaparezco sin más.

—Ya lo sé —replicó Salima—. Verás, es que lo primero que he hecho ha sido buscar una explicación lógica y científica. He investigado en Internet, he mirado en revistas y libros de ciencias, le he preguntado al profesor de física..., y esto —concluyó, señalando el artículo fotocopiado— es lo mejor que he encontrado.

Tina seguía sin encontrarle utilidad.

—No lo entiendo. ¿Qué es todo lo demás, entonces? —preguntó, muy perdida.

—Todo lo demás —respondió Salima sonriente—. Las explicaciones «no científicas». La invisibilidad en la literatura, el cómic, el cine y la cultura friki en general.

Tina se rio, pensando que estaba de broma. Pero se calló de golpe cuando ella depositó en sus manos un libro bastante usado que lucía en el lomo la tesela de la biblioteca municipal del barrio. En la cubierta se representaba algo parecido a un traje que caminaba solo. Tina leyó el título: *El hombre invisible*, de H.G. Wells.

—Este fue el primero —le explicó Salima—. Se publicó en... 1897 —añadió tras consultar sus notas—. Cuenta la historia de Griffin, un científico que inventa una fórmula para hacerse invisible. Solo que luego no puede volver a ser normal.

—Oh —dijo Tina, contemplando el libro con interés—. ¿Y por qué hay un traje en la portada?

—Es Griffin. Su ropa no es invisible, él sí. Tu ropa desaparece contigo, ¿verdad? —le preguntó con curiosidad.

—Sí, y todo lo que esté en contacto con mi piel el tiempo suficiente. Si cargo con la mochila, por ejemplo, parece que flota en el aire, pero si la sujeto durante un rato, desaparece también.

—Oh, qué práctico. La ropa de Griffin da la sensación de ir por ahí flotando cuando la lleva puesta. Pero eso también puede ser una ventaja porque, si quiere que lo vean, le basta con cubrirse completamente, con su traje, guantes, sombrero, gafas oscuras y toda la cara vendada. Para volverse invisible, en cambio, se vuelve a quitar toda la ropa.

—¿Qué? ¿Y va en pelotas por ahí?

—Sí. Y nadie puede verlo. Pero como va desnudo, se acatarra y la gente lo oye estornudar. Eso delata su posición.

Tina miró a su amiga, convencida de que le estaba tomando el pelo. Pero Salima hablaba muy en serio. La chica reprimió una risita y preguntó:

—Bueno, ¿y qué pasa al final? ¿Consigue volver a ser normal?

—Ah, no, eso no te lo voy a contar. Si quieres saberlo, tendrás que leerlo.

—Jo, Salima...

—Con respecto a este libro —prosiguió ella, inflexible—, tengo algunas preguntas. Porque vas a colaborar un poco, ¿no? Después de todo, tú eres la interesada.

—Sí, claro. Adelante.

—Bien... En el libro, Griffin se toma una especie de pócima que cambia solo las propiedades de su cuerpo. Por eso su ropa no es invisible. Pero tampoco lo es la comida que come, hasta que la digiere. Ni el humo del cigarrillo cuando fuma.

—¿Qué? ¿Quieres decir que la gente no lo ve a él, pero sí la comida que tiene en la boca o en el estómago, y el humo de sus pulmones? Qué asquerosillo.

—A lo que iba: tú no has tomado ninguna pócima rara por ahí, ¿verdad?

—¿Qué quieres decir con «pócima»?

—Una medicina, algún tipo de jarabe. Aunque bien podría ser una pastilla. O incluso un té, qué sé yo...

—Pues no. Ni me he presentado voluntaria para ningún experimento científico.

—Puede haber sido un accidente, entonces. Pasemos al siguiente ejemplo.

Salima le alargó un montón de cómics antiguos que también parecían muy manoseados.

—No están todos los números. Son de la biblioteca, y algunos se han roto, se han perdido o los han robado. Pero nos valdrá para hacernos una idea.

Tina contempló con curiosidad las cubiertas de los cómics, protagonizadas por un grupo de personajes peculiares. Todos vestían el mismo uniforme, azul con un enorme 4 en el pecho. Había un joven envuelto en llamas, un hombre que se estiraba como un chicle, una especie de criatura humanoide que parecía una roca y, por último, una chica rubia y despampanante. Todos los números pertenecían a la misma serie: «Los 4 Fantásticos».

—Esto es un cómic de superhéroes —constató, perpleja—. ¿Pero en qué estás pensando?

—La invisibilidad no tiene justificación científica —se defendió Salima—. Podemos considerar entonces que es una especie de «superpoder».

—«Superpoder» —repitió Tina estupefacta.

—No pongas esa cara. Eres tú la que se dedica a ir por ahí luchando contra las fuerzas del mal... del instituto, claro. Como ella, salvando las distancias —añadió, señalando a la rubia del cómic—. Susan Storm, la chica invisible.

Tina observó al personaje con mayor interés.

—Ella también se vuelve invisible a voluntad —siguió explicando Salima—. Pero su ropa, no. Por eso su uniforme de superheroína ha sido especialmente diseñado para que pueda desaparecer con ella. Pero además tiene otros poderes molones; por ejemplo, puede crear campos de fuerza. ¿Tú puedes crear campos de fuerza? —le preguntó de pronto a Tina, curiosa.

—¿Qué es un campo de fuerza? —preguntó ella a su vez.

—Bueno, lo anoto para más adelante porque también es otra cosa que deberías probar. Por si acaso.

—No voy a probar nada, Salima. Solo quiero saber qué me está pasando. Y por qué.

—Susan Storm consiguió sus poderes después de atravesar un haz de rayos cósmicos —prosiguió ella—, pero no creo que tú hayas viajado al espacio últimamente, ¿verdad?

Tina negó con la cabeza, sin saber todavía si su amiga hablaba en serio o le estaba gastando una broma de proporciones épicas. Si era así, desde luego se había molestado mucho en prepararla.

—Y aquí tenemos otra de experimentos científicos semifallidos —prosiguió Salima, tendiéndole un par de folios—. La primera superheroína invisible, de hecho: Scarlet O'Neil.

Tina examinó las hojas con curiosidad. Se trataba de páginas impresas de un cómic que parecía bastante antiguo.

—Oye, esto parece prehistórico.

—De los años cuarenta exactamente —corrigió Salima—. Esto es lo único que he podido encontrar: un par de páginas de muestra que he sacado de Internet. Pero la Wiki dice que el padre de Scarlet O'Neil era científico y que ella consiguió su superpoder por interferir en uno de sus experimentos. Como ves, no lleva máscara ni uniforme, aunque lo cierto es que no los necesita. Pero sí se dedica a ayudar a la gente.

—¿Por qué la invisibilidad parece ser un poder «solo para chicas»? —planteó de pronto Tina.

—Bueno, hay por ahí algún superhéroe invisible, pero es verdad que son muy poquitos y muy desconocidos; sí, tienes razón, parece un tópico. Prefiero no buscar segundas lecturas, porque me deprimiré, así que centrémonos en lo práctico: si descartamos los experimentos científicos y los accidentes cósmicos, radiactivos y demás cositas chulas que otorgan superpoderes —continuó Salima casi sin respirar—, nos queda la tercera causa posible: que sea genético.

Le alargó un DVD. Tina reconoció la película: *Los Increíbles*, de Pixar.

—Ah, esta peli la he visto. La echaron por la tele el verano pasado.

—Pues ya me contarás cómo termina, porque el DVD es de la biblioteca y está tan rayado que siempre se peta a la mitad.

—No, ni modo —se vengó Tina—. Si quieres saberlo, tendrás que verla.

—Aquí la invisible también es la chica —prosiguió Salima, sin caer en la provocación—. Violeta Parr. Con unos poderes muy parecidos a los de Susan Storm, con campos de fuerza y todo.

—Ah, ya recuerdo. Así que eso son los campos de fuerza: una especie de escudo de energía.

—Sí, exacto. ¿Te suena?

—Yo no sé hacer eso, me temo. ¿Debería?

—No necesariamente. Los Increíbles están muy inspirados en Los 4 Fantásticos, de todas formas, así que no es extraño que Susan Storm y Violeta Parr tengan poderes similares. Aunque no entiendo muy bien por qué la invisibilidad está tan relacionada con los campos de fuerza —añadió pensativa—. Quizá deba volver a leer todos los cómics, a ver si se explica en alguna parte.

—Será porque la invisibilidad, sin más, parece poca cosa como superpoder —apuntó Tina un tanto alicaída—. Las chicas invisibles de la ficción no pelean, solo se esconden.

—También pueden usar su poder para espiar, colarse en sitios sin que las detecten... Aunque tienes razón, no es demasiado espectacular. Quizá por eso se decidió que Susan Storm pudiese crear campos de fuerza...

—... Que es un poder defensivo, no ofensivo. Pues vaya.

—Oye, no subestimes a los guionistas de Marvel. Cuando leas esos cómics descubrirás muchas y muy creativas maneras de utilizar un campo de fuerza en una pelea contra las fuerzas del mal.

—Te repito que yo no puedo crear campos de fuerza.

—Igualmente deberías leerlos. Y volver a ver *Los Increíbles*, si puedes, porque hay una diferencia importante con respecto a Los 4 Fantásticos.

Tina echó un vistazo a la carátula del DVD y contempló la imagen de la adolescente Violeta, con su uniforme rojo, a juego con los del resto de su familia, y su larga melena negra y lisa. Le gustó. Tenía más o menos su edad, y ella recordaba que era tímida. Se parecían bastante.

Salvo por el hecho de que Violeta era más alta y delgada que ella, claro. Pero eso no tenía nada de particular. Todas las chicas del cine y de la tele, incluso las de los dibujos animados, eran más altas y delgadas que ella. Así que no se lo tuvo en cuenta.

—Es genético —estaba diciendo Salima—. Ella tiene superpoderes porque sus padres también los tienen, igual que uno de sus hermanos. El bebé es normal, sin embargo, así que quizá no sea hereditario al cien por cien.

—Ejem —carraspeó Tina.

—¿Qué? ¿Qué intentas decirme? El bebé es normal, ¿no?

—Bueno, ya sabes, tendrás que ver la película... —canturreó Tina. Salima se tapó los oídos con las manos:

—¡Nooo, piedad, *spoilers* noooo!

Les costó un poco volver a centrarse, pero Salima se esforzó en volver a sus notas y Tina logró reprimir por fin la risa floja.

—Esto es importante —le recordó su amiga—. No podemos descartar que sea hereditario.

—Pero no creo que mi madre... ah, ya —comprendió Tina finalmente—. Bueno, eso es un callejón sin salida, Salima. Porque no sé nada de mi padre. Ni siquiera su nombre..., salvo que se llame «S. Desgraciado», cosa que dudo mucho.

—¿Le has preguntado a tu madre?

—¿Qué? ¡Ni hablar! Ese tema es completamente tabú. Ella dice que lo único que necesito saber sobre mi padre es que era un sinvergüenza que la dejó preñada y luego se fue, punto final.

—Pero ya tienes cierta edad... Comprenderá que tengas curiosidad, ¿no?

—Que no, que no... que no se le puede preguntar. No insistas.

—Hum... ¿no será que tiene algo que ocultar? Quizá hay cosas de tu padre que no te quiere contar...

—Mi madre no oculta nada, te lo aseguro. Transpira amargura y rencor por todos los poros de su piel. Y se esfuerza mucho para que todo el mundo lo sepa.

—No podemos descartarlo de todas formas —murmuró Salima—. «Padre desconocido, posible origen hereditario» —recitó en voz alta mientras lo anotaba en su libreta.

—¿Qué significa eso? ¿Que tengo que encontrar a mi padre para entender lo que pasa?

—Bueno, es la única pista que tenemos.

—¿Cómo que la única? Y todo eso ¿qué es? —preguntó Tina señalando los libros que se amontonaban sobre su cama—. Anda —se le escapó de pronto, seleccionando algunos volúmenes—, si has traído los libros de *Harry Potter*. Estos sí me apetece volver a leerlos, sobre todo los primeros. Pero ¿qué tienen que ver con...?

—Entran dentro de una categoría especial: «Objetos mágicos que te vuelven invisible».

—¿Objetos mágicos? ¡Ah! Te refieres a la capa de Harry.

—En realidad el manto de invisibilidad sale en muchas historias, antes y después de *Harry Potter*. Pero hay más. Mira, he hecho una lista.

Tina cogió la libreta que su amiga le tendía y leyó, perpleja:

—«La capa de Harry Potter, el Anillo Único, el anillo de Giges, el casco de Hades, el cinturón G... Ge...».

—«Guémmal» —la ayudó Salima—. Me ha parecido algo original, aunque poco práctico, porque, por lo que parece, es difícil quitárselo, ya que la persona que lo lleva puesto no puede ver sus propias manos...

—Eso me suena —comentó Tina con un suspiro; repasó la lista por encima, cada vez con menor interés, mientras Salima seguía hablando:

—Volviendo a lo que comentabas antes, me he dado cuenta de una cosa: es cierto que hay héroes de ficción que se vuelven invisibles, como Sigurd en la mitología nórdica, o Bilbo y Frodo en *El Señor de los Anillos*, Bastián en *La historia interminable* o incluso Harry Potter... pero no es un superpoder, es algo que consiguen gracias a un objeto mágico. En cambio las superheroínas, Scarlet O'Neil, Susan Storm y Violeta Parr, tienen la capacidad de volverse invisibles; es decir, es algo que hacen ellas solas, sin objetos de ninguna clase... Oye, ¿me estás escuchando?

Tina seguía revolviendo en el montón de libros, cómics y películas, cada vez más abrumada.

—Es que no sé de qué va a servir todo esto...

—¡Es bibliografía! ¡Documentación!

—¿*Alicia en el País de las Maravillas*? ¿En serio?

—Es por el gato de Cheshire. Se vuelve invisible, ¿recuerdas?

Tina se quedó mirando a Salima. Ella suspiró.

—Está bien, de acuerdo, puede que me haya pasado un poco. Sé que no parece muy realista, pero ya no se trata solo de superpoderes u objetos mágicos... En estas historias, si están bien desarrolladas, los personajes que se vuelven invisibles tienen su propia opinión al respecto, ¿sabes? Aquí puedes conocer los sentimientos de gente a la que le pasa lo mismo que a ti. Aunque no sean reales. Tal vez encuentres alguna pista, pero para eso deberías leerte los libros con atención...

—La mayoría de esas historias ya las conozco.

—No basta con haber visto las películas. No cuentan todo lo que aparece en los libros.

—No, en serio. Algunos de esos libros me los prestaste cuando estábamos en primero. Y de todas formas son ficción. Esos personajes no son de verdad, y además, los autores ni siquiera han podido inspirarse en vivencias reales, porque a nadie le ha pasado lo mismo que a mí...

—Eso no lo sabes.

Tina calló, pensativa.

—Tienes razón —admitió por fin.

Salima se la quedó mirando.

—En el fondo no te interesa saber por qué, ¿verdad?

—adivinó—. Ni leer sobre experiencias parecidas, reales o no.

—Oye, no te enfades, solo...

—No, no estoy enfadada. Es que tú y yo somos diferentes. —Suspiró antes de añadir—. Yo hago preguntas, busco causas, razones, explicaciones. Tú, en cambio, eres más práctica. Has aprendido a usar tu poder... o capacidad, o como quieras llamarlo... y le has encontrado una utilidad. En el fondo no te interesa saber cómo lo has conseguido, sino decidir para qué vas a usarlo.

—No era una decisión tan complicada —protestó Tina, un tanto incómoda—. La invisibilidad no tiene muchas utilidades, en realidad.

—Discrepo. Podrías estar usándola para espiar a la gente. Para enterarte de secretos que te darían un gran poder. O para robar, por ejemplo. Y en cambio... arriesgas tu integridad física para ayudar a otras personas, para defender a los débiles. —La contempló con admiración—. Tienes alma de superheroína, Tina. Como las de los cómics.

Ella se puso colorada, aunque el corazón le latió un poco más deprisa. Pensó que ojalá pudiera compararse con aquellas increíbles mujeres superpoderosas que salvaban el mundo una y otra vez. Pero se dijo a sí misma que en el fondo no tenía nada que ver con ellas. No solo porque su mundo era completamente diferente, sino porque sentía que lo que ella hacía no tenía ni de lejos el mismo valor.

—No exageres. No me arriesgo tanto en realidad, porque nadie puede verme nunca.

—Pero pueden tocarte. Y golpearte. Y aun así...

—Y sí que he pensado a veces en espiar a la gente. —Enrojeció todavía más al considerar cuántas veces había fantaseado con estar junto a Rodrigo sin que él se diera cuenta—. Solo que no me he atrevido.

—¿Te atreves a meterte con gente más fuerte y te da miedo espiarlos sin que se den cuenta? —se asombró Salima.

—No me da miedo, me da vergüenza.

Salima se rio.

—¿Lo ves? Te da vergüenza porque tienes principios. —Suspiró, alicaída—. Para mí sería una tentación muy grande —reconoció—. Soy demasiado curiosa.

—No me digas —sonrió Tina—. ¿Y a quién espiarías tú?

De pronto, Salima se puso seria. Miró hacia la puerta, inquieta.

—Estamos solas —le recordó Tina.

—A lo mejor no —discrepó ella—. Imagina que hubiese por ahí más gente como tú... espiando.

Tina se estremeció.

—¡Yo no me dedico a espiar a la gente!

—Bueno, pero no todo el mundo es como tú. Tampoco yo espiaría a todo el mundo porque sí. Solo querría saber...

Se detuvo de pronto, dudosa.

—¿Qué? —la animó Tina.

Salima inspiró hondo y dijo, de un tirón:

—Me gustaría saber qué hace Ismail los fines de semana. A dónde va. Con quién se junta...

—¿Ismail, tu hermano? ¿Por qué?

Salima suspiró de nuevo.

—A ver, ¿por dónde empiezo? Supongo que por Tarik, claro.

—¿Tarik?

—El mayor de mis hermanos. No lo conoces porque se fue de la ciudad hace tiempo. Ni él ni Hicham, mi segundo hermano, hicieron el bachillerato. Terminaron la enseñanza obligatoria y se pusieron a trabajar.

—Vaya —comentó Tina, sin saber qué más añadir.

—Oh, no es ningún drama. Era previsible. Les costó mucho avanzar en los estudios porque llegaron a España sin conocer el idioma. A partir de Ismail, sin embargo, todos los hermanos El Hamidi somos ya españoles de nacimiento.

»Tarik se fue al campo a trabajar de jornalero. Hicham estaba como aprendiz en el taller donde trabaja mi padre, pero con la crisis... En fin, el jefe decidió que no podía permitirse pagar un sueldo extra. Así que Hicham se fue con Tarik. Hasta hace poco estaba trabajando, unos meses más que otros, pero le iba bien y enviaba dinero a casa. Cuando Hicham se reunió con Tarik se enteró, sin embargo, de que hace ya tiempo que no lo contrata nadie. Ahora están los dos buscando trabajo. Y vivimos todos con el sueldo de mi padre en el taller y lo que le pagan a mi madre en la mercería. Depende de cómo vaya el negocio, hay meses que ni le pagan.

—No lo sabía —exclamó Tina con sinceridad, pero Salima hizo un gesto con la mano, como restándole importancia al asunto.

—Nos las vamos apañando, aunque Ismail está muy preocupado. Dice que quiere dejar los estudios y buscar trabajo para contribuir a la economía de la familia. Pero mi padre no quiere ni oír hablar de ello. Ismail es el primero de mis hermanos que estudia el bachillerato. Mis padres quieren que lo acabe, que vaya a la universidad si puede, como mi prima Aicha. Prefieren que sirva de ejemplo a sus hermanos pequeños, antes que seguir el camino de los mayores.

»Pero el caso es que Ismail ha empezado a traer algo de dinero a casa. No quiere decir de dónde lo saca y, que yo sepa, sigue yendo al instituto y solo sale los fines de semana, por las noches. No sabemos a dónde va. No nos lo quiere contar.

—Oh —murmuró Tina.

—Mi padre no lo sabe. Ismail le da el dinero a mi madre y ella lo encubre porque realmente lo necesitamos, también a condición de que no deje los estudios por el momento. Pero yo... —se interrumpió, sin atreverse a decir lo que realmente pensaba.

—¿Te preocupa que esté metido en algún negocio ilegal? —adivinó Tina.

—¿Tú no te lo plantearías, al menos? Si es dinero limpio, ¿por qué no quiere contarnos cómo lo consigue?

—¿Tus padres no le preguntan a dónde va cuando sale?

—Tiene diecisiete años, entra y sale de casa cuando le parece. No lo pueden controlar.

—Y crees que yo podría...

—No quería pedírtelo —cortó Salima rápidamente—. Ha sido una tontería, olvídalo.

—Solo tendría que seguirlo, ¿no? —insistió Tina—. Ver qué hace... y contártelo.

Salima se cubrió el rostro con las manos.

—Suena fatal.

—No tanto. Los detectives privados hacen cosas parecidas y a nadie le parece mal, creo.

—Pero es mi propio hermano...

—Te preocupas por él, Salima. Es normal. Lo que no sé —añadió Tina, inquieta— es si podría salir de casa por la noche. Mi madre no me dejará.

—Ismail se marcha siempre a las diez, más o menos. Y vuelve de madrugada.

—A esa hora mi madre está todavía despierta. No podré salir de casa sin que se dé cuenta, ni siquiera siendo invisible.

—Oh. Bueno, no te preocupes. Gracias de todos modos.

No volvieron a hablar del tema, pero Tina siguió dándole vueltas. ¿Cómo salir un viernes o un sábado por la noche sin que Camila lo advirtiera? No podía decir que iba a quedarse a dormir en casa de una amiga. Ella no se lo permitiría.

Pensó en ello durante el resto de la semana, y por fin el

jueves por la tarde dio con la solución. Sucedió de forma fortuita cuando fue al botiquín de casa a buscar un paracetamol para su madre, que sufría un intenso dolor de cabeza. Mientras hurgaba en el cajón de los medicamentos, sus ojos se detuvieron en la caja de las pastillas que ella tomaba a veces para dormir. Y se le ocurrió una idea.

El viernes por la tarde se duchó y se puso el pijama antes de que dieran las ocho.

—¿Y eso? —le preguntó Camila en cuanto la vio—. ¿Te vas a la cama ya?

—En cuanto cene, mamá —respondió ella—. No me encuentro bien.

Ella le tomó la temperatura pero no notó nada fuera de lo normal.

—Será cansancio —se le ocurrió decir a Tina; su madre resopló con desdén.

—Qué sabrás tú del cansancio. Si estuvieses tantas horas moliendo duro como yo y luego tuvieses que deslomarte en casa...

Siguió refunfuñando, pero Tina no replicó. Husmeó en el aire. Había sopa de pollo aquella noche, lo cual no suponía ninguna sorpresa para ella. Camila siempre hacía sopa los viernes por la noche, ya fuera de pollo, de tomate, sancocho o ajiaco, si llegaba pronto del trabajo.

Tina contaba con ello.

—Oye, mamá, ¿sabes una cosa? Tienes razón —le dijo de improviso—. Siéntate a ver el noticiero y descansa un poco, yo terminaré de hacer la cena y te avisaré cuando esté servida.

Ella le dirigió una mirada suspicaz.

—Qué zalamera estás hoy. ¿Qué vas a pedirme?

—Nada, mamá. La verdad, solo quiero cenar pronto y meterme en la cama.

—Bueno, pues termina tú de hacer la cena. Pero ten cuidado con la sopa, no vayas a derramarla.

Tina asintió y corrió a la cocina para controlar la sopa, que hervía alegremente en el puchero. Cuando juzgó que estaba lista apagó el fuego y sirvió dos platos. Después sacó del bolsillo de su bata un pequeño bote de plástico en el que había guardado un par de pastillas para dormir, desmenuzadas en un fino polvo que echó en uno de los platos. Removió con la cuchara hasta que se disolvió por completo y después llevó los platos a la mesa, asegurándose de que no los confundía. Colocó con cuidado los vasos, los cubiertos, las servilletas.

—Qué rápida fuiste hoy —comentó Camila, tomando asiento frente a la mesa.

—Es que tengo ganas de irme a la cama ya —respondió Tina.

Y fingió un bostezo.

—Bueno, pero tómate la sopa —refunfuñó su madre—. No vayas a enfermar después de todo.

Tina obedeció. Cenó con un apetito fingido, ya que los nervios le habían formado un nudo en el estómago. Se esforzó por no mirar fijamente a Camila mientras comía. Había leído con atención el prospecto de las pastillas para asegurarse de no superar la dosis máxima recomendada, pero no sabía cuánto tardarían en hacer efecto.

Después de cenar, Camila se sentó de nuevo frente al televisor y Tina, bostezando, anunció que se iba a dormir.

Se metió en la cama y apagó la luz, pero mantuvo los ojos bien abiertos, clavados en los números digitales de su despertador.

Las nueve, las nueve y cuarto... A las nueve y media empezó a oír bostezos regulares desde el salón.

A las diez menos cuarto, su madre apagó el televisor y se fue a la cama, arrastrando los pies.

Tina aguardó unos minutos, hasta que la oyó roncar suavemente. Entonces se levantó en silencio, se cambió de ropa, metió una almohada bajo las mantas para simular que seguía acostada, se volvió invisible y salió de la casa en silencio.

9

Corrió por las calles a toda velocidad, y llegó al portal de Salima justo a tiempo de ver a Ismail alejándose a la tenue luz de las farolas. Se detuvo un momento para recuperar el aliento y lo siguió, a una prudente distancia, para que no intuyera su presencia.

Fue una experiencia nueva para ella. Era la primera vez que espiaba a alguien, por descontado; pero también era la primera vez que recorría el barrio a aquellas horas de la noche, sin miedo, con la tranquilidad que le daba la certeza de que nadie podía verla.

Ismail caminaba a paso ligero, como si llegara tarde a algún sitio, y Tina tenía que esforzarse por seguir su ritmo; aun así, podía mirar a su alrededor con interés, en lugar de bajar la cabeza, como siempre solía hacer, para no llamar la atención.

Contempló, entre curiosa y fascinada, a las prostitutas que paseaban por las esquinas; a los clientes de los bares, a las sombras huidizas de los toxicómanos y sus camellos en el descampado. Estudió por primera vez su barrio con atención casi científica, distanciada, desapasionada, como si no perteneciera a él. Se fijó en los detalles, en los rostros de la gente, sin temor a que le devolvieran la mirada.

Ismail se deslizaba por aquel ambiente con total familiaridad, casi mimetizado con él. Iba cabizbajo, pensando en sus cosas, pero con un sexto sentido que lo mantenía instintivamente alerta; se pegaba a la pared para pasar desapercibido o cruzaba la calle con fingida naturalidad para evitar encontrarse con determinadas personas en la misma acera. Ismail se había criado en el barrio y sabía muy bien cómo moverse por él.

No esquivó el descampado, pero sí rodeó las canchas de baloncesto, minadas de socavones que nadie arreglaba, con canastas semioxidadas y gradas cubiertas por capas y capas de grafitis. A Tina le llamó la atención que no las atravesara, buscando la ruta más corta, cuando era evidente que tenía prisa. Echó una mirada curiosa hacia las gradas y descubrió allí a varios jóvenes que charlaban, fumaban y bebían alcohol al ritmo de la música que escupía el móvil de uno de ellos.

Tina se estremeció al reconocer allí a Kevin Ramírez. Se detuvo un momento a contemplarlos, intrigada; pero reanudó la marcha enseguida para no perder de vista a Ismail.

Dejaron atrás las canchas de baloncesto, la plaza, su antiguo colegio, el aparcamiento, el mercado... y Tina se preguntó, inquieta, a dónde iría el muchacho con tantas prisas. Cuando sobrepasaron el viejo cine, clausurado quince años atrás, y se adentraron en un barrio de calles más amplias y mejor iluminadas, la chica temió que su persecución la llevara tan lejos que luego no fuera capaz de encontrar por sí misma el camino de vuelta. Pero entonces Ismail torció una esquina y entró en un bar con terraza. Tina se detuvo a la entrada, inquieta. El local estaba decorado con gusto y presidido por un enorme televisor de plasma en el que retransmitían los últimos compases de un partido de fútbol. Los clientes cenaban tapas o bocadillos en las mesas, o tomaban copas en la barra, la mayoría de ellos muy atentos a las evoluciones de los jugadores en la pantalla.

Tina supuso que Ismail había ido allí a encontrarse con alguien; pero se sorprendió mucho cuando un hombre grueso y fornido, con un espeso bigote gris, lo llamó desde detrás de la barra:

—¡Ismail! ¡Llegas tarde!

—¡Lo siento, lo siento! —farfulló el chico.

Desapareció por el fondo del local; Tina no se atrevió a seguirlo, porque había demasiada gente y cualquiera podría tropezar accidentalmente con ella. De modo que esperó.

Momentos después, Ismail reapareció ataviado con un mandil de color rojo como el que lucían el resto de los empleados, y se puso a servir cervezas a las órdenes del dueño del bar.

Tina lo contempló un rato, desconcertada. Lo vio evolucionar entre las mesas, tomando nota, haciendo equilibrios con las bandejas, atendiendo a las llamadas de los clientes, muy concentrado en lo que hacía.

Así que era eso. Ismail no estaba metido en ningún negocio raro. Simplemente, trabajaba como camarero en un bar. Tina no entendía qué había de malo en aquello, y por qué no quería contarlo en su casa. Probablemente Ismail no tenía contrato; pero ella tampoco lo tenía por hacer de canguro, ahora que lo pensaba, porque, obviamente, con catorce años no contaba con edad legal para trabajar. ¿La tendría Ismail con diecisiete? ¿Por eso no quería que sus padres lo supieran? Tina lo encontraba todo demasiado extraño. Conocía a muchos jóvenes que trabajaban así, a tiempo parcial, para ganarse unos euros o para ayudar a la economía familiar. Y el hecho de que Ismail sacrificase sus horas de ocio con este fin le parecía más digno de admiración que de reproche, en todo caso.

Tina suspiró para sus adentros y se alejó del bar, aprovechando que el equipo local había marcado un gol y todos lo celebraban estruendosamente, incluido Ismail. Sonrió, pensando que Salima se alegraría mucho cuando se enterase de que su hermano no estaba metido en ningún lío.

En contra de lo que había temido, no tuvo problemas para hallar el camino de vuelta a su barrio. Al principio caminaba deprisa, con la intención de llegar a casa cuanto antes; pero cuando pasó junto a las canchas de baloncesto no pudo resistir la tentación de detenerse a curiosear un poco. Después de todo, su madre no sabía que había salido. Y probablemente no se despertaría en toda la noche.

Espió por encima de la valla y descubrió que Kevin y sus amigos seguían allí. Los observó con atención. No había en la cancha nadie más que ellos. Contó nueve: siete en las gradas y otros dos lanzando a canasta. Tendrían todos entre quince y veintipocos años, y Kevin era probablemente de los más jóvenes.

Tina se acercó a ellos en silencio, con el corazón latiéndole con fuerza.

Eran latinoamericanos, quizá de Ecuador, como Kevin. La chica los observó más de cerca. Sudaderas amplias, pantalones anchos, gorras caladas aunque fuese de noche, pendientes, tatuajes... Tina sabía, sin embargo, que no era su forma de vestir lo que les daba aquella aura de agresividad y peligro. Eran sus gestos, sus palabras, sus miradas. Su manera de moverse. Como una manada de depredadores seguros de tener su territorio bajo control.

A su lado, Kevin Ramírez parecía casi inofensivo, apenas un adolescente fingiendo ser mayor, tratando de aprender las reglas de un juego que aún no comprendía del todo. Sus ojos no se apartaban del que parecía el líder del grupo, un joven que fumaba un canuto mientras movía la cabeza al ritmo de la música. Otro de los chicos le estaba explicando algo, pero él apenas le prestaba atención. Tina se fijó en que Kevin trataba de imitar sus gestos, sus movimientos, hasta su forma de reírse. Tal vez deseaba ser como él, o tan solo obtener su aprobación.

Lo contempló más de cerca. Lo conocía de haberlo visto por el barrio. Lo llamaban Gato, quizá por aquellos ojos verdes, felinos, por los que suspiraba más de una chica en el barrio. Pero Tina sabía que su nombre era Rolando Montoya, y que había tenido encontronazos con la policía por peleas callejeras, por armar broncas en general y por algún atraco con arma blanca en particular. También se rumoreaba que él y su pandilla estaban involucrados en temas de drogas y cosas más serias. Pero eso no se había demostrado hasta el momento, al menos que ella supiera.

«Gente peligrosa que no tiene reparos en cargarse a los que les molestan», había dicho Rodrigo.

Tina se estremeció. ¿Qué había querido insinuar? ¿Que Gato y los suyos habían tenido algo que ver con la muerte de su hermano? Pero ¿cómo? ¿Y por qué?

Tina rondó un rato a su alrededor, escuchando sus conversaciones, pese a que era poco probable que hablaran, casualmente, de un presunto suicidio que había tenido lugar dos años atrás.

No contaron nada de interés. Hablaron de baloncesto, de chicas, de música. También mencionaron a algunos chicos con los que se llevaban mal.

Tina había oído hablar de ello. Estaba al tanto de que había dos bandas rivales en el barrio. No sabía por qué se odiaban, y probablemente ni siquiera ellos mismos lo supieran tampoco. Por lo que ella tenía entendido, era una cuestión de territorialidad. Después de varios años de peleas, conflictos y amenazas, habían establecido dos grandes zonas de influencia, cuyos límites solo ellos conocían; por lo que Tina sabía, sin embargo, unos y otros los traspasaban a menudo para provocar a sus rivales, buscando cualquier excusa para iniciar una nueva pelea.

Suspiró para sus adentros. A decir verdad, no sabía quién pertenecía a qué banda, ni conocía el nombre del líder de la otra, ni estaba segura de saber distinguir a los esbirros y a los enemigos de Gato. Tina no había tenido problemas en mantenerse siempre al margen de aquella guerra declarada, porque solo incumbía a los que participaban en ella.

En ningún momento se le había ocurrido pensar que Kevin Ramírez formara parte de todo aquello. Pero allí lo tenía. En la banda de Gato, nada menos.

Se alejó de la cancha, sumida en sus pensamientos. Estaba emocionada porque creía que había descubierto algo importante. Enseguida, sin embargo, cayó en la cuenta de que probablemente Rodrigo ya sabía qué compañías frecuentaba Kevin.

¿Qué tendría que ver la banda de Gato con la muerte de Adrián Herrera? ¿Lo habrían acosado, amedrentado o extorsionado hasta provocar su suicidio? Y, si era así, ¿por qué razón? Por lo que Tina tenía entendido, aquellos chicos vivían centrados en su guerra particular e ignoraban a todo aquel que no participase en ella. Si alguien se atrevía a provocarlos, sin duda reaccionarían, pero quizá no se molestarían en hostigarlo por sistema. Ellos tenían a su favor la fuerza del grupo. Ninguna persona sola podría plantarles cara, y por eso no la considerarían un rival a tener en cuenta.

Sin duda Rodrigo sabría ya muchas cosas acerca de ellos, pero Tina era consciente de que no se atrevería a preguntarle. Se le ocurrió entonces que, si descubría algo interesante, alguna pista sobre la relación del grupo de Gato con la muerte de su hermano, se ganaría el agradecimiento de Rodrigo, y tal vez su confianza. Solo ella podía espiarlos, seguirlos sin que se dieran cuenta, ver qué hacían cuando pensaban que nadie los miraba, oír qué decían cuando creían que estaban solos.

Pero no aquella noche, decidió Tina. Se estaba haciendo tarde, y se sentía inquieta porque no sabía qué hora era en realidad, ya que su reloj de pulsera se había vuelto invisible con ella.

Decidió, por tanto, tomar un atajo. Conocía un callejón que la llevaría a su casa por un camino más corto, pero siempre lo evitaba de noche porque era muy largo y estrecho, y apenas tenía iluminación. En esta ocasión, sin embargo, se sentía invulnerable. No importaba con qué clase de gente pudiera encontrarse en el callejón, drogadictos, borrachos o lo que fuera; no podían verla, no sabían que estaba allí y, por tanto, no tendrían modo de hacerle daño.

El callejón estaba oscuro, como temía, y apestaba a orines. Tina lo recorrió con rapidez. Estaba aparentemente desierto, por lo que se detuvo de golpe al oír un sollozo.

—No..., no, por favor...

Tina localizó entonces dos bultos que se movían en un portal. Cuando se acercó para ver qué sucedía, descubrió que se trataba de un hombre que tenía acorralada a una joven y la manoseaba con cierta urgencia. Era muy obvio que ella no quería estar allí.

—Por favor... déjame marchar... —insistió.

—Cállate, zorra —cortó el hombre con brutalidad.

Y Tina inspiró hondo, aterrorizada, al ver el destello de una navaja en la penumbra. Miró a su alrededor, en busca de ayuda. El callejón desembocaba en una calle un poco más amplia unos metros más allá. Probablemente el hombre había arrastrado a su víctima desde allí para tener más intimidad.

Tina dudó. Podía correr a buscar a alguien, pero ¿y si no llegaba a tiempo?

El individuo ya se estaba desabrochando los pantalones. Tina no lo pensó más. Se abalanzó sobre él, lo agarró de la chaqueta y tiró hacia atrás para separarlo de la chica.

—¿Pero qué...? —farfulló el hombre, desconcertado.

Se dio la vuelta, pero no vio a nadie.

Era más alto y fuerte que Tina. Ella sabía que no tendría ninguna oportunidad en una pelea contra él, a no ser que aprovechara las ventajas del momento: su adversario no podía verla y aún estaba confundido.

Tina le disparó una patada en el estómago. El hombre se dobló, gimiendo de sorpresa y dolor.

Ella no lo dejó pensar. Golpeó una vez, y luego otra, y otra, tratando de derribarlo. El hombre miraba a su alrededor con los ojos desorbitados, intentaba protegerse con las manos, pero seguía encajando golpes, incapaz de intuir de dónde venían.

A base de patadas, puñetazos y empujones, Tina lo hizo retroceder, tambaleándose. Pero entonces el hombre plantó los pies y agitó las manos a su alrededor, en un desesperado intento de librarse de su acosador invisible. Tina dio un paso atrás para esquivarlo y contempló su gesto entre amedrentado y furioso, su mirada enloquecida. Ahora se mostraba más alerta, más cauto, y Tina comprendió que, invisible o no, podría llevar las de perder en aquella pelea si no tenía cuidado. Retrocedió en silencio mientras su rival rotaba sobre sí mismo, escrutando las sombras, en busca de su misterioso agresor.

—¿Quién eres? ¡Da la cara! —gruñó con voz ronca.

Tina respiró hondo y esperó a que le diera la espalda. Y entonces cogió carrerilla, se abalanzó sobre él y lo empujó con todas sus fuerzas.

Ambos se precipitaron al suelo. El hombre se golpeó la cabeza contra el borde de una papelera y se oyó un sonido desagradable. Los dos aterrizaron sobre la acera, y Tina se apresuró a levantarse y se situó a una distancia prudencial.

Pero el hombre no se movió. Permaneció tendido en el suelo, como un saco de patatas. Tina se acercó de puntillas para comprobar que aún respiraba. Se había dado un buen golpe y había perdido el sentido.

Inspiró hondo y se volvió entonces hacia la chica del portal. Estaba ovillada en un rincón y lloraba, con el rostro oculto entre las manos, demasiado aterrorizada como para salir huyendo. Tina echó un vistazo al asaltante caído y pensó que no podía dejarla en ese estado. ¿Y si recuperaba la conciencia y lo pagaba con ella?

Dudó. Quería ayudarla, hablar con ella, pero ¿cómo? Si se volvía visible, descubriría su secreto y su verdadera identidad. Pero, si no lo hacía, la chica se asustaría todavía más.

Y alguien tenía que llamar a la policía. Tina no tenía móvil, y no se atrevía a acercarse al agresor para registrarlo en busca de un dispositivo que pudiese utilizar.

Por fin tuvo una idea. Retrocedió hasta el fondo del callejón y allí, respirando hondo para calmarse, recuperó la visibilidad.

Entonces se acercó corriendo a la chica, como si acabase de llegar.

—¿Qué ha pasado? ¿Estáis bien?

Hizo ademán de inclinarse junto al hombre inconsciente. La joven reaccionó por fin y se incorporó a toda prisa.

—¡Espera, no lo toques! ¡Apártate de él!

Tina retrocedió y la ayudó a levantarse.

—¿Por qué? ¿Quién es? ¿Qué le pasa?

La chica hiperventilaba. Tina la rodeó con el brazo, tratando de calmarla.

—¿Estás bien?

Ella asintió, con los ojos llenos de lágrimas.

—Ha intentado... ha intentado violarme...

Se puso a llorar otra vez. Tina lanzó una exclamación de horror que no tenía nada de fingida, ya que solo con recordar la escena que había interrumpido se le revolvía el estómago.

—¡Hay que llamar a la policía! —le urgió—. ¿Tienes un móvil?

La joven la miró, como si despertase de un sueño.

—Sí, sí. Yo... ahí lo tengo, en el bolso.

Tina recogió el bolso caído y se lo tendió a su dueña. Ella sacó el móvil con dedos temblorosos.

—Llama al 091. Que se den prisa, antes de que vuelva en sí.

La pobre sufrió tal sobresalto que estuvo a punto de dejar caer el aparato. Tina lo recogió y se lo entregó de nuevo.

—¡Vamos, llama!

—No, no... mejor me voy... antes de que se despierte...

Tina maldijo para sus adentros.

—¡Tienen que encerrar a ese cabrón! —exclamó—. Si no, en cuanto pueda volverá a intentarlo. Contigo o con cualquier otra.

—Bueno, vale..., pero después me voy.

Tina no respondió. La joven marcó el número de la policía y explicó su situación. Se le saltaron las lágrimas de nuevo, y empezó a tartamudear, cada vez más nerviosa. Tina le recordó la dirección en voz alta y, al otro lado de la línea, el policía preguntó:

—¿Estás acompañada? ¿Quién está contigo?

—E-es una niña que pasaba por aquí.

—¿Una niña?

Tina iba a replicar, airada, que tenía ya catorce años y

medio; pero enseguida pensó que le convenía que la tomaran por una chiquilla indefensa, para que nadie la relacionara con el extraño y providencial ataque que había sufrido el agresor. Agarró el teléfono y chilló:

—¡Por favor, por favor, vengan enseguida! ¡El violador se va a despertar, y estamos muy asustadas!

—¿Se va a despertar? ¿Qué le ha pasado?

—¡Se ha dado un golpe en la cabeza! ¡Por favor, no tarden!

Y colgó.

—Bueno —dijo la chica muy nerviosa—, yo me voy...

—No, por favor, espérate a que lleguen —suplicó Tina—. Yo me quedo contigo, ¿vale?

—Pero ¿y si se despierta?

Las dos miraron de reojo al hombre tendido en el suelo. No se movía.

—No parece que vaya a despertarse —dijo Tina—. Pero iré a la otra calle a ver si encuentro a alguien...

—¡No, no, espera, no me dejes sola con él! ¡O me marcho! —amenazó.

Sin embargo, no se movió del sitio. Tina comprendió que, a pesar de lo asustada que se sentía, respiraría más tranquila en cuanto viera a su atacante en manos de la policía.

—Esperaremos un poco más —dijo Tina—. Si vemos que se despierta, salimos corriendo aunque no hayan llegado los polis, ¿vale?

Aguardaron juntas, temblando, acurrucadas en el portal, sin apartar los ojos del cuerpo que yacía sobre la acera. Nadie pasó por allí en los diez minutos largos que tardaron en oír la sirena del coche patrulla.

—Gracias a Dios —suspiró la chica cuando dos agentes uniformados irrumpieron en el callejón.

Tina retrocedió unos pasos para quedar en segundo plano mientras los policías se centraban en atender a la joven víctima y al agresor inconsciente.

Los había reconocido. Eran los patrulleros del barrio, los mismos que se habían presentado en el instituto el fatídico día del suicidio de Adrián Herrera. Tina se acordaba del nombre del más joven, el que había estado hablando con ella y con Salima, porque figuraba en la tarjeta que él mismo le había entregado entonces. Se llamaba Ernesto Durán.

—Ostras, Moreno, creo que es él —dijo, inclinándose para examinar el rostro del caído.

—¿Estás seguro?

—No al cien por cien, pero vaya... Si no es él, se le parece mucho.

Mientras su compañero custodiaba al asaltante y pedía refuerzos, Durán se acercó a la chica del portal para atenderla. Tina aprovechó para tratar de retirarse discretamente; pero él la vio y la detuvo justo cuando daba media vuelta.

—Espera, espera, no te vayas. ¿Tú has estado con ella todo el tiempo?

—No, yo he llegado después.

—¿Y qué le ha pasado al tipo? —siguió indagando el policía.

—No lo sé —respondió Tina, rehuyendo su mirada—. Ya le he dicho que yo he llegado después.

—¿Cómo te llamas?

—María —improvisó Tina.

—¿María qué más?

—García Pérez —mintió ella.

Durán entornó los ojos, pero no hizo ningún comentario. Tina reprimió un suspiro cuando su aguda mirada se centró de nuevo en la joven del portal.

—Bueno, entonces, ¿qué ha pasado? —le preguntó—. ¿Lo has empujado hacia atrás, y se ha caído sin más?

134

—No, yo...

—A este tío le han dado una pequeña paliza —informó entonces el agente Moreno—. Los golpes no parecen muy fuertes, pero tiene arañazos y contusiones por todas partes. Es casi como si se hubiese dejado pegar.

—Yo no he sido, yo no he sido —dijo la chica muy asustada—. No lo conozco de nada, me agarró y me puso una navaja al cuello... Y estaba intentando... estaba intentando...

—Ya, ya, tranquila —la calmó Durán.

—De pronto —prosiguió ella—, se echó hacia atrás y empezó a hacer cosas raras, a moverse como si bailara; se quejaba como si le estuviesen haciendo daño y hablaba con alguien...

—¿Con quién?

—No lo sé, no lo vi.

—Debió de ser aquel tipo —se le ocurrió decir a Tina.

—¿Qué tipo?

—No sé, yo tampoco lo vi. Venía por el callejón y me pareció que había dos tíos peleándose. Entonces uno se cayó al suelo y el otro salió corriendo. Y fue entonces cuando me acerqué a ver qué había pasado.

El agente Durán la miró fijamente. Tina le sostuvo la mirada, aunque no pudo evitar que el rubor tiñera sus mejillas.

—¿Y quién era el otro? —siguió preguntando el policía—. ¿Alguien a quien conocías, quizá?

—Ya he dicho que no lo vi. Ya se iba corriendo cuando me acerqué, solo lo vi de espaldas.

—¿Y cómo era? ¿Alto, quizá?

—Hummm, sí.

—¿Y fuerte?

—Hummm..., supongo.

—Y entonces, ¿cómo es posible que los golpes que ha recibido...? —empezó el agente Durán, lanzando una mirada de reojo a su compañero; pero Tina no lo dejó terminar.

—Bueno, mire, ya le he dicho que yo no he visto nada —cortó, muy nerviosa—. He llegado cuando este tío estaba en el suelo y el otro se había ido y me he quedado a ayudar a esta chica, ¿por qué no le pregunta a ella?

—L... le juro que yo no he visto a nadie.

—¿Cómo es posible que nadie haya visto nada? —se preguntó el policía, frustrado.

Tina vio por el rabillo del ojo que el violador empezaba a volver en sí. Moreno se inclinó junto a él para atenderlo, y ella pensó que no quería estar allí cuando contara su versión de la pelea.

—Lo siento, pero me tengo que marchar. Me están esperando en casa, ¿sabe?

—No deberías ir sola por ahí a estas horas. Si te esperas un momento, te acompañamos a casa, ¿de acuerdo?

Tina retrocedió, alarmada.

—No, no. No puedo esperar tanto. Por favor, atiendan a esta chica, lo ha pasado muy mal. Yo me tengo que ir ya.

Y dio media vuelta y echó a correr.

—¡Espera! —gritó el policía.

Y echó a correr tras ella.

—¡Durán! —protestó su compañero, al ver que se quedaba solo con la joven y su agresor—. ¿Qué coño haces?

Tina corrió todo lo que pudo y, con el policía pisándole los talones, dio la vuelta a la esquina y se metió por entre los contenedores de basura alineados junto a la acera. Si lo hacía bien, le bastarían unos segundos para volverse invisible. Pero el agente Durán la había visto esconderse allí, y no tardó en apartar uno de los contenedores para buscarla.

—¡Niña! ¡Oye, María... !

Miró a su alrededor, confuso, mientras Tina, muy cerca

de él, aguantaba la respiración. Cuando el policía se asomó al interior del contenedor por si la chica que buscaba se había metido dentro, Tina aprovechó para alejarse de allí en silencio, aún con el corazón desbocado.

Nadie la vio.

Cuando llegó a casa y cerró con suavidad la puerta de entrada, esperó un instante, conteniendo el aliento. Respiró por fin al oír los suaves ronquidos de su madre desde su habitación.

Se volvió visible de nuevo, se puso el pijama y se metió en la cama, aún aturdida por todo lo que acababa de pasar.

Se durmió enseguida y tuvo un sueño inquieto por el que desfilaban policías uniformados, jóvenes pandilleros con ganas de bronca y sombras que acechaban en callejones oscuros.

10

Tina se reunió con Salima el sábado por la tarde en el parque. Su amiga llegó hecha un manojo de nervios.

—¿Entonces, qué? —fue lo primero que le preguntó nada más verla—. ¿Has podido seguir a Ismail? ¿Qué has descubierto?

—Calma, calma —respondió Tina—. Respira hondo y escucha.

Le relató entonces cómo había espiado a Ismail durante su salida nocturna, y le describió lo que había visto en el bar.

—Bueno, y eso es todo —concluyó por fin—. Tu hermano no está metido en líos. Solo trabaja como camarero los fines de semana.

Pero Salima se había puesto seria.

—¿Qué pasa? —preguntó Tina—. ¿No me crees?

—Sí que te creo. Es que... bueno, a mis padres no les va a hacer gracia.

—¿Por qué no? ¡Si lo único que hace en el bar es atender las mesas!

Salima suspiró.

—A ver cómo te lo explico... En ese bar sirven bebidas alcohólicas, ¿no?

—Sí, pero... ah —comprendió Tina de pronto—, es por eso. Pero es por el bien de la familia, y además, no todos los musulmanes son abstemios.

—Claro que no. También hay católicos que van a misa todos los días y otros que no se acercan ni los domingos, cada cual vive la religión a su manera. —Salima hizo una pausa y prosiguió—. Pero en mi familia nadie bebe alcohol. Es tóxico para el cuerpo y para la mente. Y no es que lo diga mi religión: lo dice la ciencia.

—Pero Ismail no bebe. Solo trabaja en un bar que sirve bebidas alcohólicas.

—¿Le gustaría a tu madre que fueses traficante de drogas, aunque tú no las consumieras? —planteó Salima.

—¿Qué? ¡Claro que no! Pero no es lo mismo.

—Por muy legal que sea, el alcohol es una droga responsable de más de tres millones de muertes al año. Son datos de la OMS, por cierto. No me los he inventado yo.

—¿Tres millones? —repitió Tina sin poder creerlo.

—Aunque, bueno, aún están lejos de los seis millones de personas que mata cada año el tabaco. Las muertes anuales causadas por las drogas ilegales están estimadas en unas doscientas cincuenta mil. ¿Tú no querrías mantener a tus hijos lejos de algo que es un peligro para su salud?

—Bueno —acertó a responder Tina—, digas lo que digas, a tu hermano no lo pueden meter en la cárcel por servir copas en un bar. Si fuera traficante de drogas, en cambio...

—Sería bastante peor, ciertamente —convino Salima—, porque además de andar trasteando con sustancias peligrosas para su salud, estaría cometiendo un delito muy gordo. En fin —suspiró—, no quiero agobiarte con esto. Te estoy muy agradecida por haberme ayudado. No tuviste ningún problema por hacerme el favor, ¿verdad?

Tina vaciló, recordando el incidente del callejón. Pero no

quería hablar de ello, ni con Salima ni con nadie, de modo que sacó a colación otro asunto que también la preocupaba.

—No..., pero anoche vi a Kevin Ramírez, el del instituto.

—¿El que casi se pega con Rodrigo por el reportaje de las canastas?

—Ese mismo. Estaba con la pandilla de Gato. ¿Los conoces?

—He oído hablar de ellos, pero no los conozco ni sé quiénes son. Tengo más controlados a los otros.

—¿Los otros?

—Sus «enemigos», ya sabes. Los llaman «la banda de Jimmy» porque fue un tal Jimmy el que la montó, aunque hace tiempo que ya no va con ellos. Ahora es el dueño del bar Ayala, ¿te suena? —Tina asintió—. Su antigua pandilla sigue por ahí —prosiguió Salima—, peleándose de vez en cuando con los de Gato.

—¿Y de qué los conoces tú? —preguntó Tina curiosa.

Su amiga se encogió de hombros.

—De vista solo. Lo de siempre: uno de mis hermanos era amigo de uno de los del grupo, hace tiempo, cuando empezaron en el instituto. Y a ti, ¿por qué te interesa tanto esa gente? —preguntó Salima a su vez.

«Porque a Rodrigo le interesa», pensó Tina, pero no lo dijo.

—Bueno, tengo una cuenta pendiente con Kevin —respondió en su lugar—. Desde primaria. Le hizo la vida imposible a una amiga mía y yo no fui capaz de ayudarla. Al final sus padres la sacaron del colegio y yo ni siquiera comprendí entonces que era por culpa del capullo de Kevin.

—Ostras, qué mal —murmuró Salima impresionada—. Pero ¿qué edad tenías? No podrías haber hecho gran cosa de todas formas, ¿no?

—Contarlo a la gente al menos. Yo qué sé..., algo más que

esconderme en el armario de la limpieza —concluyó con amargura.

Suspiró con pesar, mientras evocaba aquella terrible tarde en que había huido de Kevin, muerta de miedo. Cómo había abandonado a Raquel a su suerte, cómo Rodrigo había tratado de interceder por ellas, a pesar de que no las conocía de nada.

Cómo había acabado encerrada en aquel cuartucho, rogando para que nadie la encontrara.

Y la mirada de Kevin Ramírez pasando a través de ella, como si no la viera.

Se quedó anonadada.

—¿Qué? ¿Qué? —preguntó Salima, impaciente.

—Estoy pensando... que tal vez fue entonces cuando me volví invisible por primera vez —respondió Tina muy despacio.

Salima dio un salto en el sitio.

—¿Qué? ¿Cómo?

Tina le relató entonces la extraña experiencia por la que había pasado aquella tarde. A medida que hablaba, los recuerdos acudían a su mente con mayor claridad. Evocó detalles que entonces había pasado por alto, y los vio desde otra perspectiva. Cuando terminó y se quedó callada, Salima comentó:

—Esto no me lo habías contado.

—Lo tenía medio olvidado. Pero pasó de verdad, te lo juro.

—¿Y no te diste cuenta entonces de que no podían verte?

—¡No! Cuando salí del armario estaba completamente normal. Si no hubiese podido verme a mí misma, lo habría notado, estoy segura.

—Hummm..., interesante. Añadiré estos datos a mi investigación, si todavía quieres averiguar cómo y por qué te vuelves invisible.

—No sé si servirá de algo, Salima —opinó Tina, desanimada—. Bueno, resulta que hago cosas raras desde los nueve años, ¿y qué? No lo sabía entonces y no pude ayudar a Raquel. Solo me ayudé a mí misma.

—Bueno, no te tortures, eras solo una cría. Además, aún no es tarde para ajustarle las cuentas a Kevin Ramírez. Si va con la pandilla de Gato, seguro que está metido en más de un asunto turbio. De hecho, Rodrigo... —se interrumpió de repente, pero Tina se volvió hacia ella con interés.

—¿Rodrigo? —repitió.

Salima asintió.

—Rodrigo se la tiene jurada a Gato y los suyos, no sé si te lo he comentado alguna vez.

—¿Por lo de su hermano?

—Es posible. Él no cree que se suicidara, pero a estas alturas no tiene sentido que intente convencer a nadie. Porque es el único que lo piensa.

—Pero ¿qué tienen que ver Kevin y Gato con...?

—¿Sinceramente? No estoy segura, pero... ¿sabes quién es Alexis Rosales? El chico que defendió a Rodrigo contra Kevin el otro día. —Tina asintió—. Bueno, pues es de la banda de Jimmy.

Tina lanzó una exclamación de sorpresa.

—Pero ¿cómo...?

—¿Cómo es posible que Alexis y Rodrigo sean amigos? —la ayudó Salima—. ¿De qué se conocen? La verdad, no lo sé.

»Parece ser que por nuestro instituto han pasado casi todos ellos, Gato, Jimmy y todos los suyos. Fueron dejando los estudios y ya solo quedan Kevin y Alexis, los más jóvenes. Uno de cada bando.

—Kevin ya cumplió los dieciséis años —señaló Tina—, pero sus padres quieren que termine la secundaria por lo

142

menos. Si aprueba todo este año, el curso que viene ya no lo veremos más.

—¿Cómo sabes eso? —preguntó Salima suspicaz—. ¿Lo has estado espiando?

Tina enrojeció.

—Sí, anoche, ya te lo he contado. Después de todo, es mi némesis. Mi archienemigo. Lo que sea.

Salima se echó a reír.

—Sí que te has tomado en serio el rollo superheroico —comentó.

«No lo sabes tú bien», pensó Tina.

—Alexis está cursando un módulo de FP —prosiguió Salima—. Debe de ser uno de los pocos de ambos grupos que han seguido en el insti después de la enseñanza obligatoria. Y no sé nada más de él, salvo que se lleva muy bien con Rodrigo.

Tina asintió, pensativa.

—En fin —concluyó Salima—. Por lo que tengo entendido, a Rodrigo le encantaría poder demostrar que Gato es algo más que un gamberrillo de medio pelo. Poder ir a la policía con algo serio, quiero decir.

Tina permaneció en silencio unos momentos, pensando.

—Quizá yo pueda ayudar —dijo entonces—. Espiando a Gato y los demás, quiero decir. Tal vez descubra algo interesante.

Salima la miró fijamente.

—¿Lo harías por Rodrigo... o por ti? —le preguntó.

Tina era consciente de que se moría de ganas de hacer algo que llamase la atención de Rodrigo. Pero no estaba preparada para contárselo a Salima. Todavía no.

Se encogió de hombros.

—Por mí, supongo. En realidad Gato no me importa; pero sí me encantaría ver caer a Kevin.

—¿Y lo denunciarías a la policía?

Tina se sobresaltó, recordando a la pareja con la que ya había hablado en dos ocasiones; no le gustaban ni la penetrante mirada del agente Durán ni los bruscos modales de su compañero más veterano.

—Igual eso se lo dejo a Rodrigo —respondió por fin.

Salima suspiró.

—Bueno, está claro que si tienen algo que ocultar, tú puedes descubrirlo mejor que nadie —opinó—, pero no me gustaría que te metieras en líos. Son gente peligrosa.

Tina no dijo nada.

—Prométeme que tendrás cuidado —insistió Salima.

—Sí, tranquila, lo tendré.

Lo cierto era que aún no se había repuesto de las emociones de la noche anterior y no sentía deseos de volver a repetir la experiencia, al menos a corto plazo. Necesitaba descansar, asumir todo lo que había pasado y planear con calma su segunda salida nocturna, si es que llegaba a producirse.

Pero aquella semana circuló por todo el barrio la noticia de que la policía por fin había detenido al violador que llevaba tantos meses buscando, y Tina escuchó las conversaciones al respecto con interés y emoción contenida. Aquel individuo había asaltado a media docena de mujeres desde el verano anterior, pero nunca habían conseguido echarle el guante hasta aquel momento. La prensa afirmaba ahora que eso se debía a que vivía en la otra punta de la ciudad, y utilizaba el barrio de Tina solo como «territorio de caza». La policía había podido capturarlo al fin, decían, gracias a que el hombre había resultado herido en una reyerta callejera justo cuando intentaba abusar de la que iba a ser su víctima número siete.

Tina pasó buena parte del día con una tonta sonrisa en los labios, levitando como si le hubiese tocado la lotería. ¡Aquel no era un delincuente cualquiera! Se trataba del peligroso depredador sexual que había puesto en jaque a la policía durante meses. ¡Y ella lo había capturado! ¡Ella sola se lo había puesto en bandeja a las autoridades! Había salvado a una chica y probablemente a muchas otras. Porque, si Tina no hubiese intervenido aquella noche, ¿quién sabe cuánto habría tardado la policía en dar con aquel individuo, a cuántas mujeres más habría atacado mientras tanto?

Por primera vez se sintió casi como una superheroína, como las protagonistas de los cómics que Salima le había prestado. Durante aquella semana los releyó con pasión, ganándose por ello algún que otro comentario despectivo por parte de su madre («¿No eres ya mayor para leer esas bobadas?»), en busca de similitudes con su propia situación.

No encontró demasiadas, en realidad. Sí, tenía una habilidad que Salima había calificado de «superpoder». Sí, la había utilizado alguna vez para ayudar a los demás. Pero ella no vivía en una ciudad fantástica amenazada por supervillanos histriónicos y extravagantes. Tampoco llevaba un uniforme opresivamente ceñido de brillantes colores. Ni sabía de más gente que poseyera «superpoderes» de ningún tipo.

Pero la mayoría de ellos tenían una identidad secreta. Ocultaban sus rostros tras una máscara y utilizaban nombres «superheroicos» por los que todo el mundo los conocía. Así podían vivir una vida corriente. O intentarlo, al menos.

Y protegían celosamente aquella vida normal, nada emocionante, no solo por ellos, sino por las personas a las que querían. Para que el mal nunca las utilizase para vengarse de aquellos irritantes héroes enmascarados que frustraban sus planes una y otra vez.

Tina lo comentó con Salima.

—¿Crees que necesito una identidad secreta? —le planteó en un recreo.

—¿Una identidad secreta? ¿Qué quieres decir?

—Bueno, Peter Parker es Spiderman, Bruce Wayne es Batman... pero Valentina Reyes es siempre Valentina Reyes, invisible o no.

Salima la miró divertida.

—Has estado haciendo tus deberes, ¿eh? Bueno, no sé si una persona invisible necesita una identidad secreta. Si nadie te ve, nadie sabe que eres tú.

—Y por eso me confunden con el fantasma de Adrián Herrera —suspiró ella—. Quizá baste con un apodo. A Susan Storm la llaman «La chica invisible», después de todo.

—Sí, pero a pesar de eso, todo el mundo sabe quién es ella —objetó Salima.

—Eso es porque Los 4 Fantásticos no ocultan su identidad a nadie; usan uniforme pero no máscaras, salen siempre en las noticias, su base secreta está en el centro de la ciudad, se pasean por la calle tan tranquilos y la gente les pide autógrafos. —Se estremeció—. A mí me parece muy peligroso.

Se preguntó cuánta gente querría vengarse de ella por haber frustrado sus planes. Aquellas niñas de primero a las que había detenido cuando acosaban a una compañera no parecían muy peligrosas, pero ¿y los alumnos de más edad? ¿Y el cuarteto que había atacado a Juanjo en el parque? ¿Y el violador? Sin duda no eran genios del mal como los supervillanos de los cómics... pero a Tina, que vivía en el mundo real, le parecían mucho más amenazadores.

Salima seguía parloteando sobre Los 4 Fantásticos.

—... y así consiguen la pasta para financiar su actividad superheroica. Supongo que sale más rentable ser un superhéroe famoso que un estudiante pobretón como Spiderman. Eso o heredas un fortunón, como Batman.

—O montas una escuela para mutantes, como el profesor Xavier.

—O te dedicas al periodismo, como Supermán. Mira, ese

solo necesitaba unas gafas y una cabina de teléfono para cambiarse de ropa, y nadie descubría nunca su identidad.

—Entonces, ¿qué? ¿Crees que debería tener un nombre? He pensado algunos —prosiguió Tina antes de que Salima pudiera responder—. Sombra, La Maga, La Justiciera...

—Están bien, pero hay un problema. Todos esos nombres... salvo Sombra, quizá... indican que eres una chica.

—Bueno, es que lo soy.

—Pero la gente no tiene por qué saberlo. Eres invisible, podrías ser cualquier cosa. Podrías ser un hombre o una ancianita cachas. O un fantasma, ¿por qué no? O incluso un alien. ¿Quién podría decirlo?

»Tu superpoder oculta tu identidad real, Tina. Es el camuflaje perfecto. No necesitas uniforme ni tampoco un nombre que dé pistas sobre quién o qué eres realmente. Y eso es bueno para ti, si lo que quieres es que nadie sepa cómo te llamas o dónde encontrarte.

—No lo había pensado —reconoció Tina.

—Y la verdad es que es una suerte —continuó Salima—. Porque con casi cualquier otro superpoder te pillarían enseguida. Imagina que tuvieses superfuerza, o supervelocidad, o que pudieras volar. Ay..., a mí me encantaría poder volar —suspiró—. Pero a lo que iba: si pudieses hacer alguna de esas cosas, si la hicieses en público... todo el mundo lo sabría. ¿Y cómo ibas a ocultar tu identidad? ¿Con una máscara? ¿Una que hiciese juego con tu uniforme de superheroína de cómic, supersexy, superincómodo y con unos supertacones con los que no podrías ni correr?

Tina se rio ante la indignación que destilaban las palabras de su amiga.

—Yo creo que eso llamaría la atención más que otra cosa —opinó.

—Exacto. Por eso, si quieres pasar desapercibida, tu superpoder es lo mejor. —Se calló un momento y se quedó mirándola fijamente—. Oye, ¿y a qué viene todo esto? No estarás pensando en ejercer como superheroína en serio, ¿verdad? —le preguntó de pronto.

Tina enrojeció de golpe.

—N... no, yo... todavía tengo que aprender a defenderme mejor —dijo por fin—. Creo que no se me da mal seguir a la gente, pero pelearme con ellos ya es otra cuestión, por muy invisible que sea.

—Es verdad —concedió Salima un tanto alicaída—. Y sería peligroso. Tienes razón, mola mucho tener poderes, pero eso no quiere decir que puedas actuar como los superhéroes de los cómics. No en el mundo real, al menos.

Tina asintió, pero en su mente martilleaba una y otra vez la misma pregunta: «¿Y por qué no?». Gracias a su habilidad para volverse invisible y a sus crecientes conocimientos de artes marciales había ayudado a la policía a detener a un peligroso delincuente. Sabía muy bien que, si la descubrían, no le permitirían seguir haciéndolo. Pero Salima tenía razón: su propio «superpoder» era el mejor disfraz con el que podía contar.

Tardó aún unos días en decidirse a volver a salir por la noche. Esperó al fin de semana, porque suponía que habría más actividad en el barrio y tendría más probabilidades de encontrar a Gato y su pandilla en las canchas de baloncesto. En esta ocasión no echó nada en la cena de su madre. No tenía necesidad de salir de casa a una hora determinada, por lo que simplemente esperó a que ella se durmiera para volverse invisible y salir por la puerta.

Era medianoche cuando se internó por las calles del barrio, y no pudo evitar pensar que salía de casa justo a la hora en que Cenicienta debía abandonar el baile. Pero ella no era una aspirante a princesa con zapatos de cristal. Llevaba chándal y deportivas, ropa cómoda. Y era invisible. Casi indetectable. Sonrió para sí. Se sentía poderosa. Tenía toda la noche por delante y estaba muy dispuesta a aprovecharla al máximo.

Deambuló por el barrio, deslizándose entre la gente, prestando atención a las caras, a los gestos, a las conversaciones. En la llamada «calle de los bares» reconoció a algunos compañeros y antiguos alumnos de su instituto, que habían salido a tomar unas copas. Rodrigo no estaba entre ellos, y tampoco Kevin ni el resto de los chicos de la banda de Gato.

Los encontró de nuevo en las canchas de baloncesto, y se acercó a ellos en silencio para escuchar lo que decían.

Aquella noche no descubrió nada interesante, pero se fue quedando con los nombres y las caras de todos ellos. El siguiente fin de semana regresó a la cancha el viernes, y también el sábado, y hasta se quedó un rato el domingo por la noche. Y volvió a unirse a ellos, silenciosa e indetectable, una semana después.

Para entonces ya los conocía a todos: a Suso, la mano derecha de Gato, su mejor amigo y número dos de la banda; a Edwin, con su escandalosa risa, que dejaba al descubierto sus dientes de rata; a Esteban, apasionado por el baloncesto, más interesado en echarse unas canastas que en beber litronas; a Raúl, intrigante, desconfiado y calculador; a Armando, un gigantón plácido y calmoso; a Nelson, bromista y burlón, el único capaz de hacer brotar una sonrisa en los labios de Gato cuando estaba molesto...

También, a veces, había chicas. Tina las conocía de haberlas visto en el instituto, especialmente a la espectacular Tatiana, que nunca pasaba desapercibida. A Tina no le sorprendió descubrir que era la novia de Gato. Casi siempre la acompañaban tres amigas: Alejandra, Luisa y Noemí. Salían también con otros chicos del grupo, aunque Tina tenía la impresión de que algunas de ellas se habían emparejado sobre todo para sentirse parte de la banda.

No siempre pasaban la velada en la cancha. En algunas ocasiones, cuando se unían a ellos Tatiana y sus amigas, el grupo entero se iba de marcha a una discoteca cercana, donde bailaban y bebían hasta el amanecer. Tina los acompañó la primera vez, pero no aguantó mucho allí. A las dos de la madrugada, cansada de verse constantemente empujada y pisoteada en aquel ambiente abarrotado, se fue a su casa.

La mayor parte de las veces, sin embargo, Gato y los suyos se reunían sin sus novias. Tina no tardó en comprender que a menudo trataban asuntos que no querían que ellas escucharan. Sobre todo cuando hablaban de otros chicos del barrio a los que tenían ojeriza. Rememoraban peleas y disputas pasadas y juraban que vengarían viejos agravios. Y en ocasiones, Tina tenía la inquietante sensación de que no se trataba de simples bravuconerías.

A veces hacían algo más que hablar. De vez en cuando abandonaban la cancha para rondar por el barrio, y se divertían intimidando a las personas que caminaban por la calle sin compañía. A menudo se agenciaban también algún móvil o alguna cartera, y Tina tenía que reprimir el impulso de intervenir. Se sentía culpable por asistir en silencio a aquellos robos; pero se encontraba allí en calidad de espía, y estaba decidida a mantener en secreto su presencia todo lo posible.

También los siguió en un par de ocasiones hasta la gasolinera, donde sustraían alcohol con impunidad sin que el dependiente se atreviera a decirles nada. Tina advirtió que era muy consciente de lo que estaban haciendo a sus espaldas, pero fingía que no los veía, probablemente para no tener que enfrentarse a ellos.

Una noche, Tina sorprendió una conversación que la alertó sobre otro tipo de actividades de las que Gato y los suyos tampoco hablaban en presencia de las chicas.

Se habían reunido todos en torno a su líder, que les mostraba orgulloso su nuevo móvil de última generación.

—¡Chucha! Eso cuesta mucha plata, flaco —silbó Raúl con admiración.

—Está bacán, ¿a que sí? —sonrió Gato—. Ya les dije que valía la pena. ¿Lo dije o no lo dije?

Los chicos cruzaron una mirada.

—Sí, pero... —vaciló Armando.

—¿Bien? —inquirió Gato, mirándolo fijamente.

Armando sacudió la cabeza.

—No, nada.

—Eso me parecía. —Gato alzó la cabeza para abarcar con la mirada a todo su grupo—. ¿Alguien más tiene dudas?

—Yo no —declaró Raúl—. Si hay hueco para nosotros...

—Hay hueco para los que tengan agallas, eso es lo que hay —replicó Gato—. Pero a lo mejor el trabajo les viene demasiado grande. Si alguno ahora está ahuevado...

Edwin dejó escapar una risa nerviosa.

—Ya lo hablamos, pana. Todos juntos hasta el final.

—Claro, claro —se apresuró a añadir Kevin—. Estamos contigo, Gato, ya lo sabes.

—Menos drama, niñas —se burló Nelson—, y más acción. ¿Qué tenemos que hacer? —le preguntó a Gato.

Este miró a su alrededor para asegurarse de que nadie podía oírlos. Tina se aproximó todo lo que pudo.

—De momento —les dijo a los suyos en voz baja—, y hasta que Suso no haga su parte, solo podemos aguantar. Él nos avisará cuando esté todo arreglado.

Su amigo asintió, mostrando su conformidad. Tina, intrigada, rondó cerca de ellos hasta muy tarde, pero no consiguió más información.

Decidió, por tanto, seguir a Suso, para tratar de descubrir qué se traía entre manos.

11

—¿Qué te pasa? —le preguntó Salima una mañana que la vio bostezar repetidamente en clase—. ¿No duermes bien últimamente?

Lo cierto era que Tina había comenzado a salir también entre semana para espiar a Gato y los suyos. De lunes a jueves el grupo no trasnochaba tanto como los fines de semana, pero aun así quedaban todos los días y no volvían a casa hasta bien entrada la madrugada.

Tina no sabía qué hacían durante el día. A Kevin lo veía de vez en cuando por el instituto, pero los demás no parecían tener oficio ni beneficio.

—Estoy siguiendo a Kevin Ramírez y sus amigos por las noches —le explicó a Salima durante el recreo—, para ver si hacen alguna cosa chunga.

Le habló de los robos en la gasolinera y los atracos que cometían, pero no le mencionó los planes secretos de Gato, porque aún no sabía en qué consistían. Salima asintió, pensativa.

—Lo que no entiendo es por qué la policía no los ha cogido ya —concluyó Tina disgustada.

—¿Te has fijado en quién lleva la voz cantante cuando hacen esas cosas? —hizo notar Salima.

—¿Qué quieres decir? Gato es el líder, eso lo sabe todo el mundo... —Se detuvo de pronto, pensativa, recordando las incursiones en la gasolinera y los robos a pie de calle. Estaba segura de que eran Gato y Suso quienes los planeaban; pero estos solían permanecer en un segundo plano mientras cedían protagonismo a los más jóvenes de la banda.

—A los menores de edad no se los puede juzgar como a los adultos —le explicó Salima—. Es lo que dice la ley. Así que, si los coge la poli, a lo mejor les dan una vuelta por la comisaría, pero después los tienen que soltar. Quizá si los pillan en algo más gordo terminen en un centro de menores, pero seamos realistas: comparado con algunas de las cosas que pasan en este barrio, lo que hacen esos chavales parecen meras chiquilladas. Supongo que la policía tiene cosas más importantes de que preocuparse.

—Pero —comprendió Tina—, si pillasen a Gato o a alguno de los mayores de la banda con las manos en la masa..., sí que los podrían denunciar y podrían ser condenados y juzgados como cualquier adulto.

—Eso parece.

Tina se prometió a sí misma que se las arreglaría para descubrir todos los trapos sucios de la banda de Gato. Tal vez no lograra demostrar su responsabilidad en la muerte del hermano de Rodrigo..., pero conseguiría que los detuvieran por algún otro delito. Estaba convencida de que tenían muchas cosas que ocultar.

Comenzó a seguir a Suso desde su casa hasta la cancha de baloncesto donde se reunía con sus amigos, pero nunca lo veía hacer nada sospechoso.

Una tarde, sin embargo, se cruzó con él por la calle mientras volvía del gimnasio. Dio un respingo, alarmada, y se apartó de su camino; pero el joven llevaba prisa y apenas reparó en ella. Tina pensó de pronto que era muy raro verlo solo, sin sus amigos; y, pese a que ya llegaba tarde a casa, decidió seguirlo.

Buscó un rincón oscuro para volverse invisible y se apresuró a correr tras él para no perderlo de vista.

No fue muy lejos, sin embargo. Tina se sintió un poco decepcionada al verlo entrar en el parque. Todavía no había anochecido, por lo que aún había gente por allí y niños en la zona de juegos. Suso localizó lo que buscaba y se encaminó hacia un banco ocupado por un hombre que fumaba tranquilamente un pitillo.

Tina lo observó con atención. Tendría entre treinta y cuarenta años, y vestía vaqueros y una sudadera negra con el logo de Ramones. Llevaba el cabello alborotado y lucía barba de varios días y *piercings* en ambas orejas. Tina no recordaba haberlo visto nunca por el barrio, aunque de haberlo hecho, no le habría llamado especialmente la atención.

Suso se detuvo ante él.

—Hola, eh... ¿eres Berto?

El hombre asintió, dio una calada al cigarrillo y le indicó con un gesto que se sentara a su lado. Tina se situó detrás del banco para escucharlos mejor.

Suso se aclaró la garganta. Todo su aplomo parecía haberlo abandonado.

—Yo venía, eh...

—Ya sé a qué venías —cortó Berto con calma—. Debajo del banco he dejado mi mochila. Cuando me vaya, se quedará ahí. Tú te esperas unos minutos haciendo cualquier chorrada, mirando el móvil o lo que se te ocurra, y después te levantas, la coges con naturalidad y te vas, ¿oyes?

—S... sí, p... pero...

—Con naturalidad —insistió Berto—. No queremos que la gente piense que estás haciendo algo ilegal, ¿verdad? —concluyó con una sonrisa torcida.

Suso inspiró hondo y trató de reunir el poco valor que le quedaba.

—Pero debería comprobar antes que está todo correcto —protestó.

—Adelante, pues. Coge la mochila, ábrela y saca todo lo que lleva dentro. Delante de todo el mundo, a plena luz del día.

Suso, por descontado, no hizo el menor movimiento.

—Está todo lo que acordamos —prosiguió Berto—. Marihuana, crack, anfetas y pirulas en general. Tengo bien anotado todo lo que te llevas. Tu amigo sabe también lo que hay. Lo digo para que lo tengáis claro cuando hagamos cuentas.

—Ah —murmuró Suso, un poco cortado; Tina comprendió que no esperaba que su interlocutor fuera tan directo—. Bueno, somos nuevos en esto —logró decir por fin—. Pero conocemos los sitios donde se mercadea, vamos a veces por el descampado...

—Pues no vayáis por el descampado, si no queréis meteros en problemas —cortó Berto.

—¿Por qué? ¿Por los chapas? —preguntó Suso con cierto desprecio.

—No estoy hablando de la policía. El barrio tiene sus propios *dealers*, y no les gusta la competencia.

—Eso ya lo sé. Pero hay hueco para todos, ¿no?

Berto sonrió con cierta condescendencia.

—Tú sigue así y verás qué poco duras en este negocio. Si quieres arriesgarte, allá tú; pero no con mi mercancía. Yo necesito gente que pueda hacer buenas ventas, fáciles y rápidas, sin meterse en problemas. Si tú y tus amigos no sois ese tipo de gente, me buscaré a otros.

—Ya te cacho —murmuró Suso, herido en su orgullo—. Y entonces, ¿qué quieres que hagamos? Todo el mundo sabe que la droga se compra en el descampado.

Berto se encogió de hombros.

—Sois jóvenes, salís de fiesta... Tenéis muchas oportunidades para hacer buenas ventas fuera de aquí. Gato lo sabe, ya hemos hablado de esto. Asegúrate de que el resto de tus amigos se enteran también. ¿Lo harás?

Suso asintió. Berto se puso en pie y se desperezó.

—Bueno, pues ya sabes lo que hay. No me defraudaréis, ¿verdad?

Se despidió de Suso con una palmadita en el hombro y un último aviso:

—Y no te olvides tu mochila, chaval. No querrás perderla, ¿a que no?

Suso negó con la cabeza, pero no dijo nada.

Tina contempló como Berto se alejaba de ellos, con las manos en los bolsillos y una sonrisa burlona en los labios. El corazón le latía con tanta fuerza que temía que Suso lo oyera y descubriera su presencia. Pero el joven estaba demasiado inquieto por la tarea que tenía ante sí. Tina notó que se esforzaba por aparentar calma mientras contemplaba la pantalla de su móvil casi sin verla. Unos minutos más tarde, por fin, Suso se levantó, cogió la mochila de debajo del banco y se alejó a paso ligero, fingiendo una despreocupación que estaba lejos de sentir.

Tina lo siguió, con la mirada fija en la mochila negra que pendía de su hombro. Si de verdad contenía todo lo que Berto había dicho, Gato y sus amigos iban a dejar de ser consumidores esporádicos de drogas (un canuto de vez en cuando, alguna raya de coca, alguna pastilla para aguantar una larga noche de fiesta) para pasarse al lado de los vendedores. Tina se preguntó si aquello bastaría para que la policía se los tomase en serio. Tal vez dependiera de la cantidad de droga que había en aquella mochila. O tal vez no. Lo cierto era que no lo sabía.

Acompañó a Suso hasta el portal de su casa, pero ya no subió con él. Tenía la información que necesitaba, por el momento, y quería reflexionar sobre ello.

Por culpa de aquellas actividades extraescolares de espionaje, llegó tan tarde a casa que su madre la castigó sin salir el resto del mes. Después de una ardua y encendida negociación con súplicas y reproches por ambas partes, Tina consiguió que Camila le permitiese seguir acudiendo a las clases de artes marciales.

—Pero en cuanto salgas, ¡derechita para casa! —le advirtió.

Tina se resignó a dejar de rondar las canchas de baloncesto por las tardes. Decidió que esperaría al fin de semana para poder salir de noche, cuando su madre se hubiese dormido. Durante los días siguientes trató de concentrarse en las clases mientras contaba los días que faltaban para el viernes.

No había compartido con Salima lo que había averiguado; quería esperar un poco más, porque tenía curiosidad por saber cómo se las arreglarían Gato y los demás con el material que Berto les había pasado. En particular, deseaba ver con sus propios ojos a Kevin Ramírez vendiendo droga. Fantaseaba con hacerle fotos o grabarlo en vídeo y hacer llegar aquellos documentos gráficos a la policía de alguna manera. También se imaginaba a sí misma colaborando con la justicia de forma regular, limpiando el barrio de delincuentes para que fuera un lugar más tranquilo y seguro para todos. Por descontado, nadie sabría que se trataba de ella; pero hablarían con orgullo y agradecimiento de la sombra invisible que velaba por la gente decente del barrio, y a Tina le bastaría con aquello para sentirse feliz y a gusto con su tarea secreta; y lo preferiría, en realidad, por encima de homenajes y reconocimientos públicos, que la habrían hecho sentir incómoda y habrían comprometido su verdadera identidad y la seguridad de sus seres queridos.

En el fondo era consciente de que no se atrevería a hacer nada parecido. Pero era bonito imaginarlo.

Llegó la noche del viernes, y Tina pudo por fin salir de casa en cuanto su madre se hubo dormido. Corrió por las calles del barrio, veloz e invisible como el viento, en dirección a la cancha de baloncesto donde Gato y sus amigos solían reunirse.

Sin embargo, cuando llegó allí descubrió con sorpresa que no estaban.

Se quedó paralizada un momento, sin saber qué hacer. Pensó de pronto que quizá habían ido a vender la droga que Berto les había pasado. Probablemente habían optado por hacer la ronda de las discotecas, como él les había aconsejado. Pero a Tina no le apetecía salir a buscarlos de madrugada sin saber a ciencia cierta dónde podía encontrarlos.

Despacio, dio media vuelta y se encaminó de regreso a casa. Se sentía decepcionada porque aquella noche no iba a poder espiar a la banda de Gato, precisamente ahora que estaba empezando a descubrir cosas interesantes. Se detuvo un momento en la calle que pasaba junto al descampado, y se quedó contemplándolo, pensativa.

De día, aquel lugar era parada habitual de los vecinos que sacaban a pasear a sus perros. Por la noche, en cambio, se reunían allí otra clase de personas. Solían aparcar coches y furgonetas al fondo, bajo los árboles que separaban el solar de la carretera, pero normalmente se situaban junto al muro del edificio contiguo, y allí podía encontrarlos cualquiera que los buscara. Tina siempre había pasado de largo por allí, pero en esta ocasión, movida por la curiosidad, se acercó a mirar.

Había gente de diversas etnias y nacionalidades, tanto entre los compradores como entre los vendedores. Cada uno parecía ir por su cuenta, pero Tina no detectó roces ni rivalidades entre ellos. Por otro lado, nadie estaba allí por azar. Todo el que se acercaba al grupo sabía muy bien qué y a quién estaba buscando. Las transacciones eran rápidas: bolsitas y papelinas a cambio de billetes, que pasaban de una mano a otra con velocidad, una palmadita en el hombro, un gesto de despedida y poco más.

Tina no vio a ninguno de los jóvenes de la banda de Gato, por lo que dedujo que finalmente habían seguido el consejo de Berto de no acercarse por allí. Se preguntó si no habría exagerado el peligro. Tal y como Suso había dicho, en el descampado parecía haber hueco para todos.

De pronto, un apremiante rumor corrió como la pólvora entre el heterogéneo grupo que se había reunido allí. Algunos se apresuraron a correr hacia los coches, otros se ocultaron entre los árboles. Los hubo incluso que arrojaron sus bolsas y mochilas a un contenedor de reciclaje.

Cinco minutos más tarde, un coche de policía pasó junto al descampado. Se detuvo un momento, como si los agentes dudaran sobre si valía la pena molestarse con aquella gente. Segundos después, se puso en marcha de nuevo y siguió su camino.

Tina contempló, un tanto perpleja, a los camellos reanudar su actividad como si nada hubiese pasado. Los que se habían marchado regresaron, los que habían ocultado su mercancía la recuperaron. La mayor parte de los compradores ni siquiera se habían movido del sitio. Tina comprendió que, probablemente, la policía sí hacía registros de vez en cuando; de lo contrario, los vendedores no se habrían tomado la molestia de desarrollar un protocolo de actuación. Estaba claro que tenían a gente que los avisaba con tiempo de la llegada de la autoridad. A Tina le pareció que los traficantes formaban una curiosa hermandad. Había bastantes españoles, pero también árabes, latinos, subsaharianos... y, sin embargo, lejos de mostrarse como rivales enconados, trabajaban en equipo para burlar a la policía.

Ante aquella situación, comprendió de pronto, cualquier cosa que Gato y sus amigos pudiesen hacer parecería una minucia en comparación. Meras chiquilladas, como había dicho Salima.

Decepcionada, Tina se dio un paseo por el barrio. No encontró a la banda de Gato, pero evitó un atraco, espantó a un par de tipos que estaban intentando robar un coche y le dio un buen susto a un borracho que orinaba en su portal. Cuando llegó a casa, agotada pero satisfecha, se dijo a sí misma que tal vez había llegado la hora de olvidarse de Kevin, Gato y los demás, y volver a centrar su mirada en el resto del mundo.

No obstante, el sábado volvió a pasarse por la cancha, solo por si acaso. Y allí estaban ellos, bebiendo y compartiendo porros, al parecer muy satisfechos por alguna razón. Tatiana y las otras chicas los acompañaban. Parecía que estaban de celebración, y a Tina le bastó escuchar un rato para enterarse de que la semana les había resultado provechosa. No mencionaron la venta de droga ante sus novias, pero dejaron claro que habían conseguido bastante dinero y estaban dispuestos a festejarlo con ellas.

Tina se alejó, molesta y asqueada. No era justo que les fueran bien las cosas, que se salieran con la suya sin escarmiento. Tenía que haber algo que ella pudiera hacer.

El lunes por la mañana se lo planteó a Salima durante el recreo. Le contó todo lo que había averiguado sobre Gato y sus amigos y le preguntó qué opinaba al respecto.

—Bueno —respondió ella tras pensarlo un poco—, si se han metido en el negocio de la droga, con algo de suerte tarde o temprano terminarán en la cárcel.

—O no —replicó Tina, dudosa, recordando la escena que había presenciado en el descampado, dos noches atrás—.

Me da la sensación de que aquí no detienen nunca a nadie por eso.

—Sí que los detienen. Lo que pasa es que, en cuanto cogen a un camello, llega otro corriendo para ocupar su lugar.

—Se ve que les compensa el riesgo.

—¿Económicamente? Supongo que sí. Sobre todo a chavales jóvenes que buscan dinero fácil, por lo que parece. Pero bueno, tú ya tienes lo que querías, ¿no?

—¿Qué quieres decir?

—¿No estabas buscando pruebas de que eran todos unos delincuentes? Pues ahí las tienes. ¿O no tienes bastante con eso? —añadió Salima al ver que su amiga callaba.

Ella suspiró. En realidad, lo que deseaba era poder demostrar que Kevin y los demás estaban detrás de la muerte de Adrián Herrera. Pero tenía que admitir que era poco probable que consiguiera descubrir alguna cosa al respecto, después de todo el tiempo que había pasado.

—Supongo que sí —respondió por fin—, pero, la verdad, ahora no sé qué más hacer. Porque no voy a denunciarlos a la policía, eso lo tengo claro. No puedo contarles que sé todo esto porque me he vuelto invisible para espiarlos, y además mi madre me mataría si supiera que me meto en estos líos.

—Y entonces, ¿qué vas a hacer con esa información?

Tina dudó.

—Había pensado en contárselo a Rodrigo —confesó a media voz.

—¿A Rodrigo? ¿Para qué? ¿Para que lo publique en el periódico?

—¿Lo haría?

—Oh, claro que sí. Y después igual lo cosen a navajazos por eso.

Salima hablaba con ligereza, pero Tina la contemplaba horrorizada.

—No lo había pensado —admitió.

—Aunque a lo mejor estoy siendo injusta con él —prosiguió Salima pensativa—, y es menos descerebrado de lo que parece a veces. Igual va con el cuento a la policía y ya está.

—Sería lo mejor, si no tiene problemas en hacerlo.

—¿Rodrigo? Qué va. Los polis lo conocen de cuando la muerte de su hermano, ya sabes. Y les tiene muchas ganas a Gato y los demás. Si puede conseguir que la policía los apunte en la lista de camellos del barrio, lo hará.

—Pues entonces va a ser la mejor opción.

—Pero no puedo asegurarte que luego no se lo vayan a hacer pagar igualmente, si se enteran de que ha sido él el soplón —le advirtió Salima.

Tina suspiró de nuevo, llena de dudas.

—Bueno, entonces, ¿qué? ¿Se lo contamos a Rodrigo o no?

—¿Contarme el qué? —preguntó de pronto la voz del propio Rodrigo tras ellas.

Tina dio un respingo y casi se cayó del respaldo del banco en el que estaba sentada. Se volvió para mirarlo, muy colorada. El chico se acercaba a ellas, intrigado.

—Y... yo... —empezó, muerta de vergüenza.

—¿Qué haces aquí, Herrera? —lo riñó Salima—. ¿Espiando conversaciones ajenas?

—Venía a ponerte deberes para la próxima reunión, El Hamidi. Pero si hay algo que tengo que saber, creo que puede esperar.

—Claro, cómo no. Primero el saber y luego el deber, dicen.

Rodrigo frunció el ceño.

—Estoy seguro de que el dicho no es exactamente así. Pero bueno, el orden de los factores no altera la salida del tren.

—Tampoco yo estoy segura de que el dicho sea exactamente así —replicó Salima.

—Es que soy un hombre creativo y me gusta aportar cosas nuevas al acervo popular. Pero venga, escupe. ¿Qué es eso tan importante que querías contarme?

Tina asistía a aquellas conversaciones con admiración y cierta envidia. Le parecía increíble que pudieran intercambiar semejantes réplicas con tanta soltura y naturalidad. A ella nunca se le ocurrían respuestas ingeniosas hasta mucho después de que hubiese acabado la conversación.

—En realidad no soy yo, sino Tina, aquí presente —respondió Salima, ante el horror de su amiga—. Se ha enterado de algo muy interesante acerca de Kevin Ramírez y sus amigos.

—¿Les han brotado neuronas en el cerebro de repente? —bromeó Rodrigo—. Porque eso sí que sería un prodigio digno de estudiar por parte de la comunidad científica.

Pero se volvió hacia Tina muy serio, y ella tragó saliva. A pesar de su actitud amable, su mirada se había tornado dura y fría, como cada vez que se mencionaba cualquier cosa relacionada con la banda de Gato.

—N... no —tartamudeó Tina—. Es que...

Pero justo en aquel momento sonó el timbre que señalaba el final del recreo, y Rodrigo alzó la cabeza, contrariado.

—Me lo cuentas después de clase, ¿vale? ¡Os buscaré! —añadió, antes de alejarse de ellas a paso ligero.

Tina respiró hondo y se quedó mirándolo. Solo cuando lo perdió de vista descubrió los ojos de Salima fijos en ella.

—¿Qué? —preguntó, inquieta.

Su amiga esbozó una sonrisilla cómplice.

—Oh, no, nada, nada.

Pero aún sonreía cuando las dos ocuparon de nuevo sus sitios en clase, mientras el profesor de lengua escribía en la pizarra un esquema que resumía las características principales de la poesía del siglo XVII.

Al finalizar las clases, Tina y Salima se dirigieron al banco del patio donde habían estado hablando con Rodrigo. El chico ya las aguardaba allí, acompañado por su amigo Alexis Rosales.

—Hola, hum..., creo que teníamos que hablar —dijo Salima.

—Hablemos, no hay problema —respondió Rodrigo—. Si tenéis algo que contarme sobre Kevin Ramírez y sus amigotes, Alexis puede escucharlo también. Nos interesa mucho, ¿verdad?

—Ya lo creo —asintió él.

Tina se removió, incómoda, pero Salima se encogió de hombros.

—Vosotros veréis.

—Veremos y escucharemos —remató Rodrigo.

Tina suspiró y trató de ignorar la presencia de Alexis. Parecía simpático, con aquella mata de pelo negro ensortijado, aquel rostro afilado y aquellos grandes ojos burlones, que le daban la apariencia de un duendecillo travieso; pero ella no podía olvidar que pertenecía a una banda juvenil que posiblemente sería tan peligrosa como la de Gato.

—Buenooo —empezó, un tanto nerviosa—, resulta que nos hemos enterado de que Gato y los suyos van por ahí vendiendo droga.

—¿Ah, sí? No me sorprende —comentó Rodrigo—. ¿Qué clase de droga?

Tina se esforzó por recordar los detalles de la conversación entre Berto y Suso.

—Marihuana, coca, pastillas... De todo un poco, supongo.

—Tampoco es que nos hayan dejado hacerles el inventario, como comprenderéis —apostilló Salima.

—Es raro —comentó entonces Alexis—. Paso por el descampado todos los días, cuando saco al perro, y nunca los vi por allí.

—¡Oh! ¿Tienes perro? —exclamó Salima ilusionada—. A mí me encantaría tener uno, pero mi madre dice que ya somos demasiados en casa —concluyó con cierta tristeza.

—Bueno, es un perrito sato que encontramos por ahí —respondió Alexis—. Nos dio pena y nos lo llevamos a casa.

—¿Solo se vende droga en el descampado? —le preguntó Rodrigo con curiosidad, devolviendo la conversación a su cauce original.

—No, pero allí es a donde va casi todo el mundo. Sobre todo si son nuevos.

—Ellos no venden en el descampado —aclaró Tina—. Aprovechan cuando salen de fiesta. En discotecas, pubs y sitios así.

—Ah, sí, ya sé por dónde van jangueando —asintió Alexis—. Pero no creo que tiren droga. No se atreverían a hacer algo así —concluyó con desprecio.

—¿No crees que sea verdad, entonces? —preguntó su amigo con curiosidad.

Alexis negó con la cabeza mientras sonreía, burlón. Rodrigo dirigió a las chicas un gesto de disculpa.

—No es que no os creamos, pero... ¿quién os ha contado eso?

—Yo los he visto —declaró Tina un tanto molesta—. Pero no los he grabado en vídeo ni les he sacado fotos, lo siento mucho.

—Vaya, es una pena —comentó Rodrigo—, porque habríamos podido usar alguna de ellas para la portada del *Voces* del mes que viene. ¿A que sí, El Hamidi?

—Ciertamente, Herrera —respondió Salima sin alterarse—. Y para un reportaje interior de ocho páginas a todo color.

Tina iba a responder, irritada, cuando se dio cuenta de que el chico estaba de broma. Como de costumbre, Salima lo había captado al vuelo y le había seguido el juego. Se sintió torpe y tonta.

—Bueno, siento que esta información no te resulte interesante —concluyó, un tanto contrariada.

—Toda información es interesante —replicó Rodrigo—. Y todo se guarda en el disco duro —añadió, señalándose la sien—. Nunca se sabe si te puede servir en el futuro.

—De todas formas —intervino Alexis—, ustedes no deberían andar con esa gente. Solo les darán problemas.

—Mira quién fue a hablar —saltó Rodrigo—. El de las buenas compañías.

—Mira, nene, ya sabes que yo te quiero mucho —replicó Alexis, muy serio—, y no voy a entrar otra vez en eso. Solo les digo que tengan cuidado.

Rodrigo suspiró.

—Ya está este haciendo de hermano mayor otra vez —se quejó.

Alexis rio y le revolvió el pelo con cariño. Rodrigo se lo quitó de encima, algo enfurruñado.

—Alexis era el mejor amigo de mi hermano Adrián —les explicó a las chicas, que asistían un tanto perplejas a aquellas muestras de camaradería—. Y ahora que él no está, se cree que tiene que sustituirlo. Pero nadie te lo ha pedido, ¿oyes? —le gruñó.

Alexis se encogió de hombros, indiferente, por lo que Tina dedujo que el enfado de Rodrigo no debía de ser muy serio. Y, en efecto, no tardó en descubrir que el chico trataba de reprimir una sonrisa.

No había mucho más que añadir, de modo que Tina y Salima se despidieron de los chicos y se alejaron en dirección a la cafetería.

—No sé qué esperaba, la verdad —comentó Tina, un tanto decepcionada—. Quizá que los denunciaría a la policía, o algo así.

—Tal vez lo haga, después de todo —opinó Salima—. Pero tú, ¿por qué te has tomado tantas molestias?

—¿Qué quieres decir?

—Si tantas ganas tienes de ver a Kevin Ramírez en un reformatorio, o centro de menores, o como se diga, ¿por qué no lo denuncias tú? —razonó ella.

Tina enrojeció.

—Es que la policía me da mucho respeto.

Salima suspiró.

—Eres de lo que no hay, Tina. Te da respeto hablar con la policía, pero no tienes reparo en perseguir a delincuentes de todos los pelajes hasta las tantas de la madrugada. Ni te da miedo enfrentarte a ellos si hace falta.

—¡No es lo mismo! —Tina miró a su alrededor para asegurarse de que nadie las oía y añadió, bajando la voz—: Cuando hago todas esas cosas soy invisible. Supongo que eso significa que soy una cobarde, después de todo —concluyó alicaída.

—Eres invisible, pero no invulnerable —matizó Salima—. Y aun así sigues haciéndolo. Yo no creo que seas cobarde, precisamente. Lo creas o no, estás ayudando a mucha gente, en el instituto y fuera de él.

Tina agachó la cabeza.

—Lo cierto es que hace ya tiempo que no hago la ronda por el instituto —confesó—. Estoy demasiado cansada de salir por las noches.

—Quizá necesites un descanso, ¿no? —sugirió Salima. No sé, ¿cuánto tiempo llevas espiando a esos chicos y luchando contra el crimen en tus ratos libres?

Tina lo pensó.

—No sé..., puede que un mes.

Salima suspiró.

—Tina, estás fatal.

—¿Crees que estoy muy obsesionada?

—Depende. Si lo haces por venganza, te diría que sí. Y que te busques un archienemigo más digno. Porque como némesis, Kevin Ramírez no es gran cosa, perdona que te diga.

—Pero...

—Pero, claro, supongo que no lo odias tanto como para eso —prosiguió Salima sin dejarla hablar—. Tienes demasiado buen corazón para guardar tanto rencor.

Tina sacudió la cabeza, perpleja.

—Bueno..., gracias, pero no sé a dónde quieres llegar.

—Lo que quiero decir es que, sí, puede que estés un poquito obsesionada... pero no por Kevin Ramírez, precisamente.

El corazón de Tina dio un vuelco.

—No sé a qué te refieres —replicó.

Salima sonrió.

—Bueno, yo solo te digo que quizá haya otras maneras de llamar la atención de un chico. Lo dejo caer, ¿eh? Así, como consejo general.

—¡Yo no quiero llamar la atención de nadie! —protestó Tina, muy colorada.

—Vaaaale —suspiró Salima—. Yo fingiré que no me entero de qué va el tema, si quieres, pero tú no finjas que me tomas por tonta, ¿de acuerdo?

Tina no supo qué decir, de modo que cambió de tema.

—De todas formas, tienes razón —reconoció—. Debería dejar de espiar a Kevin, Gato y los demás.

—Reconoce que les estabas cogiendo cariño.

Tina se rio.

—¡Qué va! Bueno, solo un poco —bromeó—. Ahora en serio, es verdad que le he dedicado demasiado tiempo a este asunto. Y tengo cosas más importantes que hacer.

—Como estudiar para los exámenes, por ejemplo —apostilló Salima.

Tina resopló. Sus últimas notas habían sido desastrosas, pero no le gustaba que se lo recordaran.

—Vale —murmuró—, puede que Rodrigo no sea el único con un hermano mayor postizo, ahora que lo pienso.

—Oye, se me da muy bien hacer de hermana mayor, que lo sepas. Pregúntale a Asmae si no me crees.

—No te lo tengas tan creído, que solo eres cuatro meses mayor que yo.

12

Al filo de la una de la madrugada, dos hombres se internaron por el barrio, muy desorientados, en busca del hostal en el que estaban alojados. Eran dos hinchas alemanes que habían viajado a la ciudad para apoyar a su equipo, que aquella misma tarde disputaba un importante partido de la liga de campeones contra el conjunto local. Había sido un encuentro tenso y bronco, con muchos nervios por parte de ambos bandos, que se jugaban la clasificación a la siguiente fase. Por fin, tras la victoria del equipo visitante, el partido había finalizado con pitidos, protestas y algún altercado en la grada.

Los hinchas alemanes habían salido a celebrar el triunfo de su equipo. Aquellos dos formaban parte de un grupo más amplio, pero se habían quedado atrás tomando una última ronda de cervezas mientras los demás regresaban al hostal.

Ahora, considerablemente borrachos, avanzaban a trompicones por las calles del barrio, a donde habían ido a parar tras malinterpretar las indicaciones que les había dado la dueña de la bocatería en la que habían cenado. Se detuvieron en la plaza y miraron a su alrededor, totalmente perdidos, en busca de un punto de referencia que les resultara familiar.

En aquellos momentos, el bar de la plaza estaba cerrando sus puertas. El encargado recogía las mesas y sillas de la terraza, mientras uno de los camareros se ocupaba de desalojar a los últimos rezagados, que no tenían prisa por regresar a casa.

Eran tres, y no estaban en mejor estado que los aficionados alemanes. Uno de ellos apenas se tenía en pie. Los otros dos lo sostenían como podían, mientras el encargado apartaba las sillas para dejarles paso, claramente aliviado de perderlos de vista por fin.

Los alemanes se detuvieron a contemplarlos, con curiosidad, al reconocer los colores del equipo rival en las camisetas y bufandas que llevaban. Eran hinchas como ellos, que habían acabado ahogando en alcohol su disgusto ante la ignominiosa derrota sufrida.

De pronto, el encargado los apremió para que se apresuraran, y ellos arrastraron a su amigo indispuesto hasta la alcantarilla más cercana. En cuanto la alcanzaron, el joven se dobló sobre sí mismo con un gemido de angustia y vomitó el contenido de su estómago sobre el imbornal, entre los comentarios asqueados de sus compañeros.

Los alemanes estallaron en estruendosas carcajadas. Herido en su orgullo, uno de los españoles alzó la cabeza para mirarlos, y les gritó, indignado:

—¿De qué os reís vosotros, payasos?

Ellos captaron el sentido general de sus palabras, aunque solo el más alto sabía chapurrear un poco el idioma local.

—¡Español no sabe jugar fútbol! —se burló—. ¡Español no sabe beber!

Los aludidos ya los habían identificado como seguidores del equipo que había humillado al suyo aquella tarde, y aquello fue lo único que necesitaron para enfurecerse todavía más.

—Pero ¿qué se habrán creído estos gilipollas?

La expresión jocosa del alemán se trocó por un gesto colérico que añadió un par de tonos de rojo a su ya rubicundo rostro.

—¡Tú gilipolla! —replicó—. ¡Mamón!

Los españoles dejaron a su compañero sentado en el borde de la acera, hecho un guiñapo, y corrieron al encuentro de los ofensores.

No valía la pena perder el tiempo intercambiando más insultos. Sin mediar palabra, comenzaron a pelearse.

—¡Eh, eh, parad! —los exhortó el dueño del bar.

Hizo ademán de avanzar hacia ellos, pero se detuvo a medio camino, indeciso. Los cuatro jóvenes se habían enzarzado en una lucha sin cuartel a base de puñetazos, patadas y violentos empujones, y en aquel maremágnum de brazos y piernas era fácil llevarse algún golpe accidental.

—¿Qué hacemos? —preguntó el camarero a su jefe, muy nervioso—. ¿Llamo a la policía?

Este le respondió con un gesto negativo, sin dejar de observar la pelea que se desarrollaba ante ellos. El jaleo había despertado a algunos vecinos que, asomados a ventanas y balcones, contemplaban la reyerta, algunos con curiosidad, otros con preocupación. «¡Id a otro sitio a descalabraros y dejadme dormir, mostrencos!», protestó un abuelo con indignación mientras, en la ventana de al lado, una mujer envuelta en una bata rosa grababa la escena con la cámara de su móvil.

Distraído por los gritos, uno de los hinchas locales se detuvo un momento, dubitativo. Su contrincante aprovechó la coyuntura para asestarle un puñetazo en la mandíbula que lo lanzó hacia atrás.

Su compañero, alarmado, se llevó una mano al bolsillo interior de la cazadora y extrajo de él algo que destelló brevemente a la luz de las farolas.

—¡Tiene un cuchillo! —exclamó alguien.

El dueño del bar lanzó una maldición por lo bajo y avisó al camarero:

—¡Ahora sí, llama a la poli, por tu padre!

El empleado asintió y entró corriendo en el local. Mientras tanto, los alemanes habían rodeado al joven español, manteniéndose a una prudente distancia del filo de la navaja. El otro estaba ya recuperándose del golpe, listo para reincorporarse a la pelea.

Ninguno de ellos parecía dispuesto a detenerla.

El joven de la navaja, con un grito de ira, se lanzó sobre el oponente más cercano. Pero este, lejos de amilanarse, le dedicó un gruñido y se dispuso a recibirlo a puño descubierto.

En aquel momento, algo extraño sucedió. De pronto, el chico de la navaja tropezó y cayó de bruces. Trató de incorporarse, pero una fuerza invisible proyectó su brazo violentamente hacia atrás y lanzó el arma por los aires. El joven emitió un grito de asombro y dolor y se sujetó la mano, desconcertado, todavía de rodillas sobre el suelo.

El alemán parpadeó un instante, confuso; pero enseguida se rehízo y avanzó hacia su rival caído.

Los gritos de los vecinos y del dueño del bar lo hicieron detenerse y volver la cabeza para ver qué sucedía. Con gran asombro por su parte, descubrió que una de las sillas de la terraza se precipitaba sobre él. No pudo reaccionar a tiempo; intentó apartarse, pero la silla impactó igualmente contra su cabeza, aturdiéndolo por unos instantes. Parpadeó, dolorido, y miró a su alrededor, tratando de localizar a la persona que se la había arrojado. Y justo entonces la silla se alzó de nuevo, aparentemente sin que nadie la sujetara, y volvió a cargar contra él.

El alemán lanzó un grito de alarma y trató de protegerse. Pero la silla seguía golpeándolo, hasta que por fin el hombre logró agarrarla por una pata y tiró, luchando por hacerse con ella. Notó cierta resistencia, y tiró más fuerte, aún sin comprender del todo lo que estaba sucediendo. Justo entonces, la silla se soltó, y el alemán cayó hacia atrás, incapaz de mantener el equilibrio.

La silla volvió a alzarse en el aire y se alejó de los dos hinchas caídos para interponerse entre los otros dos, que continuaban peleando. Se oían exclamaciones de asombro, pero ellos no les prestaban atención, cegados por la furia y la exaltación del momento. El alemán más bajito tropezó con la silla movediza cuando trató de arrojarse sobre su rival; una de las patas se hundió en su estómago, obligándolo a doblarse sobre sí mismo con un gemido más de sorpresa que de dolor. Su oponente se detuvo para contemplar la silla bailarina, desconcertado.

—Pero ¿qué coj...? —empezó.

No pudo terminar la frase, porque su enemigo invisible ya blandía su improvisada arma contra él. El joven dio un respingo y retrocedió, alarmado. Pero estaba más atento que los demás y, cuando la silla se abatió sobre él, se hizo a un lado y trató de pararla. La agarró por el respaldo y la volteó con violencia, como si tratara de espantar un enjambre de avispas imaginarias. Para su sorpresa, golpeó un cuerpo sólido... o eso le pareció. Porque allí no había nada. Nada, al menos, que él pudiera ver.

Pero sí oyó un «¡ay!» femenino, seguido por una imprecación apenas susurrada. El joven, alarmado, miró a su alrededor, en busca del quinto contendiente en aquella pelea de locos.

—¿Qué es esto? —demandó—. ¿Qué está pasando?

Miró a su alrededor, pero nadie le supo responder. Tanto sus amigos como sus dos rivales lo contemplaban desconcertados, incapaces de encontrar una explicación a lo que habían visto.

—¡La silla está embrujada! —exclamó entonces una de las vecinas desde su balcón.

—No digas simplezas, Pura —replicó el abuelo gruñón, que, pese a todo, seguía asomado a la ventana, observando la escena con interés—. No es más que un truco.

—Qué fuerte, qué fuerte... —murmuraba la mujer del móvil, sin dejar de grabar.

Entonces, el sonido de una sirena rebotó por los callejones. Algunos vecinos se apresuraron a cerrar las ventanas. Otros estiraron el cuello con curiosidad, para ver llegar a la policía. El dueño del bar se volvió hacia el camarero, que señalaba su móvil muy ufano.

—¡Ya están en camino! —anunció.

Los hinchas se pusieron en pie lentamente, aún aturdidos. El último de ellos todavía miraba la silla con recelo. Su compañero comprobó que el tercer miembro del grupo parecía un poco más recuperado de la borrachera y dijo:

—Vámonos, tíos, antes de que nos trinquen.

Su amigo aferró la silla y, tras comprobar que ya no se movía, la volteó para arrojarla lejos de sí.

—¡Oye, que eso es mío! —protestó el encargado del bar.

Pero la silla no fue muy lejos. De nuevo, tropezó con un obstáculo invisible. Otra vez se oyó aquel «¡Aaay!», en esta ocasión lo bastante alto como para que lo percibieran los otros.

—*Ein Gespenst!*—exclamó uno de los alemanes, blanco como el papel.

El hincha español se volvió hacia todos lados, asustado.

—¿Qué es esto? ¿Quién eres?

De pronto, algo impactó con fuerza contra su trasero, empujándolo hacia adelante y arrojándolo de bruces contra el suelo.

—Esto por el sillazo, animal —murmuró una voz muy

cerca de él—. Y como te vuelva a ver armando bulla en mi barrio...

El joven no llegó a oír el final de la frase. Se puso en pie como pudo, aterrorizado, y salió corriendo, a trompicones, sin esperar a los demás.

Justo entonces, sin embargo, el coche patrulla irrumpió en la plaza y le cortó el paso.

Durante unos minutos reinó la confusión en el lugar, mientras los agentes reunían a todo el mundo y trataban de esclarecer lo que había sucedido. Por lo general solía costarles trabajo encontrar testigos; sin embargo, en esta ocasión no les faltó gente deseosa de ayudar.

—A ver que me aclare —gruñó el agente Moreno, alzando la voz para hacerse oír—. Estos piezas se estaban peleando, ¿no? Por el partido de hoy.

—Sí —confirmó el encargado del bar—, a puñetazo limpio, hasta que ese de ahí ha sacado una navaja, y luego han empezado a atizarse con mis sillas.

—¡Eso no ha sido así! —intervino de pronto la señora Pura desde su balcón—. ¡La silla se movía sola! ¡Que yo lo he visto!

—¡Usted ve demasiadas cosas! —replicó el anciano del segundo piso.

Los dos policías cruzaron una mirada significativa. En otras circunstancias, no habrían prestado atención a lo que parecían los delirios de una vecina demasiado fantasiosa. Pero se daba el caso de que llevaban tiempo oyendo testimonios similares.

—¿Qué habéis visto vosotros? —les preguntó el agente Durán a los magullados hinchas.

—Nada —respondió el único de los cinco que no había participado en la pelea—. Alguien ha lanzado la silla, pero no he visto quién ha sido.

176

Su compañero, el de la navaja, permanecía obstinadamente callado.

—*Ein Gespenst!* —seguía diciendo el alemán, sacudiendo la cabeza con desconcierto.

—Una fantasma —tradujo su compañero con fuerte acento.

—Un fantasma —repitió Durán, corrigiéndolo maquinalmente—. Entonces, ¿nadie ha visto ni oído nada?

—La silla se movía sola —explicó el tercero de los hinchas españoles—. La he visto y he golpeado con ella al fantasma, o lo que fuera... Es verdad que no lo he visto, pero sí que lo he oído. Lo he oído —insistió, desafiando con la mirada los gestos escépticos de los policías—. Primero se ha quejado, ha dicho: «¡Ay!»; y después me ha dado un golpe en el..., bueno, me ha dado un golpe y me ha hecho caer, y cuando ya estaba en el suelo me ha dicho... me ha dicho...

—¿Sí? —lo animó el agente Moreno, con voz peligrosamente suave.

El joven se había puesto rojo y parpadeaba, confuso e inseguro.

—N... no sé..., no me acuerdo... Que no peleara más, creo.

El alemán más alto se echó a reír a carcajadas.

—¡Ja, ja, tú niño malo! —se burló—. ¡La fantasma dice no más pelear!

Los agentes se vieron obligados a separarlos antes de que se enzarzaran en una nueva pelea. El joven español, retenido por el agente Moreno, se volvió para mirar a Durán con los ojos muy abiertos.

—Ella me ha dicho... que este es su barrio —le confió.

—¿Ella? —repitió Durán, frunciendo el ceño.

—Sí, la voz... Era una mujer. Ha dicho que... este es su barrio —repitió; dejó caer la cabeza y sollozó, vencido por el miedo y la ansiedad.

Justo entonces llegaron los refuerzos, y los dos policías pusieron a sus compañeros al tanto de lo que había sucedido. Se repartieron a los camorristas entre los dos coches patrulla, terminaron de interrogar a los testigos y analizaron la situación.

—Bueno —concluyó el agente Durán—, pelea entre aficionados de distintos equipos deportivos. Uno saca una navaja, pero por suerte no hay que lamentar heridos. Hasta ahí, todo claro. Lo de la silla...

—¿En serio te crees esa majadería del fantasma que ataca a sillazo limpio? —cortó Moreno con un bufido.

Durán tardó un poco en responder.

—Tenemos testimonios similares en otros casos —le recordó—. Matones que salen huyendo sin saber de qué, atracadores que caen golpeados por la nada, gamberros que juran que algo invisible les ha dado un escarmiento...

—Fantasmas —remató Moreno con retintín.

—No sé lo que es, pero hay algo.

—Bueno, pues si te parece, buscamos a un médium para que se comunique con ese algo, ¿eh?

Durán no tuvo ocasión de responder. Alguien llamó la atención de los policías con un ligero carraspeo y, cuando se volvieron, descubrieron que se trataba del dueño del bar.

—Disculpen que los interrumpa —les dijo—. A lo mejor les interesa saber que hay una vecina que lo ha grabado todo en vídeo. Una mujer que llevaba una bata rosa.

Señaló la ventana del segundo piso, pero allí ya no había nadie, y las cortinas estaban echadas. Resultaba una ausencia llamativa, teniendo en cuenta la multitud de vecinos que oteaban el operativo policial desde sus ventanas y balcones.

Los dos agentes cruzaron una mirada.

—A estas alturas ya lo habrá subido a Internet o enviado a todos sus contactos, o las dos cosas —comentó Durán.

Moreno maldijo por lo bajo.

—Voy a ver si consigo ese vídeo.

Durán asintió con un cabeceo y se encaminó al coche patrulla. Se detuvo a medio camino, sin embargo, para contemplar la silla que yacía abandonada en mitad de la plaza. Ni siquiera su legítimo dueño se había atrevido a tocarla, por si acaso, a pesar de que hacía ya rato que permanecía completamente quieta, como si nunca hubiese hecho otra cosa que sostener las posaderas de los clientes del bar.

—No sé lo que es —repitió para sí mismo el agente Durán, pensativo—, pero hay algo.

En aquel momento retumbó un trueno, y el policía alzó la mirada al cielo nocturno, cubierto ahora por un pesado manto de oscuros nubarrones.

Iba a caer una buena, de modo que no se entretuvo más.

Tina llegó corriendo al parque y se internó en él, buscando los senderos más oscuros, entre la sombra de los grandes árboles. Por fin se detuvo, jadeante, y se sentó sobre un banco para recuperar el aliento. Sentía la cabeza a punto de estallar; un dolor sordo se expandía desde su sien en oleadas, al ritmo de los atronadores latidos de su corazón.

Cerró los ojos y trató de relajarse para recuperar la visibilidad. Sentía que tenía la mano derecha húmeda y pegajosa y, con los ojos todavía cerrados, se llevó un dedo a los labios y lo chupó con cuidado. Notó el sabor salado y metálico de la sangre y respiró hondo, intentando recobrar la calma. Cuando abrió los ojos, su imagen ya volvía a reaparecer lentamente.

Tina se llevó los dedos a la sien. Quizá la herida no fuese tan grave como parecía. Aquel bruto la había golpeado con la silla en la cabeza, y había estado a punto de hacerle perder el sentido. Por suerte, Tina se las había arreglado para empujarlo al suelo y salir huyendo. El coche patrulla había pasado por su lado sin verla, y ella no se había quedado a contemplar el desenlace de su intervención. Se sentía cansada y mareada a causa del golpe.

El sonido de un trueno la sobresaltó de pronto. Tina contempló un instante las pesadas nubes que navegaban por el cielo y no se entretuvo más. Se levantó y se encaminó a la única fuente del parque que todavía funcionaba. Se lavó meticulosamente; para cuando terminó, ya era del todo visible, y también resultaban muy obvias las manchas de sangre que salpicaban su camiseta, y que el agua sola no podía eliminar. Suspiró. Le gustaba mucho aquella camiseta, pero tendría que deshacerse de ella por la mañana. No podía arriesgarse a que su madre la encontrara, ni en el cesto de la ropa sucia ni en ninguna otra parte.

Se disponía a volver a casa cuando oyó voces un poco más allá. Se detuvo, inquieta, preguntándose si, fuera quien fuese, habría detectado su presencia. Pero sonaron risas, y Tina se relajó... solo un momento, porque acababa de reconocer las escandalosas carcajadas de Edwin Alvarado.

Frunció el ceño. ¿Qué hacía allí la banda de Gato? ¿Por qué no estaban en las canchas, o en alguna discoteca vendiendo droga? Se encogió de hombros y se dijo que, después de todo, ya no era problema suyo. Le había dicho a Salima que iba a dejar de espiar a aquellos chicos, y realmente hacía tiempo que ya no los rondaba. Había dejado de salir todos los días y solo patrullaba el barrio los fines de semana. También había vuelto a vigilar el instituto, aunque ya solo lo hacía de vez en cuando, y no en todos los recreos. Se estaba esforzando mucho por encontrar un equilibrio entre su vida cotidiana y su actividad secreta, y para ello debía dedicarle el tiempo justo. No más.

Por otro lado, ya era tarde, y estaba a punto de llover.

No necesitaba más razones para alejarse de allí y, sin embargo, terminó por rendirse a la evidencia de que acabaría acercándose a espiar una vez más. De modo que, con un suspiro de resignación, se volvió invisible y caminó de puntillas hasta los chicos.

Eran solo dos: Edwin y Armando. Estaban tranquilamente sentados en el respaldo de un banco, disfrutando de la penumbra del parque, mientras compartían un canuto.

—Eso estuvo bien, pana —estaba diciendo Armando, con su habitual tono calmoso—, pero no me vas a convencer.

—No tengo que convencerte de nada —replicó Edwin—. Las cosas son como son, te guste o no. ¿Estás con nosotros, o con ellos?

—Esa pregunta tiene trampa. Con ellos no estoy, pero...

—Si estás con nosotros, tienes que pelear, es lo que hay. Vamos todos en gajo, o no vamos.

—Pues no vamos, mijín, ¿qué sentido tiene andar siempre bronqueando?

—¡Empezaron ellos! Tú estabas allí y viste igual que yo como lanzaban los perros a Tati...

—Porque está buenota, ¿y qué? Eso es cosa de ella y de Gato. No me voy a pelear por defender el honor de una mujer, como en el siglo pasado. Y menos si es la pelada de otro.

—No es solo por ella, bobo. A ver, si quieres te lo barajo más despacio. Ellos saben quién es Tati y saben con quién está.

—Ya sé lo que andaban buscando y por qué pasó lo que pasó. Pero, si todos lo sabemos, ¿por qué les seguimos el juego?

Edwin tardó un poco en responder. Dio una última calada al porro antes de arrojarlo al suelo.

—Yo te diré por qué, flaco. Porque si no hacemos algo, la gente dirá que nos ahuevamos. Y entonces estaremos bien jodidos, tú, yo y todos. Nos perderán el respeto, ¿cachas? Nosotros somos fuertes porque somos muchos y estamos unidos. Nadie se atreve a vacilarte ahora, pero si te quedas solo y te tienen por gallina, te darán la del zorro. Lo sabes, ¿verdad?

Armando suspiró y, tras un largo silencio, asintió lentamente.

—Simón —murmuró—. Pero es que yo no quiero líos. Ya tengo casi dieciocho años, pana. Y tengo ya bastante con lo de la droga. No quiero llamar la atención.

—Bueno, pues si no es por ti, piensa al menos en tu ñaño. ¿Quieres que se burlen de Ramón en la escuela por ser el hermano de un cobarde?

Armando se estremeció visiblemente, pero no respondió.

—Irán a por él porque pensarán que no lo vas a defender —prosiguió Edwin—. Si te quedas solo, estás muerto. Y Ramón...

—No metas a Ramón en esto —cortó Armando con brusquedad.

—Ya está metido. No podemos escapar, Armando. Somos lo que somos. Y somos mejores cuando somos más y estamos unidos.

Hubo un largo silencio. Tina contuvo la respiración. Entonces, Armando dejó escapar un profundo suspiro y claudicó.

—Está bien. El sábado, ¿verdad?

—Por la tarde. Ya sabes dónde. ¿Nos acolitarás, pues?

Armando aún dudaba.

—Sin filos, ¿correcto?

Edwin se rio.

—Podemos acordar que pelearemos sin filos, pero si ellos sacan alguno y nosotros no llevamos...

—¿Así que vamos armados por si ellos también lo están? ¿Qué locura es esta? Podemos hacernos daño de verdad solo con los filos, y algún día alguien craneará que es buena idea llevar un arma de fuego por si acaso los otros las llevan.

—No, no, armas de fuego no, ya sabes —se apresuró a aclarar Edwin—. Pero también sabes que necesitamos los filos, Armando, no seas cojudo. Para defendernos y ganar esta vez.

Armando iba a responder, pero un relámpago iluminó su rostro y un trueno ahogó sus palabras. Apenas unos instantes después empezó a llover con cierta intensidad, y los dos amigos abandonaron el banco del parque para marcharse corriendo a sus respectivas casas.

Tina hizo lo mismo, aún anonadada por lo que acababa de escuchar. Estaba claro que se avecinaba una gran pelea, y ella intuía que los rivales eran los chicos de la banda de Jimmy. Recordó a Alexis. Por un momento se lo imaginó en medio de una batalla callejera, con una navaja clavada en el vientre. «¿Así que vamos armados por si ellos también lo están?», había dicho Armando. También ella veía con claridad la lógica perversa de aquel razonamiento. Quizá Alexis y sus amigos pensaran que iban a pelear a puño descubierto, y entonces Gato o algún otro sacaría una navaja y...

Tenía que avisarlos de alguna manera pero, ante todo, tratar de averiguar más cosas sobre lo que iba a suceder el sábado por la noche.

Sin embargo, por el momento tenía cosas más urgentes en que pensar.

Porque cuando, un rato después, subió las escaleras de su casa, totalmente empapada y con la ropa salpicada de sangre, descubrió que la luz del rellano estaba encendida, y que su madre se encontraba allí, bien despierta y plantada en la puerta del piso, discutiendo con la vecina de enfrente.

13

—Pero tuvo que verla usted, señora Mercedes, la puerta de la casa no se pudo abrir sin más —decía Camila.

—Pues es lo que hay —replicó la vecina, una enérgica señora mayor que vivía sola con una perrita también anciana e igualmente enérgica—. Mi *Linda* se puso a ladrar...

Como para corroborar sus palabras, la perra lanzó tres entusiastas ladridos, bien parapetada tras los tobillos de su dueña.

—Esa perra siempre está ladrando —masculló Camila.

—... y me pareció oír que tu puerta se abría, así que me asomé a la mirilla porque me extrañó que salieseis a estas horas... Pero claro, no había nadie en el rellano, así que pensé que serían figuraciones mías.

Tina se pegó a la pared de la escalera, con el corazón latiéndole con fuerza. Su madre tenía razón: la diminuta perra de la señora Mercedes ladraba siempre por todo, y con sorprendente convicción para su pequeño tamaño. Ellas estaban tan acostumbradas a oírla a todas horas que ya no le prestaban atención. Y su dueña, por lo visto, tampoco. Tina había oído ladrar a la perra todas y cada una de las veces que había salido «de patrulla» por la noche, sin que la vecina hubiese dado señales de vida. Quizá sí estaba ahí, tras la mirilla, es-

184

piando quién entraba y salía del piso de al lado; pero Tina podía apostar a que, si Mercedes hubiese visto algo extraño, como puertas que se abrían y cerraban solas, se lo habría comunicado a su madre sin tardanza.

También era mala suerte que justo esa noche le hubiese dado por comprobar si su perra ladraba por algún motivo en concreto.

Camila rondaba en torno a la puerta con la inquietud de una leona que huele enemigos cerca de su cubil.

—Ay, dónde puede estar..., a dónde habrá ido... —murmuraba, y Tina sintió un retortijón de angustia.

—¿Tal vez a casa de alguna amiga? —sugirió Mercedes, deseosa de ayudar.

—¿A estas horas? ¿Sin avisar?

—Bueno, pues quizá se haya ido de fiesta con su novio... ¿Cuántos años tiene ya? ¿Trece?

—Catorce y medio —respondió Camila con la voz ahogada—. Pero no tiene novio. ¿No la vio usted? ¿Cómo piensa que una niña tan apocada va a tener quien se fije en ella?

Tina sintió una punzada en el pecho ante estas palabras. Inspiró hondo, dolida, furiosa con su madre por pensar aquellas cosas de ella, pero sobre todo consigo misma, por permitir que le afectara.

Camila no había terminado de hablar.

—... Y mejor así —estaba diciendo—, porque yo la quiero mucho, pero no está muy espabilada mi niña, y cualquiera la puede engañar...

Tina parpadeó con fuerza para retener las lágrimas, mientras sentía sus mejillas ardiendo de ira y vergüenza.

—¡Buenooo! —exclamó la señora Mercedes, abriendo mucho los ojos tras sus gafas—. Hoy en día se espabilan muy rápido, Camila, y con catorce años ya saben más que tú y yo juntas a su edad.

—Que no, que no; que a mi niña le pasó algo malo, seguro... ¡ay, qué disgustos me da!

—¿Y qué haces que no vas a buscarla, entonces?

—¿Y si regresa y no estoy? No, no; yo no me muevo de aquí...

Tina trató de sobreponerse para pensar con la cabeza fría. ¿Cómo podía justificar su escapada nocturna? No tenía ninguna excusa preparada y, aunque la tuviese, se le daba muy mal mentir. «Si no hubiese salido de casa...», se lamentó en silencio.

Entonces se le ocurrió que, en realidad, nadie la había visto salir por la puerta. Si pudiese volver a entrar sin que su madre y la señora Mercedes se dieran cuenta...

Pero Camila no se apartaba de la entrada. Tina reflexionó. En los últimos meses había practicado muchas maniobras de distracción que servían para llamar la atención de otras personas hacia algún punto alejado del lugar donde ella se ocultaba o por donde tenía intención de escabullirse. Normalmente lanzaba piedras, latas, botellas o cualquier otro objeto que hiciese suficiente ruido. Pero allí, en la escalera del edificio, no tenía a mano nada similar.

Hundió las manos en los bolsillos del pantalón en busca de inspiración. Sus dedos rozaron las llaves de su casa, una goma de pelo y un papel doblado que supuso que sería alguna lista de la compra. Sacó las llaves con rapidez y golpeó la más grande contra los barrotes de la barandilla metálica de la escalera mientras subía. El ruido, un repiqueteo amplificado por el eco, interrumpió la conversación entre las dos vecinas y desencadenó un torrente de ladridos por parte de *Linda*.

—¿Qué ha sido eso? —exclamó la señora Mercedes sobresaltada, mientras trataba de controlar a su perra.

Camila se asomó a la barandilla.

—¿Valentina? —llamó—. Valentina, ¿eres tú?

Tina aprovechó ese momento para deslizarse tras ella, buscando la puerta abierta de su casa como un oasis en pleno desierto. Logró entrar sin que nadie la detectara... nadie, salvo probablemente *Linda* que, ante el desconcierto de su dueña, insistía en ladrarle a la puerta abierta, sin dejarse despistar por el sonido de las llaves en la escalera, ni tampoco por las quejas procedentes de otros pisos («¿Quién hace tanto ruido?» «¡Que se calle ese maldito perro!» «¡Estas no son horas, dejadnos dormir en paz!»).

—¡Estoy esperando a mi hija desaparecida! —replicó Camila a voz en grito.

—Si no vas a salir a buscarla, quizá deberías esperarla dentro —masculló la señora Mercedes, entornando su puerta para que *Linda* no saliera al rellano—. O llamar a la policía, si tan preocupada estás.

En ese momento se oyó el timbre del telefonillo, y Tina, que pasaba justo al lado, dio un salto en el sitio, alarmada.

—Ya los avisé —anunció Camila triunfante, apresurándose a contestar; Tina se apartó de su camino con presteza—. ¿Sí, hola? ¡Gracias al cielo que llegaron! Sí, sí, yo llamé... Llevo un buen rato esperando... No, mi hija no volvió aún... Sí, ya les abro... es el segundo piso...

Tina, absolutamente horrorizada, entró en su cuarto y cerró la puerta, con el corazón latiéndole con fuerza. Se esforzó por calmarse. Mientras iba, poco a poco, recuperando la visibilidad, se cambió de ropa a toda prisa, se puso un pijama y escondió las prendas mojadas y salpicadas de sangre. Se peinó el cabello como pudo en una trenza suelta, rogando por que su madre no detectara que estaba húmedo. Se miró entonces al espejo para comprobar que podía verse y para examinar la herida de la sien. Probablemente no era más que un rasguño, decidió, pero resultaba bastante aparatosa. Por suerte, al haber tenido la precaución de lavarla en la fuente del parque, la hinchazón se había reducido un poco.

Su plan era meterse en la cama y fingir que dormía, y que no se había movido de allí en toda la noche. Pero la lesión de la cara resultaría difícil de explicar. Estaba preguntándose si le daría tiempo de ir al baño a buscar un poco de maquillaje, cuando oyó la voz del agente Durán desde el rellano:

—¿Es usted la madre de la niña que se ha perdido?

—¡Sí, sí! Mi hija... —Camila se echó a llorar de pronto, inconsolable.

Tina hiperventilaba. En ningún momento había imaginado que las cosas llegarían hasta aquel punto.

—Bueno, bueno, tranquila, no se ponga nerviosa. ¿Cuándo vio a la niña por última vez?

—S... se fue a la cama después de cenar —hipó Camila—. Estaba dormida cuando fui a acostarme, lo juro. Pero hace una hora me levanté para ir a por un vaso de agua, me asomé a su cuarto y ya no estaba.

—¿Y no le responde cuando la llama al móvil?

—Mi hija no tiene celular. No lo necesita y no se lo pienso comprar —bufó Camila—. No nos sobra la plata, ¿sabe usted?, para caprichos como esos.

—Sin embargo, si su hija necesitara comunicarse con usted..., por ejemplo, para avisarla de que iba a retrasarse...

—Si ella cumple con sus horarios, no tiene que llamar para nada, señor —replicó Camila un poco ofendida—. Usted y yo crecimos sin celulares y acá estamos, ¿no es cierto? Yo sé para qué los usan los adolescentes: para navegar por Internet, chatear con los amigos y también con desconocidos; pero a sus madres no las llaman, y si no quieren que ellas los contacten, les basta con apagarlos.

—Señora, ¿le importaría meter al perro en casa? —se oyó

entonces la voz del agente Moreno—. Está armando mucho escándalo y no nos deja oír.

—Claro, claro, disculpe usted —respondió la señora Mercedes, un poco ofendida. Tras un breve instante, Tina siguió oyendo los ladridos de *Linda*, pero algo más amortiguados.

El agente Durán retomó el interrogatorio:

—Entonces, ¿no tiene idea de adónde puede haber ido?

—No, no sé, mi niña se porta bien... —sollozaba Camila—. Aunque a veces se junta con gente rara, ¿saben ustedes? No es culpa suya, es que es muy influenciable...

—¿Gente rara?

—Ya saben, moros, como los terroristas que salen en el noticiero. Tiene una amiga que va con burka... ¡Quizá la reclutaron para ir a pelear con los terroristas! —gimió—. Hay muchos casos de chicos y chicas que lo hacen, ¿verdad?

Tina reprimió una exclamación indignada. Le había explicado muchas veces a su madre que Salima ni era terrorista ni llevaba burka, pero ella no lo quería entender.

—No tantos como cree, señora —estaba diciendo el policía—. ¿El padre de la niña...? —preguntó, cambiando de tema.

—No, no, será muchas cosas ese desgraciado, pero moro no es —respondió Camila.

—Le preguntaba por él en general. ¿Está en casa?

—¿En casa? —La mujer respondió con una carcajada seca, amarga—. Ese desgraciado no estuvo en casa en los últimos quince años.

—Comprendo —asintió el agente Durán—. En tal caso, quizá su hija se encuentre ahora con él...

—No veo cómo. No tuvimos nuevas de él en todo este tiempo...

—Pero ¿está usted segura de que la niña no se ha ido de fiesta sin más? —intervino Moreno con impaciencia—. Porque, a todo esto, con esa edad ya no es una niña. Lo más probable es que vuelva al amanecer y con unas copas de más. Como mínimo.

—¿Cómo se atreve usted? —se indignó Camila—. ¿Insinúa que no estoy educando bien a mi hija?

—No; insinúo que vive usted en los mundos de Yupi.

—¿Qué significa eso? ¿Que me drogo yo también?

Tina dejó de prestar atención a la discusión entre su madre y los policías. Tras hurgar en su armario con urgencia encontró lo que buscaba: una cómoda chaqueta de chándal azul con una amplia capucha. Se embutió en ella y se echó la capucha sobre la cabeza, tratando de ocultar la herida de la sien. Tras revisar su aspecto en el espejo, se puso unas zapatillas de andar por casa, inspiró hondo y salió al pasillo.

Se asomó al recibidor bostezando y frotándose un ojo.

—¿Qué pasa, mamá? —murmuró—. ¿Por qué están aquí estos policías?

Camila se volvió para mirarla y se quedó tan pálida como si hubiese visto un fantasma.

—¿Cómo... cuándo regresaste a casa? —pudo decir.

—Pues cuando volví de clase esta tarde, mamá. ¿Qué pasa? —repitió.

Los dos policías cruzaron una mirada significativa.

—¿Esta es su hija, señora? —preguntó Moreno—. ¿La que se había escapado?

—¿Escapado? ¿Yo? —coreó Tina, simulando perplejidad.

—Y... yo no dije que se hubiera escapado.

—No, claro, usted pensaba que la habían abducido los extraterrestres.

Desde la puerta de al lado, en teoría ya bien cerrada, se oyó una carcajada ahogada y la voz inconfundible de la señora Mercedes, que murmuraba: «¡Esta sí que es buena!».

—¡Les juro que hace un rato no estaba en su cama! —trató de defenderse Camila.

Tina ladeó la cabeza y dirigió a los policías una mirada de disculpa, como si aquellas salidas de tono de su madre fuesen algo con lo que ella misma tuviese que lidiar de forma habitual. Sin embargo, y pese a que trataba de mantenerse en un rincón en sombras y con la capucha calada, Durán dijo de pronto:

—Yo a ti te conozco.

Horrorizada, Tina empezó a notar aquel cosquilleo familiar que le indicaba que estaba a punto de volverse invisible. Bajó la cabeza, presa del pánico. «Ya pueden verme, ya pueden verme», se repetía a sí misma, como un mantra. Hundió las manos en los bolsillos de la chaqueta, rogando porque nadie se hubiese dado cuenta de que empezaban a transparentarse un poco.

—María, ¿no es así? —dijo entonces el agente Durán, y ella negó con la cabeza.

—No, señor, se llama Valentina —replicó su madre, tratando de recuperar algo de la dignidad perdida.

—María García Pérez —insistió Durán, y Tina maldijo su buena memoria.

—Valentina Reyes —se empecinó Camila.

Como si la hubiese invocado al pronunciar su verdadero nombre, Tina sintió de pronto que el proceso se revertía. Suspiró para sus adentros, aliviada.

—Pero mis amigos me llaman Tina —asintió, encogiéndose de hombros con aparente indiferencia—. Creo que se equivoca de chica —añadió; sacó una mano del bolsillo y la miró de reojo con disimulo para comprobar que volvía a ser perfectamente visible—. Yo no soy esa tal María.

—Por supuesto que no —confirmó su madre.

Durán seguía mirándola con gesto impenetrable. Inquieta, Tina comprendió que no se dejaría engañar; que sabía de sobra que ella le estaba mintiendo a la cara. Y eso no era bueno, porque ahora no solo había descubierto el verdadero nombre de la chica que había huido de ellos la noche en que detuvieron al violador, sino también cómo y dónde localizarla.

No obstante, la única opción que le quedaba a Tina era seguir con la farsa, al menos en ese momento, delante de su madre. Después de todo, Durán no tenía forma de demostrar que no se confundía de persona, puesto que parecía que su compañero no la había reconocido.

Salvo que la enfrentaran cara a cara con la joven a la que había salvado aquella noche. Ella sí podría identificarla, pensó Tina de pronto, con espanto. ¿Y si le pedían que declarara contra el violador? ¿Y si la obligaban a ir a juicio?

Sin embargo, Durán no parecía interesado en mencionar aquel incidente por el momento.

—Y no has salido de casa esta noche, ¿verdad? —siguió preguntando, centrado en el asunto que los había llevado hasta allí.

—Claro que no, ¿no lo ves? —intervino su compañero—. Vámonos, Ernesto; aquí estamos perdiendo el tiempo.

Tina se limitó a negar con la cabeza. Pero Durán no había terminado con ella.

—¿Por qué creía usted que la chica no estaba en casa? —preguntó a Camila con curiosidad.

—Porque no estaba, agente, se lo juro.

Durán volvió a mirar a Tina, pero ella se encogió de hombros de nuevo, fingiendo desconcierto.

—¿Le importaría dejarme hablar con ella a solas? —le preguntó a Camila, y Tina luchó por reprimir el pánico que amenazaba con asomar a su rostro.

—¡Por supuesto que me importa! —saltó ella, súbitamente suspicaz—. ¿Qué tiene usted que decirle a mi hija que no pueda escuchar su madre?

—Terminemos ya con esto, Durán —resopló Moreno—. La chica está en casa, no hay motivo para denunciar nada.

Su compañero asintió, aunque no parecía muy convencido. Dirigió a Tina una mirada que ella interpretó como: «Ya aclararemos conceptos tú y yo».

No había mucho más que añadir, de modo que los agentes se despidieron, la vecina cerró definitivamente la puerta de su casa y Tina y su madre entraron en la suya. Camila detuvo a la chica cuando iba ya teledirigida hacia su cuarto.

—Aguarda un momento. Ahora en serio, ¿dónde estabas?

Tina trató de mantener su actitud inocente, pero le temblaban las rodillas. Más incluso que cuando la interrogaba el agente Durán.

—En la cama, mamá, ya lo sabes. ¿De verdad has llamado a la policía porque creías que me había ido?

—Tú no estabas en tu cama, nena, que yo sé lo que vi —replicó ella—. Prendí la luz y retiré las cobijas para asegurarme y...

—Pero, mamá, ¿y si fue un sueño? —cortó Tina.

—¿Cómo dices?

—A lo mejor soñaste que mirabas en mi cuarto y no me veías. Yo misma me he despertado algunas veces pensando que lo que soñé había pasado de verdad.

Camila la contempló con suspicacia mientras valoraba aquel nuevo argumento.

—¿Tú me viste salir? —insistió Tina.

—No —reconoció su madre a regañadientes.

—¿Y me viste volver?

—No.

—¿Y acaso pude haber regresado sin que tú me vieras?

Camila vaciló por primera vez.

—No, pero...

Tina no añadió nada más. Dejó que aquella idea calara en la mente de su madre y se dio la vuelta para regresar a su cuarto.

Pero ella la agarró por la chaqueta antes de que se fuera.

—Espera un momento, ¿qué llevas ahí?

Tina trató de retroceder, pero Camila le retiró la capucha sin que pudiera evitarlo.

—¿¡Qué te hiciste en la cara!? —chilló horrorizada; Tina pensó con amargura que solo ella era capaz de conseguir que su exabrupto de preocupación maternal sonase como si la estuviese acusando de un crimen inconfesable.

—Nada, mamá, es solo una herida...

Camila la examinó con ansiedad.

—¿Cómo te lo hiciste? ¿Y cuándo? —exigió saber, con el mismo tono que emplearía si la hubiese sorprendido vomitando borracha en una esquina.

Tina cerró los ojos y contó hasta cinco para tranquilizarse antes de responder:

—Ayer me caí por las escaleras en el instituto. No es grave, solo un golpe tonto.

—¿Te caíste por las escaleras? —repitió Camila—. Ayer no estabas herida, me habría dado cuenta.

Tina pensó que muchas veces regresaba a casa con heridas y moratones y su madre no se percataba de ello, pero no quiso seguir por ahí.

—Ay, mamá, es que vuelves muy cansada a casa. Trabajas tanto que es normal que no puedas estar en todo.

Ella pareció apaciguarse un poco.

—Bueno, pudiera ser. ¿Y cómo fue que te caíste?

Tina valoró por un momento decir que la habían empujado por accidente, pero desechó la idea al imaginar a Camila en versión «madre coraje» buscando por todo el instituto al miserable que había precipitado a su hija escaleras abajo.

—Pues tropecé, mamá, no tiene mayor misterio.

Ella la contempló durante unos instantes, dubitativa. Después suspiró con cansancio.

—Ay, niña, no se puede ser más torpe —concluyó—. Pero así eres tú, qué le vamos a hacer. Cuando eras una beba ya te andabas todo el tiempo cayendo. Una vez...

—... Ya sé, mamá, me caí de cabeza a la fuente de la plaza mayor.

—Y con cinco años te arrojaste desde lo alto del tobogán y tuvieron que darte puntos en la frente —apuntó Camila.

Tina también conocía de sobra aquella historia. Su madre la relataba a menudo a conocidos y amistades. Tenía, de hecho, todo un repertorio de anécdotas en las que daba la sensación de que Tina se caía, rompía cosas, se perdía o enfermaba con el único objetivo de fastidiar a su sufrida progenitora. «La colección de sustos y disgustos», la llamaba ella en su fuero interno.

—Bien, sí, ya sabemos las dos que soy muy torpe —farfulló—. Pero es muy tarde, ya ves que estoy en casa y estoy bien. ¿Podemos irnos ya a dormir?

Camila puso los brazos en jarras y la repasó con la mirada.

—No me gusta ese tono, señorita.

—Lo siento —respondió ella mecánicamente—. ¿Por favor? —tanteó.

Por un instante pareció que su madre iba a seguir regañándola; pero debía de estar realmente muy cansada, puesto que acabó por suspirar de nuevo y asentir.

Cuando Tina pudo meterse en la cama por fin, se durmió en cuanto su cabeza tocó la almohada. Tenía muchos frentes abiertos y asuntos en los que pensar después de aquella larguísima noche, pero ya se ocuparía de ellos por la mañana.

La despertó antes de las diez el sonido de la aspiradora. Suspiró. Estaba claro que, de una manera o de otra, su madre pretendía hacerle pagar la mala noche que había pasado. Aunque no pudiera demostrar que Tina hubiese salido de casa sin su conocimiento, en su fuero interno sabía que era verdad.

Durante el desayuno, hablaron de intrascendencias y no mencionaron lo sucedido la noche anterior. Pero después Camila insistió en curar la herida de Tina, y la desinfectó con algo que escocía mucho y que resultó ser alcohol, en lugar del agua oxigenada que le había dicho. Camila alegó que se había equivocado de bote, pero la ligereza con que se disculpó hizo sospechar a Tina que no se trataba de un error en realidad.

—¿Puedo salir a hacer un recado después de comer? —preguntó a media mañana sin muchas esperanzas.

—No —fue la tajante respuesta de su madre—, ya sabes que estás castigada.

—¿Aún sigo castigada por haber llegado tarde hace tres semanas? —protestó Tina.

—Y por lo de anoche.

—¿Qué hice anoche? —la desafió ella.

Camila la miró con fijeza. Tina sabía que no se atrevería a volver a repetir que había salido de casa de madrugada; no después de que ella la dejara en evidencia delante de la vecina y la policía.

—Vamos, dime, ¿por qué me castigas ahora? —insistió.

—Por insolente —le soltó entonces su madre—. Y si vuelves a replicar, serán tres semanas más.

—Vale, vale, ya lo capto —suspiró Tina.

No había nada que hacer. Tendría que esperar al lunes para hablar con Salima en el instituto.

14

—Buf, cuántas cosas te pasaron el sábado por la noche —comentó Salima impresionada—. Qué locura.

—Sí, y no sé ni por dónde empezar a preocuparme —suspiró Tina—. Gato y los suyos están planeando una pelea, un poli me tiene fichada, casi me pilla mi madre, casi me descalabran con una silla, había vecinos mirando...

—Está claro que tendrás que ser más prudente a partir de ahora. Pero bueno, mientras todo se quede en un «casi»...

Tina se quedó pensativa, y Salima la miró de reojo.

—Conozco esa mirada. ¿En qué estás pensando?

—¿Crees que podríamos conseguir de alguna manera que la pelea del próximo sábado se quede también en un «casi»?

Salima se echó hacia atrás en el banco, sorprendida.

—No veo cómo —dijo por fin—. ¿Qué vas a hacer? ¿Decirles a todos que se sienten formando un círculo y que hablen de sus sentimientos?

Tina sacudió la cabeza.

—¡No te burles! Hablo en serio. Van a llevar navajas, ¿y si alguien sale herido?

—¿Te preocupa alguno de ellos en particular?

Tina no respondió. Estaba pensando en Armando, que no quería pelear, pero se sentía obligado a hacerlo; pero también en Alexis, el amigo de Rodrigo. La noche anterior había tenido, además, una desagradable pesadilla en la que el propio Rodrigo participaba en la guerra de bandas para apoyar a Alexis, y acababa desangrándose sobre el asfalto. Se estremeció casi sin darse cuenta.

—Si intervienes, te puedes llevar un navajazo tú también —le recordó Salima—. Eres invisible, no invulnerable.

—Ya lo sé. Y de todas formas, ellos serán muchos, y yo solo una. No podría separarlos como hice con los hinchas la otra noche.

—Entonces, ¿qué quieres? ¿Que hagan las paces y cancelen la pelea?

Tina se mordía la uña del dedo pulgar, pensando intensamente.

—A ver..., por lo que entendí, Gato se enfadó porque los otros chicos le tiraban los tejos a su novia, Tatiana.

—Bueno —suspiró Salima—, algunos neandertales se cabrean por ese tipo de cosas. Pero eso no justifica una pelea multitudinaria, en mi opinión.

—Es algo más que eso. Ellos sabían que Tati es la novia de Gato. Vamos, que no lo hicieron por ligarse a la chica sino por provocar a su novio.

—... Y desafiar a la autoridad del macho alfa. Ya veo. Una manera como otra cualquiera de decir: «queremos pelea».

—Al menos, así es como lo interpretaron ellos. A lo mejor Tati sí que quería desmelenarse un poco. O buscaba una excusa para romper con Gato. O ponerlo celoso. Cualquier cosa.

—Tú los has estado espiando —dijo entonces Salima con curiosidad—. ¿Cómo se llevan?

Tina reflexionó.

—Gato la mangonea bastante, la verdad. A ella no parece importarle, pero claro... puede que haya decidido que ya ha aguantado suficiente. Como dice mi madre, nunca es tarde para plantar a un alcornoque.

—Bueno, tampoco es que Tati sea un prodigio de inteligencia —observó Salima—. Pero estamos especulando. No sabemos qué pasó aquella noche en realidad.

—Claro, es lo que estaba intentando decirte. Imagina que fue un malentendido. Entonces no tendrían que pelear.

Salima la miró casi con lástima.

—Mira que debes de haber visto cosas —comentó—, y aun así sigues siendo de una ingenuidad apabullante.

Tina se ruborizó.

—Bueno, ¿y qué? —se defendió—. No me gusta darlo todo por sentado. Lo del «piensa mal y acertarás» no va conmigo.

—No era una crítica —replicó Salima, conciliadora—. Me parece muy bonito por tu parte, y de hecho, creo que si todos hicieran como tú, el mundo iría mucho mejor.

—Gracias, pero sé lo que estás pensando en realidad: «Si todos hicieran como tú, los malos lo tendrían mucho más fácil para aprovecharse de todos los pardillos».

Salima rio.

—De acuerdo, no te enfades; podemos intentarlo si quieres.

—¿El qué?

—Pues averiguar qué pasó aquella noche, a ver quién y cómo empezó todo. Para poder formarnos una opinión al respecto, quiero decir.

—¿Crees que debería volver a espiar a Gato y los suyos, entonces?

—No, mujer, su versión ya la conocemos. Ahora lo que tenemos que averiguar es lo que opinan los otros.

—Ah. —Tina se sintió insegura de pronto—. Bueno, tengo entendido que se reúnen en el bar de Jimmy, pero nunca he ido por allí... No me gusta rondar por espacios cerrados cuando soy invisible, es muy fácil que tropiecen conmigo sin que pueda...

—No, nada de ir al bar de Jimmy —cortó Salima—. Le preguntaremos directamente a Alexis; si estaba presente esa noche, nos podrá contar lo que pasó.

—¿Crees que hablará con nosotras? —preguntó Tina alarmada.

—Tú déjame a mí; con esto del periódico, me estoy haciendo toda una experta en interrogar a la gente.

Salima abordó a Alexis a la salida de clase, en cuanto él y sus amigos hubieron franqueado la puerta del instituto.

—Oye, Rosales, ¿puedo hablar contigo un momento?

—Claro. ¿Es para algo del periódico?

—No..., es algo más... personal —respondió Salima, mirando significativamente a sus compañeros.

Ellos silbaron estruendosamente y dejaron escapar algunos «¡Uuuuh!» burlones, pero finalmente se adelantaron y dejaron a Alexis a solas con las dos chicas.

—Verás —empezó Salima—, es que mi amiga Tina, aquí presente, quiere saber si tienes novia.

Tina se puso de color rojo furioso.

—¡Salimaaa! —protestó.

—¿Lo ves? Es demasiado tímida para preguntártelo ella misma.

—¡Salima!

Alexis se rio.

—No, no tengo novia —respondió—, pero tampoco estoy interesado en una relación ahora mismo, lo siento.

Tina estaba tan avergonzada que no sabía dónde meterse. Salima le pasó un brazo por los hombros, como si tratara de consolarla.

—No pasa nada, Tina; hay más peces en el mar. Bueno, de todas formas, teníamos que intentarlo —añadió, volviéndose hacia Alexis—. Aunque ya le dije a Tina que estabas saliendo con Tatiana Ramos, y que...

—¿Con Tatiana Ramos? —repitió Alexis, muy serio de pronto—. ¿De dónde sacaste ese embuste?

Salima se mostró confundida.

—Oye, no te enfades. Es lo que se dice por ahí. Como os vieron juntos en la disco el sábado pasado...

—¿Quién nos vio? Yo no quiero nada con esa zorra, es una lianta.

—Eh, eh, sin faltar. Me lo contó una amiga de cuarto, que te vio con Tati Ramos, pero quizá te confundió con algún amigo tuyo, yo qué sé. —Salima fingió que se había armado un lío con los nombres porque en el fondo el asunto no le importaba lo más mínimo—. Bueno, siento haberte molestado, pero tampoco era como para ponerse así, ¿eh?

Alexis resopló y, algo más calmado, se pasó la mano por el pelo, revolviéndolo.

—Lo siento, es que no soporto a esa muchacha. Sí, la vimos mis amigos y yo el sábado pasado, y estuvo bailando con uno de mis socios. Pero fue ella la que vino a flirtear, y fue para dar celos a su novio. No es la primera vez que lo hace —añadió entre dientes.

Salima estiró la oreja.

—¿Ah, no? Pero entonces, ¿tiene novio Tati, o no tiene? Si no eres tú, ni tampoco tu amigo, ¿quién es?

Alexis la miró fijamente.

—¿Me estás enredando para algún artículo de chismes?

—¡No, qué va! —se apresuró a responder Salima, y Tina ahogó una risita.

Alexis sonrió un momento y se quedó pensativo.

—Bueno, esto lo sabe todo el mundo, supongo —murmuró—. Tatiana es la novia de Rolando Montoya, uno al que llaman Gato.

—¿Y cómo sabes que quería darle celos a su novio? —siguió indagando Salima, fingiendo indignación—. ¿Es que no puede bailar con quien le dé la gana?

—No lo sé. ¿Qué dice Mahoma sobre eso?

Salima se lo quedó mirando con los ojos muy abiertos.

—¡No me lo puedo creer! —exclamó a voz en grito, fingiendo estar muy sorprendida—. Tío, ¿cómo has sido capaz de adivinar que soy musulmana? ¡Qué genio, qué gran perspicacia la tuya!

Alexis frunció el ceño, incómodo. Tina intervino, tratando de salvar la situación.

—Bueno, ¿es que Tatiana no puede bailar con quien le dé la gana? —volvió a preguntar, reconduciendo la conversación.

—Por mí, como si baila con un mandril —replicó Alexis, encogiéndose de hombros—. Pero yo no soy su novio, claro. A él sí le importa con quién se junta, y lo sé de primera mano. —Bajó un poco la voz al añadir—: Cuando estábamos en tercero, Tatiana dejó a Gato para salir con mi mejor amigo. Gato se puso como loco. Y cuando Tati lo tuvo por fin a sus pies suplicándole que volviera con él, pues plantó a mi amigo sin ningún remordimiento. Dos semanas después, él se arrojó desde la azotea. Por su culpa.

Las dos chicas se quedaron de piedra.

—¿Tu... mejor amigo? —repitió Salima.

—¿Adrián Herrera? —coreó Tina.

Alexis asintió, con una amarga sonrisa.

—Ya veo que conocen la historia.

—Estábamos allí el día que lo encontraron —protestó Salima—. No somos tan pequeñas.

Él les sonrió con cierto cansancio.

—Lo bastante pequeñas como para no entender muchas de las cosas que pasan por aquí —replicó—. Pero sí, Tatiana le rompió el corazón a Adrián por puro capricho. Jugó con él y lo llevó a la muerte. Y mírenla ahora, bailando tan feliz, como si no tuviera culpa de nada.

—Oye, a lo mejor estás siendo injusto —protestó Tina—. Mucha gente corta con su pareja y no se suicida por eso. Y menos por relaciones de... ¿cuánto? ¿Dos, tres meses?

—Exacto —replicó Alexis crípticamente—. *Think about it* —añadió, dándose unos toquecitos en la sien—. Y vuelvan a pensarlo dos veces antes de relacionarme con esa víbora y con cualquiera que tenga que ver con la banda de Gato. ¿Oyen?

Y se fue, dejando a las dos chicas sin palabras.

—Vaya, vaya, vaya —pudo decir por fin Salima, con los ojos como platos.

Tina daba saltitos de excitación.

—¿Lo has oído? ¿Lo has oído? ¡Rodrigo tenía razón! ¡La banda de Gato sí que tuvo algo que ver con la muerte de Adrián Herrera!

—Eh, eh, para el carro. Rodrigo siempre dice que su hermano no se suicidó y, bueno, alguna vez ha insinuado que esos tipos pudieron haber tenido algo que ver, ¡pero no tiene pruebas!

—¿No lo has oído? Adrián estuvo saliendo con la novia de Gato...

—... Sí, y ella lo plantó para volver con su ex. ¿Y? Seguro que todo esto Rodrigo ya lo sabe. Y la poli también. Y quizá llegaron a la conclusión de que pudo ser una razón para que Adrián se suicidara, no te digo que no. Pero de ahí a echar las culpas a la chica que salía con él, casi como si lo hubiese matado ella...

—No, no, no —cortó Tina, cada vez más nerviosa—. No hablo de ella, sino de Gato. ¿Y si fue él quien lo mató, o lo acosó hasta el punto de obligarlo a suicidarse... porque había estado saliendo con «su» chica?

Salima la miró, atónita.

—Ostras, ostras —murmuró—, ya veo por dónde vas. Pero seguimos sin tener pruebas. ¿Cómo podría demostrarse algo así?

—¡No se puede! —gimió Tina—. Por eso Rodrigo está tan frustrado. Ojalá yo hubiese tenido la oportunidad de espiar a esta gente hace dos años, cuando Adrián se suicidó. Ahora...

—«... El rastro se ha enfriado», como dicen los detectives —asintió Salima—. Pero, de todas formas, tú tenías doce años cuando pasó todo aquello. Aunque hubieses tenido control sobre tus poderes, que no era el caso, ¿cómo habrías manejado una situación así?

Tina hubo de reconocer que tenía razón.

—Y si todo esto es verdad —prosiguió su amiga—, no veo cómo podrías evitar la pelea del próximo sábado. Está claro que el conflicto viene de lejos.

—Bueno, pero eso ya lo sabíamos. Unos y otros se odian desde hace mucho tiempo.

—Sí, pero una cosa es una rivalidad de machos que pelean por el territorio y otra muy distinta... cuando entras en la espiral del «ojo por ojo», no sé si me entiendes. Si uno de ellos muere, y sus amigos hacen responsable al otro bando... no pararán hasta devolver el golpe. Y si lo hacen, los otros responderán. Y así hasta el infinito.

—¿Crees que por eso rondaban a Tati en la discoteca? ¿Para provocar una pelea? Pero Alexis dice que fue ella quien los incitó.

—Da lo mismo quien empezara. Ya nadie va a querer parar.

Tina suspiró, muy preocupada.

—Pero Adrián no era exactamente «de los suyos», ¿cierto?

—Bueno, ya has oído a Alexis. Su mejor amigo, casi como su hermano. A los ojos de esos chicos, merece la protección de la banda. Merece que alguien vengue su muerte.

—Pero ¿por qué ahora, dos años después?

—Quizá no ha sido ahora. A lo mejor llevan desde entonces organizando este tipo de peleas por una razón o por otra, hoy armas la bronca tú, mañana lo haré yo, da lo mismo, la cuestión es pegarse con cualquier excusa. Hasta que alguien salga malherido. O algo peor.

Tina suspiró, preocupada.

—¿Qué puedo hacer para evitarlo? —murmuró, más para sí misma que para su amiga.

Salima la miró, divertida.

—¡Eh, Tierra llamando a superheroína! —le gritó al oído—. ¿Qué te hace pensar que *tú* tienes que hacer algo para evitarlo? ¿De verdad quieres cargar con esa responsabilidad?

Tina no supo qué responder.

—Avisa a la policía si tanto te preocupa —prosiguió Salima—. Pero no te metas en medio, o acabarás mal.

—Eso haré —resolvió ella—. Avisaré a la policía y que se encarguen ellos.

—Sabia decisión.

Sin embargo, Tina fue desgranando los días de la semana sin atreverse a hacer aquella llamada que había prometido. Se justificaba a sí misma diciéndose que, después de todo, no sabía dónde ni a qué hora habían quedado las dos bandas para pelearse, aunque tampoco hacía nada por tratar de averiguarlo. En el fondo era consciente de que no estaba dispuesta a llamar la atención del agente Durán de nuevo. Tal vez no tendría que hablar directamente con él; quizá bastara con dar un soplo anónimo. Pero no quería arriesgarse ni darle motivos para que sospechara de ella.

El viernes por la tarde, Salima le preguntó a la salida de clase:

—¿Y bien? ¿Qué vas a hacer con lo de mañana?

Tina se encogió de hombros.

—Nada —respondió—. ¿Qué iba a hacer yo? Estoy castigada sin salir —concluyó con disgusto.

Salima se rio.

—Qué dura es la vida de la superheroína adolescente —comentó.

—No te burles —protestó su amiga—. Seguro que ni Tormenta ni Wonder Woman tenían que pedir permiso a sus madres para ir a luchar contra las fuerzas del mal. Y aunque lo hubieran hecho, ¿qué les habrían contestado ellas? «No, hija, que tienes que estudiar para el examen de mañana. Ya sé que la ciudad está siendo atacada por una horda de robots asesinos dirigidos por un supervillano lunático, pero no es nada que no pueda esperar hasta el sábado por la tarde». ¿Te lo imaginas? Oye, ¿los superhéroes tienen padres? —le preguntó de pronto a Salima.

—Claro, como todo el mundo, supongo... bueno, Batman no, que es huérfano. Y Spiderman vivía con su tía May. Y Supermán sí tiene padres adoptivos, pero ¿qué le iban a decir ellos, si eran simples humanos? «Claro, hijo, vete a salvar al mundo. Estaremos preocupados por ti porque te queremos y nos importas, pero comprendemos que es tu destino y estamos muy orgullosos de ti». O algo parecido. Y es que, si los héroes tuviesen padres sobreprotectores, las historias épicas no podrían empezar, en primer lugar. Y el mal siempre triunfaría, porque no habría nadie dispuesto a plantarle cara. Por eso no entiendo por qué hay tantos villanos que se empeñan en asesinar a los padres del héroe, los únicos que podrían atarlo corto llegado el caso. Si yo tuviera un plan maestro para conquistar el mundo...

Pero Tina ya no la escuchaba. «Yo no me imagino a mi madre diciéndome que está orgullosa de mí», pensó, alicaída; y cortó el parlamento de Salima, volviendo con cierta brusquedad al tema original de la conversación:

—De todas formas, aunque me dejasen salir este finde, yo no podría hacer nada para evitar la pelea, porque ni siquiera sé dónde han quedado, ni a qué hora. ¿A ti Rodrigo te ha comentado algo?

Salima se quedó pensativa.

—Pues ahora que lo dices, no. De hecho, ha convocado una reunión de redacción para mañana por la tarde, precisamente.

—Eso quiere decir que no sabe nada, ¿verdad? —siguió preguntando Tina, mucho más aliviada.

—Bueno, no lo sé, puede que sí esté enterado y le dé lo mismo, pero... —reflexionó Salima—, sinceramente, no lo parece. Es muy posible que Alexis no se lo haya contado. Para mantenerlo al margen, supongo.

—Para que no acabe como su hermano —añadió Tina con cierta rabia—. Pero él bien que sigue juntándose con esa gente.

—Bueno, a algunos jóvenes les resulta muy difícil renunciar a su grupo de amigos, incluso aunque esos «amigos» se dediquen a ir haciendo el cafre por ahí.

—Pues no veo por qué.

—Por muchos motivos diferentes: se sienten solos, o desorientados, o tienen problemas en casa, o creen que no tienen futuro. Y buscan a gente como ellos, jóvenes con los que tienen algo en común: aficiones, raza, nacionalidad, ideología, religión...

Tina se la quedó mirando.

—¿Estás pensando en alguien en concreto? —le preguntó con suavidad.

Salima sacudió la cabeza.

—Todos conocemos a alguien, ¿no? Especialmente en barrios como este. Pero hablaba en general, y es lo que intento decirte. Mira, ¿recuerdas que el año pasado tuve que hacer un trabajo sobre violencia callejera para la clase de sociales? Pues llegué a una conclusión: los ultras del fútbol, los neonazis, las bandas latinas, incluso los que quieren unirse a esos locos de Estado Islámico, no son tan diferentes.

—Venga ya —sonrió Tina.

—No, lo digo en serio. Por lo general se trata de adolescentes que buscan encajar en un grupo mayor y se expresan mediante la violencia. Es un «nosotros contra el mundo», o «contra los que no son como nosotros». Entre ellos hay chavales que están ahí porque les gusta armar broncas, pero hay otros que... bueno, no se sabe muy bien qué pintan en esos grupos.

Tina asintió, pensativa. «Nosotros somos fuertes porque somos muchos y estamos unidos», había dicho Edwin Alvarado.

—Y el caso es que algunos de ellos, cuando maduran —seguía diciendo Salima—, y si no se han echado a perder del todo, hasta consiguen sentar la cabeza y llevar una vida pacífica y normal. Y recuerdan su etapa de adolescentes violentos como si fuese una enfermedad, como un extraño virus que los atacó en una etapa determinada de su vida.

—Pues yo creo que Kevin Ramírez ha sido siempre un cretino integral, y siempre lo será —opinó Tina con rotundidad.

—Él puede que sí, pero ¿qué me dices de Alexis, por ejemplo? O los chicos de la banda de Gato. Tú los has visto de cerca, sabes cómo piensan. ¿Son todos tan psicópatas como Kevin o como su líder?

Tina pensó en Armando, que no quería pelear, pero sentía que tenía que hacerlo para proteger a su hermano menor... ¿de qué? ¿De convertirse en un blanco fácil para la banda rival?

Pensó también en Esteban, que sin duda prefería pasar las tardes jugando al baloncesto en lugar de ir por ahí vendiendo droga; o incluso en Nelson, que estaba loco por la dulce Noemí, y que mantenía con ella una relación tierna y cómplice, muy diferente del borrascoso noviazgo entre Gato y Tatiana.

—Algunos parecen majos —admitió—. Pero en grupo son...

No terminó la frase. En su mente resonaban aún las palabras de Edwin, con la inevitable fatalidad de un oráculo funesto: «Somos lo que somos. Y somos mejores cuando somos más y estamos unidos».

—Intentas decirme que no sirve de nada que trate de impedir la pelea, ¿verdad? —murmuró—. Que habrá otras. Y que es normal que algunos jóvenes formen grupos de la clase que sea, para pegarse con otros grupos de jóvenes, por las razones que sean. Que es algo relacionado con las hormonas, o con la testosterona, o con la genética humana, sin más.

—Yo no creo que sea normal, pero sí «habitual» —puntualizó Salima—. Y que algo sea habitual, o incluso normal, no significa siempre que esté bien.

—Claro que no.

—No sé hasta qué punto está Alexis metido en la banda de Jimmy, ni hasta qué punto son peligrosos. Pero, si Rodrigo no está al tanto de todo esto, ¿sabes qué te digo?, que mejor para él.

En eso estaban ambas de acuerdo.

—Entonces, ¿qué harás? —le preguntó finalmente Salima cuando ya se despedían para ir cada una a su casa—. ¿Llamarás a la policía?

—Ya es tarde para eso, creo —respondió Tina—. Me faltan datos, y no creo que pueda averiguarlos de aquí a mañana.

—Bueno, espero que no llegue la sangre al río. Ya intentaremos descubrir el lunes cómo fue todo.

Sin embargo, Tina se quedó pensando en ello. Tampoco podía ya salir de su casa a escondidas por las noches, porque su madre había empezado a confiscarle las llaves después de cenar, «solo por si acaso», según decía; pero esto no se lo había contado a Salima, porque le daba vergüenza confesarlo. Así que no tenía la posibilidad de ir a rondar por las canchas, para ver si averiguaba dónde y a qué hora se iba a producir la pelea entre las dos bandas. Por una vez, tendría que limitarse a mantenerse al margen.

Aquella noche, sin embargo, le costó mucho conciliar el sueño, y cuando lo hizo durmió poco y mal. Se despertó ojerosa, aún inquieta, sin saber muy bien por qué.

Algo en su interior le decía que tenía que hacer algo, investigar, intervenir si era necesario. Pero no sabía por dónde empezar y, de haberlo sabido, tampoco estaba segura de que su actuación pudiese marcar la diferencia de algún modo.

Pasó toda la mañana ensimismada, tratando de convencerse a sí misma de que no había nada que pudiera hacer y que, en todo caso, tampoco era responsabilidad suya.

Su madre le dijo que la acompañara a hacer la compra, y ella obedeció, con la cabeza todavía en otro sitio.

Solo volvió a la realidad cuando, ya de camino a casa, el rótulo de un establecimiento llamó su atención: «Bar Ayala», leyó, y el corazón empezó a latirle con más fuerza.

El bar de Jimmy.

Tina nunca había entrado allí, pero tenía entendido que su plato estrella, las típicas alcapurrias puertorriqueñas, tenía bastante éxito entre los habituales.

Se detuvo en seco.

—¿Qué haces, Valentina? —la reconvino Camila, cargada con las bolsas de la compra.

—Aguarda un momento, mamá, voy por agua.

—¿Qué?

—Que tengo sed...

Y, sin esperar respuesta, Tina soltó las bolsas a los pies de su madre y entró en el bar.

Pero se detuvo en la puerta, intimidada de pronto. Estaba demasiado acostumbrada a moverse por donde le apetecía cuando era invisible, y a veces se olvidaba de que no siempre contaba con aquella ventaja.

El interior del local era pequeño, pero acogedor. La pared del fondo estaba ocupada por una gigantesca bandera de Puerto Rico, y las otras tres desaparecían literalmente bajo un collage de posters, fotos y recortes de prensa enmarcados. Tina se disponía a examinarlos más de cerca cuando la chica de la barra llamó su atención:

—¿Qué se te ofrece?

Tina se aproximó, con timidez.

—Sí, yo... —Se quedó en blanco durante unos angustiosos segundos hasta que recordó por fin la excusa que le había dado a su madre—. Eh... ¿me pones un vaso de agua, por favor?

—Ahorita mismo, corazón.

Mientras la joven llenaba el vaso, Tina miró a su alrededor, sin tener muy claro todavía por qué había entrado allí. A Jaime Ayala, alias *Jimmy*, no se lo veía por ninguna parte.

—Aquí tienes —le dijo de pronto la chica, devolviéndola a la realidad.

Tina alargó la mano para coger el vaso, pero se quedó paralizada de pronto al ver al dueño del bar saliendo de la trastienda.

Jimmy era un joven de unos veinticinco años, alto y musculoso, con los brazos completamente tatuados. Llevaba el cabello muy corto y la frente despejada, y sus largas patillas enmarcaban un rostro alargado, de mirada calmosa y sonrisa serena. Tina apreció que tenía la nariz torcida; seguramente se la había roto en alguna pelea, tiempo atrás.

—¿Querías algo más? —le preguntó entonces, sobresaltándola; y Tina se dio cuenta, turbada, de que había estado mirándolo fijamente.

—N... no, yo... ya me iba —farfulló, roja como un tomate.

Terminó de beber y salió del bar, furiosa consigo misma por haber tenido la ocurrencia de entrar allí. ¿Qué esperaba encontrar? ¿A los chicos de la banda de Jimmy planeando el próximo movimiento de su guerra contra los de Gato?

Mientras su madre se quejaba porque había tenido que esperarla con todas las bolsas de la compra durante casi diez minutos al sol, Tina reflexionaba. Le había parecido que Jimmy estaba muy tranquilo, y se preguntó si estaría involucrado en las actividades de los amigos de Alexis. ¿Seguirían siendo realmente «la banda de Jimmy»? ¿O solo se hacían llamar así por respeto al que la fundó? Lo cierto era que Jimmy parecía muy satisfecho con su bar y, por lo que Tina sabía, no le iba del todo mal. Tenía entendido que había pasado una temporada en la cárcel, dos meses o tal vez dos años, no lo sabía con seguridad. Quizá Jaime Ayala fuese, después de todo, uno de aquellos chicos que habían superado con éxito el «extraño virus» del que le había hablado Salima. Tina suponía que no debía de resultar fácil pasar de ser un delincuente juvenil a regentar un bar como aquel. Quizá sus antiguos amigos lo admiraran por ello, o puede que lo considerasen una especie de traidor al grupo. Lo cierto era que Tina no tenía idea de cuál era la relación de Jimmy con los jóvenes con los que Gato y sus amigos se iban a pelear aquella misma tarde, por lo que llegó a la conclusión de que no valía la pena seguir dándole vueltas.

Además, y a pesar de que hubiese dedicado tanto tiempo a espiarlos, en el fondo aquellos chicos no tenían nada que ver con ella. Lo que se hiciesen unos a otros no era asunto suyo.

O, al menos, eso pensaba, hasta que aquella misma tarde, justo después de comer, Salima llamó al telefonillo de su casa.

15

—¿Quién podrá ser a estas horas? —se preguntó Camila desconcertada.

Presa de un oscuro presentimiento, Tina corrió a responder, con el corazón latiéndole con fuerza.

—¿Sí? ¿Quién es?

—¡Tina! —oyó la voz de Salima por el telefonillo—. Tengo que decirte algo, y creo que es importante. ¿Puedes bajar?

—¿Quién es? —preguntó Camila desde el salón.

—Una amiga, mamá. Tiene que decirme algo. ¿Puedo bajar un momento?

—No, Valentina. Estás castigada.

—Pero... —Tina se estrujó los sesos para encontrar una excusa creíble—, pero es que me trae mi libro de matemáticas, mamá. Lo necesito para estudiar el examen de la semana que viene.

—¿Y por qué tiene ella tu libro de matemáticas?

—Se lo presté para que hiciera unas fotocopias y olvidó devolvérmelo el viernes —respondió Tina, admirada de la facilidad con la que ensartaba una mentira tras otra sin que le temblara la voz—. Es solo un momento, mamá. Diez minutos y subo.

—Que sean cinco.

—¡Ahora bajo! —le respondió ella a su amiga.

En un momento se plantó en el portal. Allí la esperaba Salima, visiblemente nerviosa.

—¿Qué? ¿Qué ha pasado?

—Bueno, a lo mejor no es nada, pero... —vaciló ella—. En fin, ¿recuerdas que te dije que tenía una reunión del periódico esta misma tarde?

—Sí, ¿y?

—Pues que ahora nos ha llamado Rodrigo a todos para decirnos que él no va a poder asistir.

—¿Y eso por qué?

—Se lo he preguntado, pero no me ha querido responder. Ha dicho que le había surgido algo y ya está, que no podría venir y que sería mejor que cambiásemos el día.

Tina entendió al momento lo que Salima estaba insinuando.

—¿Crees que tal vez...? —se atrevió a preguntar.

Ella sacudió la cabeza.

—No sé, no sé, quizá me estoy montando la película, pero ¿y si se ha enterado de lo de esta tarde y ha decidido participar?

Tina respiró hondo, tratando de calmarse.

—Bueno, no nos pongamos nerviosas. Puede ser cualquier cosa. Algún tipo de compromiso familiar, por ejemplo.

Salima asintió, aunque no parecía muy convencida.

—Sí..., sí, eso debe de ser. Pero el caso es que me pareció que estaba raro...

—¿Cómo de raro?

—Bueno, normalmente cuando no quiere responder a una pregunta se va por las ramas, o contraataca con alguna réplica de las suyas... pero esta vez, cuando le he preguntando qué planes tenía para esta tarde, me ha contestado sin más: «No es asunto tuyo», de forma muy cortante y un poco borde, por cierto.

Tina no dijo nada. Seguía pensando.

—Quizá no sea nada —continuó Salima—, y, además, ahora que lo pienso, tampoco podemos hacer gran cosa al respecto, ¿verdad?

—Bueno —respondió Tina lentamente—, yo podría tratar de seguirlo cuando salga de casa. ¿Sabes dónde vive?

Salima negó con la cabeza.

—Pues entonces tendré que vigilar a alguno de los de la banda de Gato —reflexionó Tina en voz alta—. Sé dónde vive Suso. Pero necesitaría saber cuándo va a salir. ¿A qué hora habíais quedado para lo del periódico? —le preguntó a Salima.

—A las seis.

—Entonces seguro que la pelea no es por la noche, ni tampoco a última hora de la tarde. Porque en ese caso Rodrigo podría haber asistido a la reunión y después ir a pegarse con los demás.

—Suena tan raro eso... No imagino a Rodrigo pegándose como un vulgar matón de barrio, la verdad. A lo mejor lo estoy sacando todo de quicio.

—Bueno, no sé. Intentaré descubrir algo más y ya mañana te cuento, ¿vale?

Salima asintió; Tina se despidió de ella y no se entretuvo más, preocupada porque había superado ya el plazo de cinco minutos que le había concedido su madre.

Mientras subía por las escaleras iba cavilando sobre la información que Salima le había transmitido. Rodrigo podría haber cancelado la reunión por múltiples razones, pero existía la posibilidad de que, en efecto, tuviese intención de participar en la pelea. Era cierto que no era propio de él comportarse como «un vulgar matón de barrio», como decía Salima; pero no le faltarían motivos para intervenir llegado el caso: para apoyar a su amigo Alexis, por ejemplo, o para vengarse de aquellos a quienes hacía responsables de la muerte de su hermano.

Tina estaba inquieta por Alexis, porque le caía bien, y tampoco deseaba que Armando saliese malparado; pero, sobre todo, le angustiaba mucho la idea de que Rodrigo pudiera sufrir algún daño.

Cuando entró de nuevo en casa se topó con Camila, que la esperaba en el recibidor con los brazos en jarras.

—Ya está, mamá... —empezó Tina; pero su madre la interrumpió:

—¿Y el libro?

—¿El libro?... —repitió la chica, desorientada; entonces se acordó de su mentira—. ¡Ah, el libro!... Pues verás...

—Me mentiste, ¿verdad? —cortó Camila—. No había ningún libro de matemáticas.

—Bueno...

—¿Y quién era esa amiga que te llama con tanta urgencia? No será la mora, ¿verdad?

—No —respondió Tina demasiado rápido.

—Otra mentira.

Camila levantó la mano y Tina se encogió sobre sí misma, atemorizada.

—¡Espera, espera! Tienes razón, era Salima —dijo atropelladamente—, y no tenía que devolverme el libro de mates ni ningún otro. Solo quería... contarme un chisme.

Esperaba que el propósito inocente de aquella visita aplacara a su madre, pero solo consiguió enfurecerla aún más.

—¿Qué? ¿Y por un chisme te atreves a mentir y desobedecer a tu madre, Valentina?

—Era... Mamá, si solo han sido cinco minutos...

—¡Ni aunque fueran cinco segundos! Te dije que no podías salir, y eso es lo único que tienes que saber. Te quedarás castigada un mes más, por embustera y desobediente.

Tina se quedó con la boca abierta.

—¿Qué? Pero..., mamá, yo te iba a pedir que me dejases salir esta tarde... solo esta tarde, y ya luego si quieres me castigas un mes, o dos...

Su madre dejó escapar una carcajada incrédula.

—¡Miren qué niña! Por supuesto que no vas a salir, Valentina; ni esta tarde, ni mañana, ni la semana que viene. Y a la próxima, ya veremos.

Tina luchó por no dejarse vencer por el pánico, pero la voz le temblaba cuando replicó:

—Tengo que hacer algo muy importante esta tarde.

Camila se rio.

—¡Puras sandeces! ¿Qué sabes tú de lo que es importante? Solo tienes catorce años, ¿es que te piensas que vas a salvar al mundo?

Tina hacía titánicos esfuerzos por reprimir las lágrimas.

—No..., pero..., sí que hago cosas importantes, aunque tú no lo creas.

—Sí, claro..., contar chismes con las amigas.

—¡No es lo único que hago! —se defendió Tina.

Quiso hablarle a su madre de todas las veces que había evitado un robo o una agresión, de cómo escarmentaba a los delincuentes, de aquellas ocasiones en las que había ayudado a la policía a detener a un criminal. Quiso compartir todo eso con ella, porque en el fondo de su corazón sabía que era bueno, que estaba bien, y se sentía orgullosa de ello; pero calló, porque tenía la certeza de que su madre no lo comprendería y, por descontado, no lo aprobaría.

—La única responsabilidad que tienes son tus estudios, y ni siquiera eso lo haces bien. ¿Quieres que hablemos de tus calificaciones?

Tina sacudió la cabeza, mortificada.

—Deberías esforzarte más —prosiguió Camila, implacable—. No pretendo que llegues a la universidad, que tanto no espero de ti, pero podrías intentar acabar la educación secundaria por lo menos. Y luego ya veré qué hago contigo para que no seas una pobre desgraciada toda tu vida.

—¡Mamá, yo no soy una pobre desgraciada!

—Por eso —continuó su madre sin escucharla—, no voy a consentir que pierdas el tiempo callejeando. Te vas a quedar en casa estudiando y haciendo tus tareas, que es lo único que te pido que hagas. Y si te ves incapaz de hacerlo bien, Valentina, voy a terminar pensando que de verdad eres tan inútil como pareces.

Tina se quedó sin respiración.

—¿Cómo... cómo puedes decirme eso? —consiguió articular.

Camila pareció ablandarse un poco.

—Es por tu bien, Valentina. Soy tu madre y te conozco mejor que nadie, que por algo te parí. Por eso has de entender que todo lo que te digo, aunque me duela, lo digo por ayudarte. Para que salgas adelante en la vida y no acabes tirada en cualquier esquina. ¿Cómo crees que me sentí cuando vi a la policía en la puerta de mi casa la semana pasada?

—¡Pero si los llamaste tú!

—¿Y por qué los llamé? Pues porque me tenías preocupada. No me veas como tu enemiga, porque no lo soy. ¿Quién te querrá más que tu madre? Nadie, mi niña, nadie.

Abrió los brazos, invitándola a refugiarse en ellos. Y Valentina lo habría hecho, tal vez, tiempo atrás, probablemente pensando que era muy afortunada por tener una madre tan abnegada, una madre que la quería a pesar de su torpeza y su falta de cualidades reseñables. Pero en aquel momento, el último sitio en el que quería estar era allí mismo, en su casa, cerca de aquella mujer que, de pronto, le parecía una completa desconocida.

La miró, todavía anonadada, y pronunció por primera vez en voz alta un pensamiento que llevaba tiempo anidando en su mente y en su corazón:

—Si me quisieras de verdad, no me dirías esas cosas.

Camila dejó caer los brazos, desconcertada.

—¿Cómo dices?¡Soy tu madre! ¿Cómo no te voy a querer?

—Nunca ves nada bueno en mí —siguió ella, con los ojos llenos de lágrimas—. Siempre me estás criticando y nada de lo que hago te parece suficiente. Si creyeras un poquito en mí... Si supieras quién o cómo soy realmente...

—¿Que no sé cómo eres? —estalló Camila—. No te pongas tan alzada, Valentina. ¿Quién crees que te parió? ¿Quién te crio? ¿Quién aguanta a diario tus impertinencias de adolescente presuntuosa? ¡Conozco muy bien tus límites y tus capacidades, y es mi responsabilidad como madre impedir que cometas los mismos errores que yo cometí! Yo solo lo hago por tu bien, hija. Y tú...

—Yo ya no puedo más —cortó Tina; las lágrimas corrían por sus mejillas, pero no hizo nada por secárselas—. Lo siento, mamá, pero no soporto que me sigas haciendo daño. Adiós.

Y, sin esperar respuesta, dio media vuelta y corrió hacia la puerta.

Oyó la voz de su madre a su espalda.

—¡Valentina! Como cruces esa puerta...

Pero no se detuvo. Salió de su casa como una exhalación, y corrió escaleras abajo.

—¡Valentina! —chilló su madre desde el rellano—. ¡Vuelve acá inmediatamente!

Tina no la obedeció. Cuando llegó al portal, no le sorprendió comprobar que, en algún momento de su precipitada huida, se había vuelto invisible sin darse cuenta.

Salió a la calle y siguió corriendo, corriendo, corriendo, hasta que ya no pudo más. Entonces se detuvo a recuperar el aliento. Le costaba poner en orden sus pensamientos, por lo que encaminó sus pasos al parque y se sentó en un banco solitario para reflexionar.

¿Se había escapado de casa? Se le encogió el estómago de miedo al pensar en esa posibilidad. Lo cierto era que no se lo había planteado al salir corriendo de esa manera; lo único que había pasado por su cabeza en aquel momento era huir, escapar a cualquier otra parte. Y ahora que había puesto tierra de por medio entre ella y su madre, se sentía mucho más tranquila. En paz.

Se quedó un rato contemplando a la gente que pasaba por el parque, pensativa. Le gustaba poder observarlos con la certeza de que ellos no podían detectarla. No lo hacía con intención de espiarlos, sino porque quería sentirse parte de un mundo en el que, por alguna razón, le parecía que todavía no encajaba. Cuando caminaba invisible por la calle, mezclándose con la gente, perdía el miedo a que la juzgaran y, sobre todo, se olvidaba de juzgarse a sí misma. Como si, en aquellos momentos, «estoy aquí» tuviera mucho más peso que «soy yo».

Quizá porque no le gustaba ser ella misma. O, al menos, ser de la forma que era. Pero cuando se volvía invisible, podía ser cualquier cosa, hacer cualquier cosa, sin que nadie expresara su opinión al respecto.

Tina cerró los ojos. «Libertad», se dijo. «Libertad para ir a donde quiera, para hacer lo que quiera, sin que nadie me diga nada. Porque no me ven».

Su madre tampoco la veía, pensó de pronto, con un suspiro. Ni siquiera cuando no hacía uso de su poder. Tenía una idea prefijada de ella, de cómo era y de cómo debía ser. Pero, a pesar de lo que dijera, no la conocía en realidad.

Porque no la veía. Porque no la miraba. Y, cuando lo hacía, superponía a su imagen verdadera una proyección de la hija que ella creía tener. Una imagen que se había quedado congelada en algún momento entre su nacimiento y el final de su infancia, pero que no había ido más allá.

«No quiero volver a casa», decidió Tina. «No quiero volver a casa».

O, al menos, no inmediatamente. Respiró hondo y se preguntó qué podía hacer el resto de la tarde.

Y entonces se acordó de la pelea.

Veinte minutos después, ya rondaba por el portal de la casa de Suso, con la esperanza de que no hubiese salido todavía. No sabía qué hora era, porque su reloj se había vuelto invisible con ella, pero Salima había llamado a su puerta en torno a las tres de la tarde. No debían de ser más de las cuatro.

Aún tuvo que esperar casi dos horas antes de ver aparecer a Suso. Lo vio salir del portal, con expresión seria y resuelta y una mochila negra pendiendo del hombro, la misma que Berto le había entregado en el parque semanas atrás. Probablemente ya no hubiera droga en su interior, se dijo Tina; pero no pudo evitar preguntarse si no contendría ahora alguna otra cosa igualmente dañina.

Siguió a Suso hasta las canchas de baloncesto, donde se había reunido un buen número de jóvenes. Estaban todos los de la banda de Gato, pero también había una docena más que Tina no conocía. Todos parecían nerviosos y emocionados al mismo tiempo; intercambiaban abrazos y palabras de ánimo mientras Gato se paseaba entre ellos, saludando y haciendo recuento de sus fuerzas. Regañó públicamente a Kevin Ramírez por sacar su navaja para alardear de ella, y recordó a sus compañeros que debían ser discretos.

Tina aguardó, impaciente; pero el tiempo pasaba y no se

veía ni rastro del otro grupo. «Quizá han decidido que no quieren pelear después de todo», pensó, esperanzada.

Sin embargo, al cabo de unos veinte minutos el móvil de Gato comenzó a sonar. Tina prestó atención a la conversación y descubrió que se trataba de un rezagado que llamaba para avisar de que aún tardaría un poco más. Gato le echó en cara que los tuviera a todos esperando.

—A las seis y media nos vamos, *man*, no podemos aguantarte más —le advirtió—. ¿No sabes dónde es? No, no, no... Cruzando las vías nomás... en el descampado... donde la vieja factoría, ¿cachas?

Tina atrapó el dato al vuelo. Conocía el lugar; estaba a las afueras del barrio, casi en los límites de la ciudad. No se trataba de una fábrica en realidad, sino de un antiguo polígono industrial de apenas una docena de naves que tiempo atrás habían echado el cierre, una tras otra. Justo a la entrada, al otro lado de las vías del tren, como había indicado Gato, había una enorme explanada reservada para la ampliación del polígono, y que ahora no era más que un terreno minado de basura y devorado por las malas hierbas.

Se trataba, en efecto, de un lugar lo bastante aislado como para que la pelea pudiese desarrollarse sin interrupciones.

Tina no necesitaba saber nada más, por el momento. Dejó atrás a la banda de Gato y se encaminó a paso ligero hacia el lugar de la cita.

Tardó veinte minutos en llegar a su destino y, cuando lo hizo, descubrió que no había nadie allí, salvo un trapero que andaba revolviendo con un palo entre la basura. Desconcertada, merodeó por el lugar durante un rato; localizó un promontorio en el límite del descampado, donde las vías del tren trazaban una curva, y decidió trepar hasta lo alto para vigilar desde allí.

Y fue entonces cuando, para su sorpresa, descubrió que

ya había alguien apostado tras los matorrales, tumbado bocabajo y con una cámara de fotos entre las manos.

Tina había estado a punto de pisarlo. Retrocedió con una exclamación de alarma, y el espía se incorporó sobresaltado.

—¿Quién anda ahí? —preguntó, mirando a su alrededor con suspicacia.

Tina inspiró hondo. Era Rodrigo.

Pensó con rapidez. Como no podía verla, la opción más sensata sería retirarse discretamente. Pero no quería marcharse sin más, sin hablar con él ni tratar de averiguar qué pretendía allí escondido. Parecía obvio que tenía intención de fotografiar la pelea, pero ¿se limitaría a ser un mero observador?

Tina se ocultó tras unos árboles para recuperar la visibilidad. En cuanto lo hizo, se sintió de pronto desnuda y vulnerable. Notó con inquietud, de hecho, que le temblaban las piernas cuando salió de su escondite para mostrarse ante Rodrigo.

—¡Ssshh, baja la voz! Soy yo, Tina.

Él la contempló con incredulidad.

—¿Tina? ¿Qué haces aquí? ¿Dónde está Salima? —añadió, mirando a su alrededor.

Ella se inclinó a su lado, molesta.

—Salima no está —le informó—. He venido yo sola. Agáchate, que te van a ver —añadió, obligándolo a ocultarse tras el matorral.

Porque en aquel momento un grupo de jóvenes cruzaba las vías del tren. Tenían entre quince y veintipocos años; vestían pantalones anchos y chaquetas amplias, y se cubrían la cabeza con gorras o pañuelos blancos, rojos o azules; algunos llevaban una bandera de Puerto Rico atada al cuello a modo de capa.

—Ya están aquí —murmuró Tina con un estremecimiento.

Eran los chicos de la banda de Jimmy; Tina los observó con atención en busca de algún rostro familiar.

—¿Sabes quiénes son? —preguntó Rodrigo.

—Sí, aunque solo conozco a Alexis. Y a algún otro de haberlo visto por el barrio. Pero a Jimmy no lo veo.

—Hace mucho que ya no va con ellos. ¿Ves a ese chaval alto de rubio teñido? Se llama Luis Daniel, y es el jefe al que siguen ahora.

—Ajá —murmuró Tina, reteniendo el dato.

—¿Y sabes a qué han venido? —siguió tanteando él.

—Claro. He visto a los de Gato en las canchas. También estaban reuniendo a gente. No tardarán en aparecer por aquí.

—¿Y cómo sabías...? Bueno, es igual. —Rodrigo se interrumpió y decidió cambiar la orientación del interrogatorio—. ¿Cuántos eran, los de Gato?

—Entre veinte y veinticinco, no sé bien. De todas formas, cuando me fui todavía estaban esperando a más gente.

—¿Estabas con ellos?

—No con ellos, cerca de ellos, que no es lo mismo —puntualizó Tina—. Espiando. Igual que tú.

Rodrigo se aferró a su cámara fotográfica.

—Yo no estoy espiando —protestó—. He venido a la caza de pruebas que puedan empapelar a esos payasos de una vez por todas.

—Pero Alexis ha venido también —señaló Tina.

—Ya lo sé —replicó Rodrigo, irritado—. ¿Por quién crees que me enteré de esto? Intentó ocultármelo, pero no soy tonto. Y también tengo otras fuentes. Pero tú, ¿qué haces aquí? Si no estás con Salima...

—He venido sola —atajó ella, decepcionada porque el chico solo la viera como una especie de apéndice de Salima—. Tengo una cuenta pendiente con Kevin Ramírez. Nos hacía la vida imposible a mí y a mi mejor amiga en el colegio, creo que te lo comenté.

—Me dijiste que acosaba a niños más pequeños que él, cosa que ya sabía. Lo otro, no. —La miró con cierto interés—. ¿Y qué quieres hacer exactamente? ¿Venías a unirte a la pelea, o algo parecido?

—¡No! Solo... —Se interrumpió; no podía contarle que había llegado hasta allí porque estaba preocupada por él—. Solo quería ver qué pasaba —pudo decir por fin, sintiendo que enrojecía involuntariamente.

—Pero...

—Mira, ya vienen —interrumpió Tina.

Se asomaron con precaución para ver al grupo de adolescentes que cruzaba las vías en aquel momento, con Gato a la cabeza. Tina se percató de que su vestimenta también seguía un código de colores concreto: rojo, azul y amarillo, la bandera de Ecuador.

—Es como si fueran disfrazados —murmuró, sobrecogida.

—En parte es así —respondió Rodrigo en el mismo tono—. Muchos llevan tatuajes identificativos también, pero eso no llama la atención, a no ser que se los veas de cerca. Los colores, en cambio, los señalan desde lejos, y la policía los conoce muy bien. Por eso los pandilleros solo recurren a ellos en ocasiones especiales. Como la de hoy.

—¿Crees que se van a pegar porque proceden de países distintos?

Rodrigo negó con la cabeza.

—No, eso es solo una excusa como otra cualquiera. Son más las cosas que tienen en común que las que los diferencian, pero aun así se consideran enemigos desde que tengo uso de razón. Unos y otros se creen los dueños del barrio y se lo disputan a puñetazos.

—Me cuesta creer que Alexis se mezcle con esta gente...

—A mí también —musitó Rodrigo—. Pero no lo culpo. Si Gato tuvo algo que ver con la muerte de mi hermano...

—Sé que Adrián estuvo saliendo con Tatiana, la novia de Gato.

Rodrigo se volvió hacia ella.

—¿Y cómo sabes eso?

—Bueno, la gente habla. ¿Piensas que lo mataron? ¿Y que fue por...?

—No pienso nada —cortó él—. No hay pruebas... y por eso sigo investigando.

Tina centró su atención en lo que sucedía en el descampado. Los dos grupos se habían encontrado. Allí estaban Gato, Kevin y los demás, y también Alexis, en el otro bando. No había ninguna chica entre ellos.

Gato cruzó unas breves palabras con Luis Daniel, el líder del grupo contrario.

—¿No deberíamos hacer algo? —preguntó Tina, inquieta, mientras Rodrigo preparaba su cámara.

—¿Y qué quieres que hagamos?

—¿Llamar a la policía, por ejemplo?

—Si lo hacemos, esos pájaros de ahí abajo saldrán volando antes de que lleguen. Ni los pillarán ni conseguiré las fotos que he venido a buscar.

Tina iba a responder cuando, de pronto, los dos grupos rivales lanzaron salvajes gritos de guerra.

Y la pelea comenzó.

16

Al principio, los dos bandos estaban claramente diferenciados. Cada uno de sus miembros se había abalanzado sobre un rival, y Tina apreció que buscaban siempre a alguien que fuera aproximadamente de su tamaño y complexión. Gato peleaba contra Luis Daniel, y Alexis se había enzarzado con Nelson. Puñetazos, golpes, patadas, zancadillas... cualquier cosa valía, pero Tina advirtió que nadie había sacado ningún arma, al menos por el momento.

A su lado, Rodrigo también esperaba, tenso, con la cámara a punto. No había hecho todavía ninguna foto, y Tina comprendió con inquietud que él sí deseaba que pasaran a mayores, para poder retratarlos cometiendo un delito más grave. Ella sabía con certeza que los de Gato llevaban armas blancas, pero ¿y los otros?

—¿Qué está pasando ahí? —murmuró entonces Rodrigo, desconcertado.

Tina comprendió enseguida lo que quería decir. Varios integrantes de la banda de Jimmy habían dejado de lado a sus rivales para buscar a Gato, todos a una. Este lanzó una exclamación de advertencia, pero en apenas unos momentos se vio rodeado por seis jóvenes que lo golpeaban con violencia.

Sus amigos trataron de ayudarlo, y pronto se creó un confuso montón en el que era difícil distinguir los rostros de los contendientes. De pronto, todos se echaron hacia atrás con cierta alarma, y Tina distinguió el brillo de una navaja en la mano de Gato.

Y aquello fue lo único que necesitaron sus compañeros para sacar sus armas también: cuchillos, navajas, puños americanos y hasta destornilladores y trozos de vidrio punzantes.

—Sabía que empezarían ellos —gruñó Rodrigo, alzando la cámara.

Comenzó a fotografiar la escena, mientras Tina se preguntaba si la finalidad del ataque grupal a Gato no sería, precisamente, obligarlo a defenderse de aquella manera.

Los de Jimmy no parecieron impresionados ante aquel despliegue de armas blancas. Antes de que sus enemigos pudiesen aprovecharse de su ventaja, todos a una sacaron su propio arsenal, no menos temible que el de Gato y sus amigos.

Y se reanudó la pelea. En esta ocasión, los combatientes se mostraban algo más cautos, calculando los movimientos de sus rivales, esquivando embestidas y esperando la ocasión de lanzar un contraataque. Todos estaban ya magullados por los golpes recibidos, y no tardaron en aparecer las primeras heridas con sangre, los primeros gritos de dolor, los primeros caídos. Tina notó que Rodrigo estaba cada vez más nervioso.

—No puedo más —dijo el chico finalmente, levantándose de un salto.

—Espera, ¿qué haces? ¿A dónde vas?

—A sacar a Alexis de ahí antes de que lo cosan a navajazos —respondió él, depositando su cámara entre las manos de Tina—. Toma, cógela.

—¿Qué? ¿Estás loco?

—Tú sigue haciendo fotos, alguna valdrá. O mejor aún, grábalo todo en vídeo; mira, es este botón.

—¿Qué?

Pero Rodrigo ya trotaba ladera abajo. Tina se quedó desconcertada, con la cámara entre las manos y sin saber cómo actuar. Que ella supiera, Rodrigo no tenía ningún arma, y era bastante menos robusto que la mayoría de los chicos que participaban en la refriega.

—Esto ya ha pasado de castaño oscuro —murmuró, dejando la cámara en el suelo.

Hurgó en la mochila de Rodrigo hasta que dio con su móvil. Sintió un cierto remordimiento al usarlo sin permiso, pero lo sofocó al considerar que, después de todo, no tenía otra opción. Su madre seguía negándose a comprarle un teléfono, y después de la discusión de aquella tarde no podía esperar que se lo regalase la próxima Navidad.

Con manos temblorosas, marcó el 091. Sintió una mezcla de temor y alivio al oír la voz al otro lado:

—Policía, dígame...

—¡Hola! —saludó ella atropelladamente—. ¡Hay una pelea en mi barrio! Son como unos cincuenta chicos, llevan navajas, cuchillos... ¡se van a hacer daño! Por favor, ¡que venga alguien cuanto antes!

Detalló su ubicación y, cuando se aseguró de que habían tomado nota, colgó sin despedirse ni facilitar ningún dato personal. Después devolvió el teléfono a la mochila, respiró hondo y se volvió invisible.

Cuando llegó a la altura de los que peleaban se detuvo un momento, indecisa. Todo parecía mucho más caótico desde aquella perspectiva. Puños, filos, cuerpos que se abalanzaban violentamente sobre otros cuerpos... Tina podía reconocer algunos rostros, pero otros estaban demasiado magullados o cubiertos de sangre. Había un chico tirado en el suelo, que gemía de dolor mientras otros dos lo golpeaban. Parecía, sin embargo, que nadie quería matar a nadie, al menos por el momento, aunque Gato seguía rodeado por varios contrincantes que buscaban un hueco en su defensa para derribarlo.

Tina se deslizó entre los jóvenes con precaución. Comprendió que era muy fácil que la hiriesen sin darse cuenta, y pensó que quizá no debería haberse vuelto invisible para acercarse a ellos. Tenía que encontrar a Rodrigo cuanto antes y sacarlo de allí...

De pronto, alguien chocó contra ella y la arrojó al suelo. Tina apartó como pudo el cuerpo del pandillero, que gritó alarmado al sentir aquellas manos invisibles sobre él, y se arrastró por el suelo, aturdida. Rodó para evitar que otro la pisara e hizo tropezar a un tercero, que cayó sobre ella. Agobiada, se alejó gateando, buscando huecos entre aquel bosque de piernas. Por fin oyó la voz de Alexis:

—¿Te has vuelto loco? ¡Vete!

—¡No! —le replicó Rodrigo—. ¡He venido a llevarte a casa antes de que tengas que lamentarlo!

Tina se puso en pie y, esquivando a los contendientes, logró por fin alcanzar a su amigo.

Rodrigo y Alexis se habían apartado un poco y discutían acaloradamente. Alexis tenía un corte sobre la ceja que sangraba aparatosamente y sostenía una navaja en la mano derecha. Parecía al mismo tiempo una fiera temible y un chaval perdido y desamparado, pero Tina no se entretuvo en descifrar aquella incoherencia. Rodrigo intentaba arrebatarle el arma a Alexis, que forcejeaba con él, irritado.

—¡Déjalo ya, te vas a lastimar!

—¡No, eres tú el que te vas a hacer daño como no sueltes eso! ¿Qué diría Adrián si te viera así?

La mención a su amigo muerto hizo que Alexis se detuviera en seco. Y Tina, que estaba ya muy cerca de ellos, pudo ver como el rostro del joven puertorriqueño se ensombrecía al responder:

—Por Adrián precisamente estoy haciendo esto, Rodrigo.

Tina comprendió entonces que su poder no serviría de nada en aquella batalla. Se volvió visible de pronto, con el consiguiente sobresalto de Alexis.

—¡Diantre! ¿De dónde sales, tú?

—¡Vengo a buscaros! —respondió Tina sin hacerle caso; confiaba en que, en la confusión de la pelea, nadie más se hubiera percatado de la maniobra.

—¿Qué? —soltó Rodrigo—. Pero te pedí...

—¡La policía está de camino! —cortó ella.

Los dos abrieron los ojos como platos.

—¿Qué? ¿Cómo...?

—No hay tiempo para explicaciones, he oído las sirenas —mintió Tina—. Tenemos que marcharnos ya.

Rodrigo asintió, e hizo ademán de seguir a su compañera. Pero Alexis se quedó allí plantado, aún con la navaja en la mano.

—Ustedes no lo entienden —dijo—. No puedo ser el primero en salir corriendo. No soy un cobarde.

—Pero... —empezó Rodrigo.

No pudo terminar. Justo entonces se oyó un grito de guerra, y el enorme Kevin Ramírez se abalanzó sobre ellos, con la ropa manchada de sangre y los nudillos reforzados por puños americanos.

—¡Rosales! —aulló—. ¡Vas a morir!

Alexis retrocedió de un salto, alarmado, y esquivó por los pelos un mortífero derechazo de Kevin; pero se recobró enseguida, y alzó la navaja.

—¿Crees que hoy es un bonito día para morir, Ramírez? —le espetó—. Estoy de acuerdo.

—¡No! —gritó Rodrigo.

—Tú no te metas, Herrera —gruñó Kevin.

Tina intervino por puro instinto. Cuando el ecuatoriano se arrojó sobre su rival, dispuesto a hundirle el puño en el estómago, ella lo agarró por el brazo y giró el cuerpo, aprovechando el impulso de Kevin para tirarlo al suelo.

Rodrigo y Alexis la miraron, pasmados.

—¿Cómo...? —empezó Rodrigo; pero entonces alguien gritó:

—¡Los chapas!

Y el escenario cambió por completo. De pronto, unos y otros olvidaron la batalla y echaron a correr como liebres por el monte, mientras el aviso seguía circulando de boca en boca:

—¡Los chapas! ¡Los chapas!

Tina oyó la sirena de la policía y vio los furgones lanzando destellos por la carretera. Cogió a Rodrigo del brazo.

—¡Vámonos!

Alexis se disponía a unirse a ellos, pero entonces lanzó un alarido de dolor y cayó al suelo; y, antes de que nadie pudiese intervenir, Kevin le quitó la navaja y lo apuñaló con furia.

—¡Nooo! —gritó Rodrigo.

Kevin se puso en pie y los miró, triunfal.

—Nosotros siempre ganamos, mocosos. Recuérdenlo la próxima vez.

Y salió corriendo, mientras Rodrigo se inclinaba junto a su amigo caído, desesperado, intentando contener la sangre que brotaba de la herida.

—Tranquilo, nene —murmuró Alexis, incorporándose

con un gesto de dolor—. No es nada, me dio en el hombro solo... Vete, que no voy a estirar la pata acá...

—No, no, yo me quedo contigo. Les contaremos lo que pasa...

Tina se retorcía las manos, nerviosa.

—Rodrigo, yo no me puedo quedar aquí...

—No, no, tú vete, Tina —respondió él—. ¿Podrías hacerme un favor? Recupera mi mochila y ponla a buen recaudo, ¿quieres? Y la cámara también. Ya me lo devolverás todo cuando puedas.

Tina asintió y echó a correr, dejándolos atrás. No sabía muy bien por qué lo hacía; en teoría, ella no había hecho nada malo. Pero, al detener a Kevin, ¿no había intervenido en la pelea también, de alguna manera? ¿Y si la policía la consideraba miembro de una de las dos bandas? ¿Y si...?

No, no podía permitirse que nadie la relacionara con todo aquello. Había cometido un error cargando contra Kevin siendo todavía visible, pero había sido un acto reflejo y ahora la cosa no tenía remedio.

Se sentía mal por abandonar a Alexis y a Rodrigo, pero acallaba su conciencia pensando en la mochila y la cámara que tenía que recuperar. Su amigo tenía razón: solo ellos dos sabían dónde había dejado sus cosas, y no podían abandonarlas allí sin más. Alguien tenía que ir a buscarlas.

La mayoría de los fugitivos corrían hacia las vías del tren, pero Tina se desvió para trepar por la loma desde la que había estado espiando con Rodrigo. No le preocupaba quedarse atrás; para cuando llegó a su destino, ya volvía a ser completamente invisible.

Recuperó las cosas de Rodrigo, abrió la mochila para guardar la cámara, que sostuvo entre sus manos hasta que desapareció también. Entonces se la cargó a la espalda, esperó a que desapareciera con ella y volvió sobre sus pasos.

Descubrió contrariada que casi todos los contendientes habían escapado a tiempo. Solo unos pocos habían quedado atrás, con heridas de diversa consideración, y los agentes los asistían, los interrogaban o los cacheaban, en función de su estado. Los servicios de emergencias atendían a los más graves, y Tina descubrió que el ocupante de la única camilla era Alexis. Se quedó mirando con el corazón encogido cómo se lo llevaban hasta la ambulancia que estaba aparcada un poco más allá, en el arcén de la carretera. Se repitió a sí misma que no podía hacer nada más por él, sobre todo ahora que ya estaba en buenas manos, y siguió su camino. Contempló con satisfacción como se llevaban a Gato esposado, pero no vio a Kevin Ramírez, y supuso que habría logrado escapar.

Rodrigo seguía allí. Estaba hablando con una policía, y Tina se acercó en silencio para escuchar lo que decían.

—... y apuñaló a mi amigo cuando ya estaba en el suelo. Yo lo vi todo, y lo conozco. Se llama Kevin Ramírez, estudia en mi instituto.

—Ya veo —murmuró la agente mientras tomaba notas—. ¿Y tu amigo va a poner una denuncia?

Rodrigo se quedó callado un momento.

—¿La puedo poner yo por él? —preguntó entonces.

La policía sonrió levemente y después preguntó a su vez con escepticismo:

—Y tú, ¿qué hacías aquí? ¿Solamente mirabas?

—He venido precisamente a buscar a mi amigo. Míreme, no tengo golpes ni heridas, no me he peleado. Y puede registrarme, no llevo armas. —Cuando alzó las manos, sin embargo, se dio cuenta de que las tenía manchadas de la sangre de Alexis—. No es mía, me he manchado mientras intentaba ayudar al chico de la ambulancia. Es amigo mío, ya se lo he dicho, pero yo no soy de su grupo.

—Ya, claro...

—Espera, Martínez, conozco a este chaval —se oyó de pronto la voz del agente Durán—. Déjame hablar con él.

—Como quieras —respondió la policía encogiéndose de hombros.

Su compañero se plantó ante Rodrigo y lo miró con fijeza. El chico apartó la vista, incómodo.

—Es verdad lo que he dicho —reiteró—. He venido aquí por Alexis, intentaba convencerlo de que abandonara la pelea...

—Entonces, ¿él sí que participaba? No es una víctima inocente, supongo...

Rodrigo no respondió.

—Puedes poner una denuncia si quieres, aunque él no lo haga —prosiguió Durán—. Lo vamos a investigar igualmente. Pero en un escenario como este, en el que los implicados han venido aquí a propósito para pelearse, denunciar a tu contrincante por agresión es un poco hipócrita, ¿no crees? Y si tu amigo iba armado también, es algo que descubriremos tarde o temprano.

Rodrigo suspiró con impotencia.

—Pero...

—De todas formas, anotaré los nombres de los que estaban aquí, si los conoces. Y, si me admites un consejo, yo en tu lugar procuraría no dejarme caer por sitios como este.

—Pero...

—Tú no eres como ellos, Rodrigo, ya lo sé. Por eso precisamente te lo digo.

—Alexis tampoco es así —replicó Rodrigo con rabia—. Es buena gente, no un delincuente como ese tal Gato.

—Por Gato no te preocupes, lo hemos pillado con un arma de fuego encima —respondió Durán alegremente—. De esta no se escapa así como así.

Rodrigo se lo quedó mirando, incrédulo.

—¿Cómo? Pero...

—Pásate por la comisaría si tienes algo que contarnos, estaremos encantados de escucharte —concluyó Durán—. Pero no puedes poner una denuncia tú solo, eres menor de edad. Para eso tienes que venir con tus padres.

Rodrigo asintió, abatido de pronto. Accedió de buen grado a que lo registraran para dejar claro que no iba armado, y después lo dejaron marcharse.

Tina lo siguió en silencio por el descampado; cruzaron las vías del tren, y para cuando se internaron de nuevo en su barrio, ya era de noche.

Ella se sentía extraña acompañándolo de aquella forma, sin que él fuera consciente de su presencia. Nunca antes habían pasado tanto tiempo juntos.

Lo contempló pensativa mientras se lavaba las manos en la fuente del parque, y entonces se acordó de que la mochila que llevaba a la espalda no era suya.

Se ocultó tras unos árboles y se volvió visible. Cuando se aseguró de que tanto ella como la mochila habían recuperado su opacidad, corrió tras Rodrigo, llamándolo.

Él se volvió. Se le iluminó la cara al verla.

—¡Tina! ¿Dónde estabas?

—Fui a buscar tu mochila, como me dijiste. Toma, aquí la tienes.

Rodrigo la recuperó y lo primero que hizo fue comprobar que la cámara seguía intacta en su interior.

—Muchas gracias, Tina.

—Al final no he grabado ningún vídeo, lo siento.

—No importa, me las arreglaré con las fotos que he sacado. Gracias de todos modos.

—¿Cómo ha acabado todo?¿Cómo está Alexis?

—Estaba muy débil porque ha perdido bastante sangre, así que se lo han llevado al hospital; pero creen que no es grave y que se recuperará.

—¿Y qué más ha pasado? ¿Han detenido a alguien?

—Se han llevado a Gato y a alguno más, pero Kevin ha escapado. —Hizo una pausa y añadió, mirando a Tina con una media sonrisa—. Aunque al menos tú le hiciste morder el polvo; la cara que puso cuando lo lanzaste al suelo no tuvo precio.

Tina enrojeció, incómoda y complacida a partes iguales.

—Bueno... no fue para tanto, él ya llevaba un buen impulso y yo solo le hice perder el equilibrio.

—No, en serio, fue bastante impresionante. ¿Dónde has aprendido a hacer eso?

—Practico artes marciales desde hace unos meses. Defensa personal y cosas así. En este barrio, nunca se sabe.

Rodrigo la contemplaba con cierta admiración, y el agradable cosquilleo que Tina sentía por dentro se transformó en algo parecido al vértigo. Por primera vez, él la miraba, la veía, le prestaba atención. La valoraba como a algo más que «la amiga de Salima El Hamidi». Tina caminaba junto a él, casi levitando de felicidad, deseando que aquel momento no terminase nunca.

Pero en algún momento tendrían que despedirse. Rodrigo caminaba hacia su casa y ella lo acompañaba, porque deseaba prolongar la conversación todo lo posible y porque no quería volver a su propia casa todavía.

—¿Qué vas a hacer con las fotos que has sacado? —le preguntó—. ¿Son para el periódico?

—No lo sé, primero tengo que verlas con calma. Lo suyo sería pasárselas a la policía, pero Alexis está demasiado implicado y... no sé.

—Bueno, él participó también. Nadie lo obligaba a estar allí, ¿verdad?

—Ya lo sé —replicó Rodrigo, incómodo, y Tina adivinó el dilema moral al que se enfrentaba—. Si se hubiese quedado en casa esta tarde, las cosas habrían sido mucho más sencillas.

—Yo, la verdad, no comprendo por qué se tienen que pelear.

—Yo no sé por qué se pelean los demás, pero sí por qué lo hace Alexis, me temo.

—¿Por tu hermano?

Rodrigo asintió, alicaído.

—Y por eso me siento responsable en parte. Yo creo en la justicia, sé que algún día se sabrá la verdad, pero él prefiere vengarse a su manera.

—Nos dijo a Salima y a mí que la culpa de lo que le pasó a tu hermano fue de Tatiana Ramos —recordó Tina.

—¿Os contó eso? Bueno, hay quien dice que Adrián se suicidó porque Tati lo dejó plantado para volver con Gato. Pero yo te aseguro que mi hermano no habría hecho algo así porque lo dejara una chica. Además, ni siquiera salían juntos. No de esa manera.

—¿Ah, no?

Rodrigo negó con la cabeza.

—Tatiana estaba pasando por un mal momento y, no sé por qué, decidió confiar en Adrián. Iban a la misma clase, coincidían en algunos sitios... En el instituto se burlaban de él, decían que era un pagafantas, pero estoy bastante seguro de que lo único que quería era ayudarla a superar su ruptura con Gato. Había cortado con él porque estaba asustada. Y supongo que a mi hermano no le haría gracia que volvieran, pero ni de lejos le sentó tan mal como para quitarse la vida, eso te lo garantizo.

—Entonces, si no he entendido mal, tu teoría es que no fue un suicidio ni un accidente —recapituló Tina—. Que alguien lo empujó, probablemente Gato, por acercarse a «su» chica. ¿Es así?

—Es lo que yo creo más probable, y lo que conté a la policía en su día. Pero no lo pude demostrar entonces, ni puedo hacerlo ahora.

—Y sin embargo, Alexis dice que Tatiana le rompió el corazón a Adrián —comentó Tina pensativa—. No te lo tomes a mal, pero si él era su mejor amigo, ¿cómo no iba a saber de buena tinta lo que pasaba entre ellos?

Rodrigo sacudió la cabeza.

—Él está convencido de su versión, yo de la mía —respondió—. Y la policía lo creyó a él, porque claro... ¿a quién le iba a contar Adrián sus problemas con chicas, a su hermano menor o a su mejor amigo?

Tina no dijo nada.

—Ya sé lo que estás pensando —prosiguió Rodrigo—. Puede que Alexis tenga razón y Tati y Adrián fueran algo más que amigos, y mi hermano no me lo quisiera contar. Vale. Pero sí te aseguro que él no se habría suicidado. Ni por Tatiana Ramos, ni por nadie.

Tina iba a responder, pero entonces Rodrigo se detuvo delante de un portal.

—Vivo aquí —le explicó.

—Oh —dijo Tina muy cortada—. Vale, pues... yo sigo mi camino. Nos veremos el lunes, supongo.

—Mañana por la mañana iré a ver a Alexis al hospital. ¿Quieres venir? —Tina abrió la boca, gratamente sorprendida ante la invitación, pero entonces Rodrigo añadió—. Estarás muy preocupada por él, imagino.

Ella lo miró sin comprender.

—¿Yo? Bueno, lo normal. Me cae bien, pero apenas lo conozco.

Rodrigo sonreía abiertamente.

—Me contó lo que le dijiste a la salida del instituto —le confió—, pero bueno, entiendo que te dé corte. No volveré a comentarlo si no quieres.

Tina enrojeció violentamente.

—¿Qué? ¡No! Yo no... No, ni hablar, eso lo dijo Salima, y solo fue una excusa para poder interrogar a Alexis.

—No me digas —la voz de Rodrigo se endureció, pero Tina, acalorada, no se dio cuenta y siguió hablando.

—Como no teníamos mucha confianza con él, fue lo primero que se le ocurrió para empezar una conversación, pero ni siquiera me lo consultó primero y...

—¿Así que le mentisteis a uno de mis amigos para hacerle preguntas acerca de mi hermano muerto?

Tina se detuvo de golpe.

—¡No! No, no es eso, Rodrigo, de verdad. Lo de Adrián salió de forma casual en la conversación. Nosotras solo queríamos saber más detalles sobre la pelea de hoy. Porque teníamos entendido que fue también a causa de Tati.

—¿Ah, sí? —preguntó él con interés—. Eso no lo sabía.

Un poco más tranquila, Tina le contó lo que sabía sobre el incidente en la discoteca que había enfurecido a Gato y a su banda.

—Ellos dicen que los amigos de Alexis le tiraron los tejos a Tatiana para provocar a Gato, pero Alexis nos contó que fue ella quien se les acercó a flirtear. Y de ahí salió lo de Tati y tu hermano. Y fue Salima quien le dijo a Alexis que él me gustaba, pero solo para poder sacar el tema de las chicas con las que salían él y sus amigos.

—Muy hábil —valoró Rodrigo, admirado a su pesar.

—Sí que lo es —reconoció Tina—, aunque me haya hecho pasar tanta vergüenza. A mí no se me habría ocurrido abordar a nadie de esa manera. No sé si lo habrá aprendido de ti —dejó caer.

Rodrigo volvía a sonreír.

—Salima es mi mejor discípula —presumió, y Tina sonrió a su vez, pero no respondió.

No había mucho más que añadir, de modo que se despidieron y Tina se alejó de allí, sin intención de regresar a casa todavía.

Sabía que, en el momento en que lo hiciera, tendría que enfrentarse a su madre. Era muy consciente de que la castigaría por su pequeña rebelión, pero no podía seguir dando vueltas por el barrio, sin más. En algún momento tendría que volver...

... Y en cuanto lo hiciera, perdería la poca libertad que hubiese tenido hasta entonces. Su madre cerraría la puerta y le requisaría las llaves, y Tina se quedaría encerrada en casa hasta que fuera mayor de edad.

O tal vez no, pensó de pronto. Rebuscó en sus bolsillos y encontró algunas monedas sueltas. Se le había ocurrido que tal vez pudiera hacer un duplicado de la llave de su casa. Así podría seguir saliendo por las noches sin que su madre lo supiera.

Corrió hasta la ferretería y logró llegar diez minutos antes de que cerraran.

Estaba esperando a que el dependiente terminara las copias que le había encargado cuando, a través del cristal del escaparate, vio pasar a Kevin Ramírez al otro lado de la calle. Se encogió sobre sí misma, tratando de pasar inadvertida, pero el chico caminaba deprisa, pensando en sus cosas, y no la vio. Tina recogió las llaves, pagó y salió corriendo de la ferretería para no perderlo de vista. Lo vio doblar una esquina y lo siguió, contenta por tener una nueva excusa para retrasar su vuelta a casa.

17

Siguió a Kevin hasta el parque, donde lo vio reunirse con Suso y Raúl. Los tres se habían limpiado un poco las heridas, pero se los veía aún cansados, sucios y magullados tras la pelea.

—¿Qué pasó? —preguntó Suso enseguida—. ¿Supiste algo de Gato y los demás?

—Dicen que lo tienen detenido en la comisaría —respondió él—. También a Esteban, a Armando y al primo de Edwin. Pero oí que a Gato le encontraron encima un arma de fuego y algo de droga. Por eso lo pueden meter en cana, dicen.

Reinó un silencio incrédulo.

—¿Estás seguro de eso? —siguió preguntando Suso—. Tiene que ser un error.

—No sé, pana, pero no me atreví a preguntar más. ¿Sabes el *man* que estaba con Rosales? Se llama Rodrigo Herrera, es amigo de los chapas y lo vieron hablar con ellos. Seguro que me delató. A mí y a todos los nuestros a los que conozca con nombre y apellidos.

Hubo murmullos de ira.

—¿Piensas que fue él quien avisó a los chapas?

—¿Quién si no?

Tina asistió, con creciente inquietud, a la conversación entre los tres jóvenes. Soliviantados por la detención de su líder y por las palabras de Kevin, que estaba deseando hacérselo pagar al que consideraba el causante de su caída en desgracia, llegaron a la conclusión de que había que darle una lección.

—¿Vamos a buscarlo ya? —propuso Kevin, entusiasmado.

—No —respondió Suso—, esto hay que cranearlo con calma. La policía todavía nos está buscando.

Tina fue muy consciente de la decepción de Kevin y Raúl. No discutieron, sin embargo. Con Gato detenido, Suso era el líder de la banda, y no se atrevían a llevarle la contraria.

No abiertamente, al menos. Porque, cuando los tres se despidieron, y Suso se alejó de ellos, Kevin comentó solamente:

—Yo sé dónde vive.

Raúl lo miró y sonrió.

Tina los siguió, inquieta, hasta el portal de la casa de Rodrigo. Los vio acomodarse en un banco cercano y vigilar la puerta mientras compartían unas cervezas y se reían hablando de lo que le iban a hacer en cuanto lo cogieran. Decían que estaban dispuestos a esperar allí toda la noche y todo el día siguiente, si hacía falta, por el honor de la banda y para vengar a Gato.

Tina rondó a su alrededor sin saber muy bien qué hacer. Podía enfrentarse a ellos, pero temía exponerse demasiado si lo hacía. La calle estaba bien iluminada y los chicos no estaban aún tan borrachos como para no darse cuenta de que era un ser invisible quien los atacaba.

Entonces se le ocurrió una idea. «La policía todavía nos está buscando», había dicho Suso.

Corrió hasta un bar cercano donde sabía que todavía tenían un teléfono público. Se volvió visible justo antes de entrar y le preguntó al dueño, que estaba entretenido hojeando un periódico deportivo:

—¿Puedo usar el teléfono?

El hombre asintió sin levantar la cabeza siquiera. Tina se acercó al aparato y rebuscó en sus bolsillos antes de recordar que el número al que quería llamar era gratuito. Lo marcó sonriendo.

—Policía, ¿dígame?

—Buenas noches, hay dos tipos que están armando escándalo en mi portal —dijo—. Están bebiendo y molestando a la gente que pasa.

—Enseguida mandamos a alguien para allá.

Tina facilitó la dirección y colgó antes de que el agente pudiera preguntar nada más. Al volverse se dio cuenta de que el dueño del bar la miraba de reojo, y se sintió incómoda. Cada vez le resultaba más violento ser visible y exponerse a que la gente la mirara o simplemente reparara en ella. La invisibilidad le otorgaba una tranquilidad y una seguridad que a menudo añoraba cuando se mostraba al mundo tal cual era.

—¿Puedo ir al servicio? —preguntó.

El hombre cabeceó de nuevo, sin una palabra. Tina dio las gracias apresuradamente, usó el baño y aprovechó para volverse invisible. Cuando pasó de nuevo por delante del dueño del bar, este no fue ya consciente de su presencia.

Salió a la calle y esperó a que pasase el coche patrulla. Sonrió satisfecha cuando, cinco minutos después, lo vio doblar la esquina, con el consiguiente sobresalto por parte de Kevin y Raúl, que salieron corriendo como alma que lleva el diablo.

Tina se quedó sola. Esperó un rato más, pero los chicos no volvieron.

Se estremeció. Ya no tenía nada que hacer allí, y tampoco le quedaban excusas para no volver a casa. Se le encogió el estómago solo de pensar en que tendría que enfrentarse a su madre de nuevo. Estaba demasiado cansada y no se sentía con fuerzas para aguantar sus palabras de reproche, su tono prepotente, su interminable lista de razones por las que su hija no llegaría a nada en la vida. Seguramente también se ganaría un bofetón o dos, pero eso no le daba miedo; no, lo peor era cómo se quedaba después de cada bronca de Camila, aquella sensación de profunda inferioridad, de creerse tan inútil, torpe e insignificante que no sentía que valiera la pena volver a salir al mundo.

No; desde luego, regresar a casa era lo último que quería hacer en aquel momento. Sin embargo ¿qué otra opción tenía? Pensó en preguntar a Salima si podía quedarse a dormir en su casa, pero descartó la idea. No podía arriesgarse a que la madre de su amiga llamase a Camila para comprobar su historia, cosa que tal vez haría si se presentaba allí en aquel estado, con la ropa sucia, sin pijama y sin una muda para el día siguiente. Además, ya era tarde, y la familia de Salima acostumbraba a cenar temprano. Sería una grosería presentarse a aquellas horas sin avisar.

Pero tampoco podía quedarse en la calle toda la noche. ¿O sí?

Justo entonces oyó tras ella el ruido de la puerta al abrirse. Se dio la vuelta y el corazón se le detuvo un breve instante.

Era Rodrigo. Venía cargado con una bolsa de basura, y Tina comprobó, con cierta inquietud, que el camino hasta el contenedor pasaba junto al banco donde lo habían estado esperando Kevin y Raúl.

Si ella no hubiese llamado a la policía...

Sintió un escalofrío mientras observaba como Rodrigo,

totalmente ajeno al peligro del que se había librado, echaba la bolsa al contenedor y daba media vuelta para regresar a casa.

Y de pronto, siguiendo un impulso, Tina fue tras él.

No habría sabido justificar su reacción con argumentos racionales. Tenía muchos motivos, en realidad: sentía angustia ante la idea de regresar a casa, no quería pasar la noche al raso, deseaba estar cerca de Rodrigo y también asegurarse de que estaría a salvo y de que aquellos dos brutos no cumplían su amenaza. Pero ninguna de aquellas razones, ni todas ellas en conjunto, bastaban para explicar por qué subió por las escaleras del edificio hasta el piso donde se detuvo el ascensor, por qué aguardó en silencio a que Rodrigo abriera la puerta y por qué entró en su casa sin ser invitada.

Buscaba un refugio, tal vez. Un lugar donde descansar.

Rodrigo se volvió para cerrar con llave la puerta de su casa y se quedó quieto de pronto, alerta, con el ceño fruncido. Muy cerca de él, pegada a la pared, Tina contenía la respiración. Por fin, el chico sacudió la cabeza y se internó en el piso.

La cena ya estaba preparada. Rodrigo fue a lavarse las manos y después se sentó a la mesa, frente a un hombre que Tina supuso que debía de ser su padre. A la madre no se la veía por ningún sitio.

Un poco aturdida aún por su propia osadía, Tina aprovechó que los dos estaban cenando para recorrer el piso y asegurarse de que no había nadie más. Aparte de la habitación de matrimonio, había otros dos cuartos. Uno de ellos, a juzgar por el desorden, debía de ser el de Rodrigo. Localizó su mochila arrojada de cualquier manera en un rincón, su cámara de fotos junto al portátil y la ropa manchada de sangre que se había quitado y había escondido bajo la cama, hecha una bola, para que su padre no la viera.

El otro cuarto era también un dormitorio juvenil, pero estaba perfectamente arreglado, aunque Tina descubrió una finísima capa de polvo sobre los muebles. Sobrecogida, comprendió que se trataba de la habitación del fallecido Adrián Herrera.

Contempló los pósters de las paredes; algunos estaban dedicados a jugadores de fútbol, pero la mayoría representaban distintas clases de aviones. Había una estantería decorada con maquetas de aeroplanos, y Tina también encontró allí libros sobre aviación entre los manuales de texto del instituto y algunas novelas de terror. Sobre el escritorio todavía descansaba una libreta de matemáticas, y colgado de la pared había un panel de corcho casi oculto bajo un collage de notas, horarios de clase y fotografías. En muchas de ellas salía un muchacho que guardaba un cierto parecido con Rodrigo, aunque era más ancho de hombros, llevaba el cabello castaño más corto y tenía los ojos más oscuros. Una versión más joven del propio Rodrigo aparecía también en una de las fotografías junto a su hermano, los dos sentados, sonrientes, ante una tarta con once velas encendidas. Ambos protagonizaban también otra imagen en la que posaban en familia junto a su padre y una mujer de cabello castaño que debía de ser su madre.

Y había más fotos, todas con amigos; Tina contempló una que mostraba a Alexis y Adrián disfrazados de payasos para el carnaval. Debían de tener unos ocho o nueve años entonces.

Siguió examinando las imágenes. En muchas, además de Alexis, aparecían otros chicos y chicas a los que Tina conocía de vista, del instituto. Pero no encontró a Tatiana Ramos en ninguna de ellas.

Reflexionó. ¿Sería verdad que nunca habían salido juntos? ¿Tal vez mantenían su relación en secreto por alguna razón? Quizá Adrián no había tenido tiempo de añadir fotos de Tatiana al *collage* de su vida. O tal vez sí lo había hecho, y alguien las había quitado después de su muerte. La policía, por ejemplo, como pruebas para el caso; o sus padres, si pensaban que su hijo se había suicidado a causa de aquella chica.

Tina no se sintió con ánimos de seguir curioseando en la habitación.

Había tenido que abrir la puerta para entrar, y la cerró tras de sí cuando salió, sobrecogida. Volvió al salón y se sentó en la butaca del rincón, lejos de la mesa donde comían Rodrigo y su padre.

Hablaban de cosas cotidianas, de la lista de la compra, de la proximidad de los exámenes, de los resultados de la última jornada de liga... Tina, cansada, pronto dejó de prestar atención. A punto estaba de quedarse dormida sobre la butaca cuando oyó que Rodrigo decía:

—¿Sabes que Alexis está en el hospital?

—¿Por qué? ¿Qué le ha pasado?

—Le han dado bastantes golpes y un navajazo, pero creo que no es grave. Mañana me gustaría ir a verlo.

—¿Al hospital?

—Sí.

El padre de Rodrigo guardó silencio un momento.

—A lo mejor no es buena idea que te juntes con esas personas, Rodrigo.

—¿Qué personas? Te hablo de Alexis, lo conoces desde que era un crío.

—Sí, pero no estoy seguro de conocer al chaval en el que se ha convertido. Ya sé quiénes son sus amigos.

—Yo también soy amigo suyo, papá. Para él es importante salir con gente de su país, pero también es bueno que tenga otras amistades. Es verdad que desde lo de Adrián pasa más tiempo con «esas personas», como dices tú, pero si yo le doy la espalda, tampoco tendrá muchas más opciones.

Su padre suspiró profundamente.

—Tiene opciones y lo sabe —dijo sin embargo—. Pero no las aprovecha. Si lo hiciese, estoy seguro de que no habría terminado en el hospital.

—Es complicado, y más en este barrio.

—Ya lo sé. —Hizo una pausa y continuó, muy serio—. Estoy empezando a pensar que tu madre tiene razón y que deberías irte a vivir con ella.

—¿Qué? —se alarmó su hijo—. No, papá, ya lo hemos hablado muchas veces. Yo quiero quedarme aquí, es donde tengo mi vida, el instituto, mis amigos...

Calló de pronto al comprender que quizá no había sido buena idea mencionar a los amigos. Su padre le dio la razón al responder:

—Eso es lo que a mí me preocupa, los amigos. Sabes que te apoyo, pero no quiero que te metas en líos. En el barrio donde vive mamá puedes hacer amistades de otro tipo. Está más céntrico, cerca de la universidad...

—... Y no está lleno de recuerdos de Adrián —dijo Rodrigo con suavidad—. Ya lo sé, papá.

Su padre enmudeció de golpe. Se le humedeció la mirada, pero Rodrigo no añadió nada más.

Comieron un rato en silencio hasta que el chico volvió a preguntar:

—Entonces, ¿te parece bien que vaya mañana a ver a Alexis?

Su padre asintió sin una palabra.

Tina se quedó con ellos mientras recogían la mesa, limpiaban la cocina y se sentaban a ver las noticias. Los escuchó hacer comentarios sobre la actualidad política, sobre los deportes, sobre las películas que habían estrenado durante el fin de semana. A pesar de las ausencias, se respiraba mucha paz en aquella casa. También tristeza; pero no se trataba de la negra desesperación que reina en los hogares recién golpeados por la tragedia, sino de la estoica melancolía de la vida que sigue a pesar de todo, obligándonos a dejar atrás a los que ya no están, aunque su memoria nunca nos abandone por completo.

Solo cuando los dos se hubieron acostado se atrevió Tina a dejar su puesto en la butaca. Aguardó, sin embargo, a que sus ojos se acostumbrasen a la penumbra. Se deslizó entonces por la casa como una sombra. Primero hasta la cocina, porque no había comido nada desde el mediodía y estaba muerta de hambre. Allí se hizo con un trozo de pan de la panera. Lo rellenó con una loncha de queso que esperó que nadie echara en falta y devoró el bocadillo procurando que no cayeran migas al suelo. Después bebió agua del grifo y se sintió mucho mejor.

Bostezó. Tenía muchísimo sueño, de modo que se dirigió al comedor para echarse en el sofá. Por el camino se asomó a la habitación de Rodrigo, que ya dormía profundamente.

Se quedó mirándolo. Le parecieron unos minutos, pero pudo haber sido más tiempo. Sentía un extraño cosquilleo por dentro al estar tan cerca de él, contemplándolo en la penumbra sin que él fuera consciente de su presencia.

¿O tal vez sí lo era? De pronto, Rodrigo se removió, inquieto, y abrió los ojos. Tina se quedó paralizada y contuvo el aliento. El corazón le latía tan fuerte que estaba segura de que él podía oírlo en el silencio de la habitación.

Rodrigo se incorporó, encendió la lámpara de la mesilla y miró a su alrededor. Tina seguía inmóvil.

Por fin, el chico pestañeó, confuso, y volvió a apagar la luz.

Minutos después, su respiración lenta y acompasada indicó a Tina que ya se había dormido.

Ella comprendió que no podía continuar allí. Salió de la habitación y decidió que era también demasiado arriesgado dormir en el sofá, ya que nunca antes se había mantenido invisible durante tanto tiempo, y tampoco lo había hecho mientras dormía. ¿Y si recuperaba la visibilidad sin darse cuenta? Se sintió horrorizada al imaginar la cara de Rodrigo si la descubría durmiendo en el salón de su casa. ¿Qué le diría? ¿Cómo se explicaría?

Aún estaba a tiempo de salir de allí. Pero, por alguna razón, se resistía a abandonar aquel hogar tan tranquilo y silencioso. No se sentía todavía con fuerzas para regresar a su propia casa y enfrentarse a su madre. Necesitaba descansar un poco primero.

«Mañana», se prometió a sí misma mientras entraba en la habitación de Adrián y cerraba suavemente la puerta tras de sí. Sintió una leve aprensión al echarse en la cama del muerto, pero estaba tan agotada que eso no le impidió quedarse dormida apenas apoyó la cabeza en la almohada.

Cuando se despertó al día siguiente, sobresaltada, la luz ya entraba a raudales por la ventana y ella seguía siendo invisible. Le costó unos segundos orientarse, y no pudo reprimir una pequeña exclamación de alarma. Cuando logró reubicarse comprendió, horrorizada, que alguien podía haberla oído. Se quedó quieta, alerta; las voces de Rodrigo y su padre le llegaron desde la cocina, y respiró hondo, algo más tranquila.

Se levantó con presteza y alisó la colcha para eliminar las huellas de su paso.

Con la mente más clara, repuesta ya de las emociones del día anterior, Tina se preguntó en qué estaría pensando para colarse en aquella casa sin ser invitada. Si al menos fuera la de Salima, pensó. Seguramente, su amiga se enfadaría si se enterara; sin embargo, después de todo, tenían mucha confianza, y acabarían riéndose juntas de aquel despropósito. Pero... ¿dormir en casa de Rodrigo? ¿A santo de qué?

Recordó entonces que Kevin y Raúl habían jurado darle una paliza, y habían estado esperándolo precisamente por esa razón.

«Eso es», se justificó. «Estoy aquí para protegerlo».

Pero la amenaza no parecía tan terrible a la luz del día. Tina echó un vistazo al reloj que reposaba sobre la mesilla de noche. Eran las nueve de la mañana. Seguro que aquellos matones estaban todavía durmiendo la mona.

«Tengo que salir de aquí sin que nadie me descubra», se dijo.

Pegó la oreja a la puerta. Aún se oían las voces de Rodrigo y su padre desde la cocina. Oyó después a Rodrigo silbando por el pasillo, mientras su padre le preguntaba algo desde el salón. Cuando la puerta del baño se cerró, Tina aprovechó para abrir la de la habitación.

Salió al pasillo. No había nadie, así que se deslizó rápidamente por él hacia la entrada. Habían dejado la llave en la puerta. Tina la giró, presuponiendo que estaría cerrada. Pero el ruido alertó al padre de Rodrigo.

—¿Vas a salir tan temprano? —le preguntó desde el salón.

Tina se quedó quieta, mientras el corazón le latía con fuerza.

—¿Cómo dices? —preguntó Rodrigo desde su cuarto.

—Ah, ¿estás ahí? Creía...

El padre de Rodrigo se asomó al recibidor, desconcertado. Tina contuvo el aliento. La mirada del hombre se centró en las llaves que colgaban de la cerradura.

—Qué raro —murmuró, observando perplejo como se balanceaban misteriosamente.

Se asomó a la mirilla para ver si había alguien en el rellano; como no vio a nadie, dio media vuelta por fin y se internó por la casa en busca de su hijo.

Tina dio la última vuelta a la llave, abrió la puerta, salió y volvió a cerrarla tras de sí con el mayor sigilo posible.

Después, se precipitó escaleras abajo, con el corazón desbocado.

Respiró profundamente al salir a la calle. Era una hermosa y primaveral mañana de domingo, y la amenaza del día anterior parecía ya muy lejana: tal y como imaginaba, no había ni rastro de Kevin y Raúl. Rondó un rato por la zona, volvió a usar el baño del bar y lamentó que no le quedara dinero para pagarse siquiera un café caliente. Necesitaba un buen desayuno y una ducha, a ser posible, pero no se sentía preparada para volver a casa todavía y enfrentarse a su madre.

Y de nuevo pensó en Salima.

Esta vez sí se animó a correr hasta su portal y llamar al interfono. Le parecía que era una hora razonable, y además ardía en deseos de compartir con su amiga todo lo que le había pasado el día anterior. Bueno, o casi todo. Porque, en cuanto la vio bajar de dos en dos las escaleras de su portal, comprendió que no sería capaz de confesarle que se había colado en casa de Rodrigo para dormir en la habitación de su hermano muerto. Era todo demasiado extraño.

—¡Bueno, cuéntame, cuéntame! —dijo Salima en cuanto se reunió con ella—.¿Pudiste averiguar qué tenía que hacer Rodrigo por la tarde?

La imagen del joven dormido asaltó su mente a traición, y Tina enrojeció violentamente. Salima la miró con aire de sospecha.

—¿Qué? ¿Qué pasó ayer? ¿Viste a Rodrigo al final?

—Buf, ayer... —suspiró Tina—. Pasaron tantas cosas que no sé por dónde empezar.

—¿Estuviste en la pelea?

—En primera línea.

Le relató cómo había llegado al lugar acordado tras espiar a Gato y los demás, cómo se había encontrado allí con Rodrigo, cómo habían acabado interviniendo en la contienda y cómo había finalizado todo. Le contó también la conversación que había mantenido con Rodrigo mientras lo acompañaba de camino hacia su casa.

A Salima se le iluminó la cara con una amplia sonrisa.

—¿En serio lo acompañaste a su casa? *¡Masha Allah!*

—¿Qué estás insinuando?

—Oye, ya hemos hablado de esto —la riñó su amiga—, y quedamos en que no me ibas a tomar por tonta. He visto cómo miras a Rodrigo.

Tina enrojeció de nuevo, y Salima rio mientras la abrazaba con cariño.

—¡Ay, Tina...! ¿Lo ves? Pero no quería avergonzarte. Me alegro mucho de que vayas cogiendo confianza con él, aunque participar en una pelea de bandas no sea un plan muy romántico que digamos.

A Tina le entró la risa floja. Pero recordó entonces cómo había estado contemplando a Rodrigo mientras dormía, y se sintió muy avergonzada. Jamás osaría contarle aquello a Salima.

—Estoy más cerca de ser su guardaespaldas que su novia, me temo —suspiró—. Después de lo de ayer, Kevin y compañía lo han apuntado ya en su lista de enemigos, y ya sabes lo que eso significa.

Le habló de la conversación que había escuchado entre Suso, Kevin y Raúl; le contó que había seguido a dos de ellos hasta el portal de la casa de Rodrigo, y cómo había logrado que se fueran de allí tras una llamada a la autoridad pertinente.

—Mal asunto —murmuró Salima pensativa—. Rodrigo ya puede andarse con ojo; si Kevin y los demás matones lo tienen en su punto de mira...

—Me siento culpable —dijo Tina, incómoda—, porque en realidad fui yo, y no Rodrigo, quien llamó a la policía durante la pelea. Él no quería que lo hiciera, para no comprometer a Alexis, supongo.

—Bueno, pero hiciste bien en avisarlos —opinó Salima—. Alexis sabe dónde se mete; si quiere participar en actividades delictivas o como mínimo vandálicas, es su problema, ¿no crees? Además —añadió, antes de que Tina pudiese responder—, gracias a que llamaste pudo llegar la ambulancia tan deprisa.

—Supongo, no sé.

Los últimos momentos de la pelea habían resultado muy confusos y Tina no los recordaba con claridad, pero tenía la sensación de que había sido precisamente la llegada de la policía lo que había despistado a Alexis, cosa que había aprovechado Kevin para arrojarlo al suelo y apuñalarlo.

Tina contempló con pesar su ropa manchada de tierra; ella también había rodado por el suelo en un par de ocasiones mientras trataba de llegar hasta sus amigos, y no presentaba un aspecto muy aseado, precisamente.

—¿Podrías hacerme un favor? —le preguntó entonces a Salima—. ¿Podría ducharme en tu casa? También me vendría bien algo de desayuno. —Ella se quedó mirándola con el ceño fruncido, y Tina añadió rápidamente—. Aunque, la verdad, me conformo con un café. Pero la ducha sí que la necesito. Por favor.

—¿Se os han estropeado en casa la ducha y la cafetera a la vez, o qué?

Tina se encogió de hombros, incómoda.

—Es que... bueno, ayer por la tarde tuve una bronca gorda con mi madre —confesó, rehuyendo su mirada—, me fui de casa y no me veo con ánimos de volver aún.

—¿Llevas fuera desde ayer por la tarde? —casi gritó Salima—. ¡Pero tu madre estará preocupadísima por ti!

—Sí, a lo mejor ha llamado a la policía, como la última vez.

—¿Te escapas de casa y lo dices tan tranquila? —chilló Salima—. ¿Te has vuelto loca?

—¡Baja la voz! No me he escapado, voy a volver, pero más tarde. Además, no puedo presentarme con esta pinta.

—No, desde luego —convino Salima, un poco más tranquila—. Está bien, vamos a ver qué podemos hacer.

18

Subieron juntas al piso y Salima se las arregló para hacerla pasar al cuarto de baño sin que nadie las viera. Cuando Tina salió de la ducha, mucho más relajada y con una camiseta limpia que le había prestado su amiga, se toparon de narices con la madre de ella, que se quedó mirándolas desconcertada.

—Es que se ha estropeado la ducha en mi casa —soltó Tina sin pensar, antes de que abriera la boca—; gracias por dejarme usar la suya.

—Claro, claro, no hay problema —respondió la mujer, aún perpleja.

Pero las miraba de reojo, y no se le escapó que su hija se había puesto muy colorada.

Las dos amigas entraron en la cocina; Salima sirvió a Tina un vaso de zumo de naranja y algo de pan de pita con mermelada que había sobrado del desayuno, y la dejó comer mientras iba a tranquilizar a su madre. Tina, inquieta, las oyó hablar en árabe desde la habitación contigua. Cuando Salima volvió, parecía preocupada.

—Mi madre no es tonta, sabe que no quieres ir a casa —le explicó—. Teme que te hayas escapado y pretende llamar a tu madre para decirle que estás aquí.

Tina suspiró. Imaginaba perfectamente la cara que pondría Camila si una desconocida con acento marroquí la llamara para decirle que tenía a su hija en casa.

—Hoy volveré, te lo prometo —le dijo a su amiga—. Y desde luego, no quiero que tu madre se preocupe. Siento haberte puesto en un apuro.

—Tranquila. Le he dicho que todo está bien, que vas a volver. Pero no le ha hecho gracia que le mintieras con lo de la ducha —añadió tristemente.

—Lo siento —repitió Tina, sintiéndose muy culpable—. Últimamente tengo tantas cosas que ocultar que esto de mentir me sale cada vez más natural, me temo.

—No pasa nada, al menos ya estás presentable. Vamos, te acompaño.

Las dos amigas salieron de la cocina en dirección al recibidor. Por el camino saludaron a Yassin e Ismail, que estaban sentados en el sofá del salón, jugando a la videoconsola. Salima iba a pasar de largo, pero entonces se acordó de algo, frunció el ceño y se detuvo, pensativa.

—¿Qué? —preguntó Tina.

Pero Salima se volvió hacia sus hermanos para preguntar:

—¿Alguno de vosotros conoce a un tal Alexis Rosales?

Yassin se encogió de hombros.

—Del insti, de vista —respondió sin dejar de mirar a la pantalla.

—Yo sí que lo conozco —dijo Ismail—. Va a mi curso y alguna vez hemos jugado juntos al baloncesto. Y además...

Se calló de pronto y fingió centrarse en la partida, pero Salima no lo dejó escaquearse.

—Y además, ¿qué? —lo animó.

—Bueno, salí con sus amigos alguna vez, cuando éramos críos —reconoció Ismail de mala gana—. Echábamos unas canastas, dábamos una vuelta por el barrio... pero luego empezaron los malos rollos y dejé de ir con ellos.

Salima estiró la oreja.

—¿Malos rollos?

—Drogas y alcohol, ¿no? —adivinó Yassin, sonriendo.

Tina sonrió también. Salima le había comentado alguna vez lo pesados que podían ponerse los amigos de un adolescente abstemio cuando salían de fiesta. Por alguna razón, algunos se fijaban como objetivo tratar de convencerlo para que se emborrachara con los demás.

—Si aquí en España tuviera que juntarme solamente con gente que no bebe, me quedaría sin amigos —bromeó Ismail—, así que no fue por eso. Al principio quedábamos en las canchas gente de todo tipo, de diferentes países... Pero entonces algunos latinos empezaron a formar grupos aparte y, no sé cómo, de repente había dos pandillas que se odiaban a muerte. Para mí era muy desconcertante porque tenía amigos en ambas y al principio no sabía quién estaba en cada una. Tenía que ver con la nacionalidad, creo, pero bueno, para mí no había mucha diferencia entre un dominicano y un ecuatoriano, igual que ellos tampoco distinguirían a un marroquí de un argelino, por ejemplo.

—¿Y qué pasó? —siguió preguntando Salima, interesada.

—Como tenía más amigos en uno de los grupos, intenté seguir quedando con ellos y desvincularme de la otra pandilla, para no meterme en líos. Pero ya no tenían interés en jugar solo al baloncesto...

—Eran los de la banda de Jimmy, ¿no? —adivinó Salima.

Ismail no respondió. Machacó los botones del mando, mientras su hermano hacía lo mismo y exclamaba:

—¡No, no, no, n...!

—¡Goool! —celebró finalmente Ismail; Yassin se apartó el pelo de la frente con un resoplido resignado.

—¿Y bien? —insistió Salima.

—Sí, Jimmy, así se llamaba —asintió entonces Ismail—. Un fulano que ya había tenido problemas con la policía pero al que muchos chavales adoraban. Alexis y otros como él querían llamar su atención y formar parte de su banda. Y los que lo consiguieron sencillamente dejaron de quedar con otras personas. De pronto, los que no estábamos en su círculo ya no éramos bienvenidos. De verdad, parecían una secta. —Sacudió la cabeza con disgusto.

—¿Os atacaron alguna vez?

—No, solo se peleaban con los de la otra banda, y también con los skins, neonazis y demás morralla que se metía con ellos por ser extranjeros. Decían que por eso habían formado la banda, para defenderse de ataques racistas y demás. Pero dejaron de llamarnos para quedar, hacían planes por su cuenta... Bueno, empezaron a pasar de todo aquel que no fuese del grupo, ya sabes, así que dejé de ir con ellos. Y de todas formas, algunas de las cosas que hacían tampoco me daban buen rollo.

—¿Y qué pasó con Jimmy? —siguió indagando Tina—. Estuvo en la cárcel, ¿no?

—Sí, y durante ese tiempo la pandilla estuvo muy perdida, así que los otros aprovecharon para ganar terreno. Y cuando Jimmy volvió, se montó un bar y pasó de meterse en más líos. Sus chicos lo estuvieron esperando, y por lo que cuentan, aún se pelean de vez en cuando con los otros, pero nada de importancia, creo. Sin Jimmy no son más que unos críos que juegan a hacerse los duros —concluyó sonriendo.

Salima no dijo nada. Yassin la miró con fijeza.

—Y tú, ¿por qué preguntas ahora por esa gente? —quiso saber—. ¿Te interesa Alexis Rosales?

Ismail también se volvió para observarla con curiosidad.

—Es verdad, estabais hablando con él el otro día —recordó.

—Bueno —respondió ella—, estoy realizando una investigación sobre bandas latinas y tenía entendido que teníais conocidos entre la gente de Jimmy, pero me parece que me voy a tener que buscar otras fuentes más fiables.

—¿Y eso por qué? —preguntó Ismail desconcertado.

—Porque, según mis informes, Alexis Rosales está en el hospital debido a que ayer lo apuñalaron durante una violenta pelea contra la banda de Rolando Montoya, alias Gato.

Sus hermanos se quedaron mirándola pasmados.

—¿Cómo...? —empezó Ismail, pero Yassin aprovechó la distracción para colarle un gol por la escuadra—. ¡Eh!

—¡Sssí! ¡Toma ya, toma ya, empate!

Salima sonrió.

—No os entretenemos más, jugones —se despidió—. Nos vemos luego.

Los chicos no respondieron. Estaban de nuevo concentrados en el juego y ni siquiera se dieron cuenta de que Tina y su hermana se marchaban.

—¿Sabes?... —comentó Salima pensativa mientras las dos caminaban juntas por la calle—. Me parece extraño que organizaran la pelea solo porque alguno le tiró los tejos a Tati —opinó—. Hay algo aquí que se nos escapa.

Tina no respondió. La escuchaba solo a medias, y Salima detectó que estaba abatida.

—¿Qué te pasa? ¿Es por lo de tu madre?

Tina suspiró, pero no dijo nada.

—¿Tan grave fue la cosa?

—Pues al principio no lo parecía —respondió ella—. Me riñó porque bajé a hablar contigo cuando llamaste al interfono. Luego empezó a decir que yo era una inútil, que no servía para nada, que no tenía futuro... —Se le llenaron los ojos de lágrimas al recordarlo.

—Oh, Tina... —musitó Salima.

—... Y que lo decía por mi bien, que nadie me va a querer tanto como ella. Salima —añadió, alzando la mirada hacia su amiga con las mejillas húmedas—, si la persona que más me quiere tiene esa opinión de mí, ¿cómo...?

—No, Tina, no pienses eso —la cortó ella, abrazándola con fuerza.

Tina apoyó el rostro en el hombro de su amiga y se echó a llorar sin poder contenerse. Salima dejó que se desahogara sin hacer ningún comentario. La gente volvía la cabeza para mirarlas, pero ellas seguían abrazadas, compartiendo aquel momento de compañerismo y consuelo. Cuando, por fin, Tina se separó de ella, secándose las lágrimas, Salima murmuró:

—Seguro que no lo decía en serio. Seguro que no lo piensa en realidad.

Pero Tina negó con la cabeza.

—Claro que lo piensa. He sido una carga para ella desde que nací, me lo ha dicho muchas veces. Se quedó embarazada muy joven, y sin desearlo realmente, y me ha tenido que criar sola...

—Pero eso no es culpa tuya.

—¿Qué?

—No es responsabilidad tuya. Tú no tienes la culpa de haber nacido, Tina, faltaría más. Comprendo que tu madre esté amargada porque no se siente feliz con su vida, pero no debería hacerte a ti responsable de ello.

—Ya, bueno... —respondió Tina sin mucha convicción.

—Lo digo en serio. Y por cierto, tampoco le va tan mal. Tiene buena salud, un techo sobre su cabeza y un trabajo que le permite vivir con dignidad, y lo más importante —hizo una pausa y miró a su amiga con una amplia sonrisa—, tiene una hija de la que cualquier madre podría sentirse orgullosa.

Tina se echó a llorar otra vez.

—Gracias, Salima..., pero ella no se siente orgullosa de mí... Ni siquiera le gusto tal y como soy. No hace más que encontrar razones para criticarme.

—Pues lo siento mucho por ella, Tina. No sabe lo que se pierde. Pero —concluyó, colocando las manos sobre los hombros de su amiga—, nunca nunca pienses que es culpa tuya.

Tina suspiró.

—A veces tengo la sensación de que, por mucho que me esfuerce por complacerla, mi madre siempre encontrará algo que reprocharme. Es agotador.

—Entonces no te esfuerces tanto. Solo sé tú misma. Y que lo asuma. Y si no, peor para ella.

Tina sonrió. Se sentía mucho mejor.

—Y ahora —añadió Salima—, te acompaño a tu casa. Le he prometido a mi madre que lo haría, y ya sabes cómo son las madres —concluyó, guiñando un ojo.

Caminaron juntas hasta la calle donde vivía Tina, y se despidieron en el portal.

—¿No prefieres que suba contigo? —preguntó Salima, un poco preocupada—. Si tu madre está muy enfadada, a lo mejor se corta un poco si estoy yo delante...

Tina lo pensó un momento. La idea de utilizar a Salima como carabina le resultaba tentadora, pero acabó por negar con la cabeza. Tal vez su madre contuviera la lengua ante su amiga, pero eso solo retrasaría lo inevitable.

Se despidió de ella y subió las escaleras con paso resignado.

Cuando se detuvo ante la puerta de su casa, tuvo que inspirar profundamente para tranquilizarse. Su corazón bombeaba con tanta fuerza como si se hallase ante un peligro real, y sus tripas se retorcían de pura angustia. Todo su cuerpo le gritaba que diese media vuelta y saliese huyendo lejos de allí. «Mi madre me da miedo», comprendió de pronto, sorprendida.

Y era un miedo extraño. No temía sufrir daño físico, puesto que la mayoría de los delincuentes a los que se había enfrentado eran más peligrosos para ella en ese sentido. No; lo que realmente la hería eran sus palabras, sus actitudes, sus reproches. Se encogió sobre sí misma de forma automática y, cuando fue consciente de ello, se obligó a enderezar los hombros y a tratar de calmarse.

«Las palabras son solo palabras», se dijo. «Por mucho que duelan..., son solo palabras».

Dio la vuelta a la llave y entró en casa.

Halló a Camila sentada en el sofá, ante el televisor. Ni siquiera levantó la mirada cuando la oyó llegar.

—Buenos días, madre —saludó Tina con frialdad.

Le salió así de pronto, «madre» en lugar de «mamá», como si de aquella manera creara una distancia de seguridad entre las dos.

—Ya se dignó a volver la princesa —se limitó a responder su madre sin mirarla—. ¿La pasó bien su excelencia?

Tina sintió el familiar retortijón de culpa en el estómago. Consiguió, sin embargo, que no le temblara la voz al contestar:

—No me fui de fiesta, madre. Dormí en casa de una amiga porque no quería volver aquí.

Ahora sí, Camila la miró.

—Ah, qué bien, vives en un horrible castillo maldito, prisionera de una vieja bruja. Bueno, si tan infeliz eres aquí, ¿por qué no te vas para siempre?

Tina abrió la boca para replicar, pero no encontró argumentos. De nuevo, su madre la había dejado sin palabras.

—Quizá prefieras vivir con una de tus amigas, ya que tienes tantas —siguió ella—. Seguro que estarán encantadas de adoptarte. Pero yo en tu lugar les explicaría primero que eres una egoísta desagradecida que les darás la espalda en cuanto te canses de ellas.

—Pero, mamá... —pudo decir Tina.

—Porque, claro está, ¿qué puede esperarse de alguien que abandona a su propia madre?

El sentimiento de culpa seguía allí, pero Camila lo había exprimido demasiado. De pronto, Tina fue consciente de lo exagerados que eran los argumentos de su madre e intuyó por fin el chantaje emocional al que la estaba sometiendo.

—No digas bobadas, mamá —soltó.

Camila se la quedó mirando, sorprendida de que ella hubiese osado replicar.

—No voy a abandonarte —prosiguió Tina, cada vez más segura de sí misma—. Pero ya tengo casi quince años y no me puedes tratar como si tuviera cinco.

Camila dejó escapar una carcajada de desdén.

—¿Y cómo quieres que te trate? Si le parece a su majestad, desplegaré la alfombra roja cada vez que tenga a bien escaparse de casa.

Tina suspiró, cansada.

—Deja de hacer eso, ¿quieres? Podemos afrontar esto de forma racional y sensata... o podemos hacerlo a tu manera y acabar riñendo una y otra vez, tú decides.

—¿Así que lo que tú llamas «mi manera» no es una forma... cómo dijiste... racional y sensata?

—No, madre, no lo es. Te propongo algo: cuando salga de casa, avisaré cuándo voy a volver, y no dormiré fuera sin tu conocimiento. Además —añadió antes de que Camila pudiera responder—, dedicaré tiempo a estudiar para mejorar mis notas. Quiero seguir estudiando y lo haré, pero no a base de castigos, regaños y agarrones. Lo haré si tú me apoyas y crees en mí.

En cuanto hubo pronunciado aquellas palabras supo que su madre no iba a hacerle concesiones tan fácilmente.

—¿Creer en ti? ¿Pero en qué mundo de fantasía vives, hija? ¿Quién te piensas que eres, «Aistin»?

Tina tragó saliva, pero no se dejó avasallar.

—Se dice «Einstein» —corrigió—. Y sigues siendo irracional y poco sensata. Si no me hablas como a una persona madura e inteligente, mejor no me hables, mamá. Pero no esperes entonces que te dirija la palabra ni responda a tus preguntas. ¿Sabes lo que dicen aquí en España? «A palabras necias, oídos sordos».

—¿Me estás llamando necia?

—Te estoy pidiendo que no te comportes como si lo fueras.

Camila se levantó con energía y se dirigió hacia su hija, con el rostro congestionado de rabia. Tina se estremeció, pero se esforzó por mantenerse en el sitio y clavar en su madre una mirada resuelta y serena.

—Antes de que me pegues —le advirtió—, déjame recordarte que ya soy más alta que tú.

La mano de Camila se detuvo en el aire.

—¿Qué quieres decir con eso? ¿Me estás amenazando?

—No lo sé —respondió Tina; su voz sonó serena, pero por dentro estaba temblando de puro terror—, eres tú la que levanta la mano como si fuera a golpearme.

Camila bajó la mano y miró a su hija con sorpresa. La propia Tina se sentía también perpleja. No se reconocía en la chica que osaba responder a su madre con réplicas tan certeras, y pensó que, después de todo, sí estaba aprendiendo algo de Salima.

Decidió aprovechar aquella mínima ventaja. Tragó saliva y dijo, casi atropelladamente:

—Te propongo una cosa: yo no me escapo de casa, estudio para los exámenes y tú dejas de imponerme castigos exagerados.

—¿Exagerados?

—Son exagerados, mamá, y lo sabes. Aunque a lo mejor prefieres seguir como hasta ahora: me regañas, me castigas, me enfado, me voy de casa... Y entonces vendrán los servicios sociales y tal vez me lleven a un centro de acogida porque piensen que no estás capacitada para cuidar de mí.

Camila la miró con cierto aire de dignidad ofendida.

—¿De verdad tienes esa opinión de mí? ¿De tu propia madre?

Tina advirtió que estaban adentrándose de nuevo en el terreno del chantaje emocional, y decidió que no quería seguir por ahí.

—No voy a responder a eso —replicó; reunió todas sus fuerzas para declarar—: Y ahora, si me disculpas, me voy a mi habitación a estudiar. Estaré allí toda la mañana, pero a la tarde saldré de nuevo y regresaré a casa a tiempo para hacer la cena.

—¿Cómo dices? Pero si estás...

—Considera esto como una ocasión de volver a comenzar nuestra relación madre-hija con unas normas más justas y racionales —siguió diciendo Tina, muy deprisa—. Dejémoslo así, a no ser que quieras volver a discutirlo; pero yo, francamente, me cansé ya de discutir. Que tengas un buen día, madre.

Le dio la espalda y se metió en su habitación, dejándola con la palabra en la boca.

Cerró la puerta, aunque sin cerrojo, y suspiró profundamente, aún temblando.

No podía creer que se hubiese enfrentado a su madre de aquella manera. Le parecía un sueño, algo que le había pasado a otra persona; o tal vez el espíritu de Salima la había poseído durante unos minutos para poder decir por una vez lo que pensaba, con calma y con claridad.

No tenía muy claro cómo reaccionaría Camila ante su pequeña «rebelión». Pero quería demostrar que hablaba en serio, de modo que, como gesto de buena voluntad, sacó los libros de texto, se sentó en su escritorio y se puso a repasar los temas para el examen de historia.

Unos minutos más tarde, su madre abrió la puerta y se asomó para ver qué hacía. Tina no se volvió para mirarla. Camila tampoco dijo nada. Solo volvió a cerrar la puerta con cuidado y la dejó estudiar.

El resto del día transcurrió sin sobresaltos. La comida fue tensa y silenciosa, y madre e hija se trataron con gélida corrección. Después, Tina volvió a sus estudios, y su madre no hizo ningún comentario cuando, en torno a las seis de la tarde, salió de casa y anunció que regresaría para la hora de cenar.

Hizo la ronda por el barrio, invisible como solía. Intervino en una pequeña disputa y sorprendió a un carterista cuando introducía la mano en el bolso de una señora que paseaba a su perro. Pasó también por las canchas, pero los chicos de Gato no estaban allí. Solo vio a dos chavalines que evolucionaban por la pista sobre sendos monopatines, sin terminar de creerse que aquel espacio estuviese por fin disponible para ellos.

Terminó ante la casa de Rodrigo, y pasó allí el resto de la tarde, vigilando. No lo vio salir, ni tampoco encontró rastro de Kevin y sus amigos por los alrededores.

Volvió a su casa antes de las nueve para hacer la cena, como había prometido; pero estaba preocupada por Rodrigo, y el hecho de que la banda de Gato no diera señales de vida no hacía sino inquietarla aún más.

Salió de nuevo por la noche, después de asegurarse de que su madre dormía. Como había imaginado, la puerta de casa estaba cerrada, y las llaves habían desaparecido del cuenco donde las dejaba. Sonrió con amargura, pensando en lo predecible que era Camila, y preguntándose cómo no se había dado cuenta antes de que la conocía mejor que su madre a ella. Se alegró de haber previsto aquella contingencia, y utilizó la copia que había hecho de la llave la tarde anterior.

No vio a ninguno de los miembros de la banda de Gato durante la ronda nocturna, pero sí apreció que había más presencia policial que de costumbre. Volvió a casa antes de las dos de la madrugada, y se deslizó en su cama un poco más tranquila, sin que su madre llegase a descubrir su ausencia.

19

Al día siguiente, sin haberlo planeado previamente, Tina, Rodrigo y Salima se reunieron en el patio del instituto antes de entrar en clase, en el mismo banco en el que las chicas le habían revelado al director de *Voces* que Gato y sus amigos traficaban con droga.

—Buenos días, Herrera —saludó Salima festivamente—. Ya me han contado que has tenido un *finde* movidito.

Rodrigo sonrió.

—Nada escapa a tu olfato de reportera, ¿eh, El Hamidi? —respondió, mirando de reojo a Tina; ella enrojeció, a su pesar.

—¿Cómo está Alexis? —preguntó.

—Casi recuperado —contestó Rodrigo—. Si todo va bien, pronto le darán el alta y no tardaréis en verlo por aquí.

—¿Ha hablado con él la policía? —quiso saber Salima.

—Bueno, no podía escaquearse estando ingresado en el hospital. Pero no ha contado mucho. Se niega a dar nombres, y le ha molestado que yo sí lo hiciera.

—No fastidies —soltó Salima perpleja.

—Ya ves. Parece que la consigna es «me atacaron unos chicos, yo solo me defendí, no sé quiénes eran, no los conozco, no los había visto nunca». Y eso es lo único que responden todos los detenidos, de uno y otro bando.

—No me lo puedo creer.

—Créetelo. Los enemigos mortales se protegen unos a otros, con tal de continuar con su estúpida guerra de bandas sin interferencias.

—Entonces, ¿tú sí que le has contado a la policía quiénes estaban allí? —preguntó Tina, preocupada.

—De ti no he hablado, tranquila. Aunque me ha costado mantenerte al margen, porque parece ser que la llamada que alertó a la policía salió de mi móvil —añadió, lanzándole una mirada penetrante.

Tina enrojeció todavía más.

—¡Lo siento mucho! —se disculpó—. No sabía qué hacer, ibas a meterte en la pelea y se me ocurrió... Es que yo no tengo móvil —confesó, muy avergonzada.

—No, no, si no me molesta. De hecho, tendría que haber llamado yo. Pero, claro, cuando me han preguntado por la chica que llamó desde mi teléfono...

—¿Qué les has dicho?

—Que era una amiga que estaba conmigo cuando vimos que esos energúmenos empezaban a pelearse. Me pidieron tu nombre, pero como no interviniste en la pelea, creo que no estoy obligado a dárselo. Me dijeron que tienen interés en que declares como testigo, y les respondí que te lo haría saber.

—Gracias —acertó a decir Tina, emocionada ante el hecho de que Rodrigo se hubiese molestado en proteger su identidad.

—Eh, un buen investigador no revela sus fuentes —sonrió él—. Yo vi lo que pasó. Intentaste impedir que ese bruto de Kevin machacara a uno de mis mejores amigos. No sé cómo ni por qué estabas allí, pero si quieres discreción, por mi parte te aseguro que la tendrás.

—Gracias —reiteró Tina.

—Hablando del bruto... no ha venido hoy a clase, ¿verdad? —planteó Salima.

—No creo que se deje caer por aquí durante una buena temporada —respondió Rodrigo—.La policía lo busca por riña tumultuaria y tentativa de homicidio. Les di su nombre y el de todos los que reconocí en la pelea. Lástima que no los conozco a todos, si no...

—Pero hiciste fotos —recordó Tina, y por la forma en que él la miró comprendió enseguida que había cometido un error.

—¿Fotos? —preguntó Salima enseguida.

—Sí, bueno, pero no se ven muy bien —masculló Rodrigo.

—No te creo, Herrera. Tienes una cámara profesional con un objetivo más que decente, que lo sé de buena tinta.

Rodrigo suspiró y se removió, incómodo, pero no respondió.

—¿Qué pasa? —insistió Salima—. ¿Es que no quieres comprometer a Alexis? Qué vergüenza, jefe. ¿Qué ha sido de tu ética profesional?

—Alexis ya está en el hospital por esto —replicó Rodrigo molesto—. Las fotos son mías, y yo decidiré lo que hago con ellas.

—No deberías juzgarlo de forma diferente solo porque sea tu amigo. Por mucho que intentes negarlo, es tan gamberro como los demás.

—No recuerdo haber pedido tu opinión sobre la forma que tengo de tratar a mis amigos, El Hamidi.

Tina intervino, alarmada ante el rumbo que había tomado la conversación:

—Solo quería decir que a lo mejor, si nos enseñas las fotos, podemos identificar a los que estaban en la pelea, y así podrás ampliar la lista para la policía. Yo conozco a muchos de los de la banda de Gato. Sé cómo se llaman, aunque no sus apellidos, pero puede servir para empezar. —Rodrigo la miraba con interés, y Tina prosiguió, animada—: Y uno de los hermanos de Salima podría identificar a los amigos de Alexis, si él no quiere hacerlo.

—Eh, eh, no metas a mi hermano en esto.

—¿Qué ha sido de tu ética profesional, El Hamidi? —contraatacó Rodrigo con una sonrisa.

—¡No es lo mismo! Mi hermano no fue el sábado por la tarde a pegarse con nadie. A diferencia de tu amigo, por cierto.

—Vale ya, dejad de discutir —cortó Tina, apurada—. No era una buena idea, siento haberlo mencionado. Una cosa es ayudar a la policía y otra muy distinta es darles motivos a esos tipos para que te den una paliza.

Rodrigo la miró con curiosidad.

—¿Crees que me estoy ganando una paliza, Tina? —preguntó.

A Tina le latió el corazón más deprisa, como cada vez que él la miraba; pero eso no impidió que respondiera:

—*Sé* que te estás ganando una paliza. Me consta que algunos de los amigos de Gato, con Kevin a la cabeza, están deseando machacarte por lo que pasó el sábado. Creen que llamaste a la policía y te hacen responsable de la detención de Gato.

Rodrigo no dijo nada. Solo siguió mirándola, y Tina añadió, con el ceño fruncido:

—A veces parece que crees que nunca va a pasarte nada, Rodrigo, pero estás jugando a un juego muy peligroso. No sé si eres consciente de ello.

—Soy consciente —respondió él—, pero alguien tiene que hacerlo. No podemos quedarnos callados mientras gamberros y delincuentes campan a sus anchas por el mundo en general y por nuestro barrio en particular. Nosotros no tenemos medios para detenerlos, pero la policía sí. Y probablemente podrían hacer mejor su trabajo si la gente decente colaborase más con ellos.

Tina no respondió. Le habría gustado contarle que no era el único que luchaba por un barrio más seguro, por un mundo más justo. Habría querido explicarle lo que ella misma hacía, para que no la metiera en el saco de la «gente decente que no colabora». Aunque no se enfrentase a los criminales a rostro descubierto, como hacía él, tenía la sensación de que sus propias actuaciones eran mucho más efectivas, y ya no se sentía tan cobarde por ocultar su identidad. Después de todo, muchos superhéroes necesitaban una máscara, y eso no restaba mérito a lo que hacían.

Y precisamente por eso, se recordó, alicaída, no podría revelarle nunca la verdad a Rodrigo.

No obstante, parecía claro que él iba a seguir arriesgándose por una cuestión de principios y que no lograría convencerlo de que se quedase al margen. Suspiró para sus adentros. Eso solo le dejaba una salida pero, desde luego, no pensaba contárselo a él.

—Y tú, ¿cómo es que sabes tanto de Gato y sus amigos? —preguntó entonces Rodrigo—. Tenía entendido que Kevin era tu enemigo acérrimo.

—Por eso los espío —respondió Tina, un tanto incómoda—, pero no tengo trato directo con ellos, si es lo que piensas.

—Pues para no tenerlo, los conoces demasiado bien...

—No todos son como Kevin —replicó Tina ambiguamente—. Dejémoslo ahí.

—Tampoco ella quiere revelar sus fuentes —intervino Salima encogiéndose de hombros—. No sé a qué viene ese tonillo acusador, Herrera.

—No he usado ningún... —empezó a defenderse Rodrigo; se interrumpió de pronto y suspiró, cansado—. Bueno, sí, tal vez. Lo siento, igual me he pasado de suspicaz. Ha sido un fin de semana muy largo.

—¿No estás durmiendo bien? Tienes ojeras, ¿sabes?

—Puede ser. Anoche me quedé hasta tarde mirando las fotos, y el sábado dormí muy mal, con tantas emociones. —Se estremeció visiblemente y añadió—. Me desperté de madrugada con la sensación de que el fantasma de mi hermano estaba conmigo, en mi habitación. ¿Podéis creerlo?

—Yo no te creo —respondió Salima, lanzando una mirada de sospecha a Tina, que se había puesto muy colorada—. Si hubieses tenido contacto con el fantasma de tu hermano, o con cualquier otro, no te habrías limitado a quedarte mirándolo sin más; le habrías hecho una entrevista exhaustiva y habrías documentado el encuentro con dos docenas de fotos por lo menos.

Tina se quedó de piedra, temiendo que Rodrigo se enfadaría con Salima por aquella impertinencia. Pero el chico se echó a reír, visiblemente aliviado.

—Tienes razón —reconoció—. A veces creo que me estoy volviendo un poco loco.

—El primer paso es admitirlo, ya sabes.

Sonó entonces el timbre que indicaba el comienzo de las clases, y los tres amigos se dirigieron a sus respectivas aulas. En el pasillo, sin embargo, los alcanzó una chica morena y guapísima a la que ellos reconocieron de inmediato: Tatiana Ramos.

—Herrera —lo llamó—. ¿Puedo hablar contigo un momento?

—No —replicó él con frialdad.

—Por favor —insistió Tati—. Es importante.

Salima se había detenido y la contemplaba con curiosidad.

—¿Hay algo que quieras contarnos? —le preguntó.

Tatiana la miró con cierto desprecio.

—A ti no tengo nada que contarte —replicó.

El semblante de Rodrigo se endureció.

—Bueno, pues yo a ti no tengo nada que escucharte.

Tati comprendió que había cometido un error.

—Lo siento, yo... estoy nerviosa. Gato está en la cárcel y...

—... Y allí está bien.

—No, no lo entienden; sé que no es un santo, pero jamás ha llevado encima un arma de fuego.

Rodrigo sonrió con escepticismo. Tati se paró en medio del pasillo, incómoda ante las miradas curiosas que les dirigían los demás alumnos.

—Le tendieron una trampa, Rodrigo. Tienes que creerme.

—¿Tengo que creerte? —repitió él, indignado—. Mi hermano está muerto y mi amigo en el hospital, así que, dime, ¿por qué me va a preocupar lo más mínimo que Gato esté entre rejas? Por mí, como si se pudre en chirona. Se lo tendrá bien merecido.

Tati palideció, pero encajó su ira con fría serenidad.

—Yo sé que crees que tienes motivos para guardarme rencor. Pero tengo información que puede interesarte, y te la daré... si me escuchas.

Rodrigo iba a negarse, pero Salima respondió:

—Ven a buscarnos en el recreo y hablaremos.

Tatiana les dio las gracias y corrió hacia su clase. Rodrigo se quedó mirando a Salima, irritado, pero ella dijo, imperturbable:

—¿Qué? Yo quiero saber qué es eso que tiene que contarnos. Y no me digas que tú no sientes curiosidad, porque sé que no es verdad.

A Tina no la habían invitado a la reunión, pero igualmente acompañó a Rodrigo y Salima a la hora acordada hasta un banco situado en una esquina apartada del patio.

Tatiana no tardó en llegar. Tina se fijó en su aspecto: botas altas, minifalda y un escote de infarto, una indumentaria que hacía que los chicos se volvieran a mirarla cuando pasaba. Ella parecía estar tan acostumbrada a aquellas reacciones que apenas les prestaba ya atención, pero Tina, habituada a ser invisible, en sentido literal y figurado, se sentía incómoda con tanta gente mirándolos de reojo.

A Rodrigo, en cambio, no parecía importarle que todos lo vieran hablando con Tatiana Ramos.

—Venga, desembucha —le soltó—. ¿Qué tenías que contarnos?

Tati inspiró hondo.

—Gato no llevaba encima esa pistola cuando fue a la pelea —dijo—. Se la pusieron después.

Rodrigo resopló.

—Cuéntale ese cuento a otro, hermana. No creo en *conspiranoias*.

—Te juro que él no tenía armas de fuego, era muy cuidadoso con eso —insistió Tati—. Se fue a la pelea solo con un par de navajas, lo sé.

—Perdona, ¿tú sabías que tu novio se iba a pegar con un grupo de matones y no le dijiste nada? —intervino Salima perpleja.

Tati se volvió hacia ella; Tina notó que se esforzaba por controlar el gesto de desdén que asomaba a su cara cada vez que miraba a Salima.

—¿Y qué tendría que haberle dicho, si se puede saber?

—No sé... «Por favor, cariño, no seas tan violento, que es malo para tu salud», o algo parecido. —Tatiana entornó los ojos, pero no respondió. Salima prosiguió—. O tal vez: «Mira, guapo, no me van los hombres violentos, así que, o dejas de hacerte el machote o ya te puedes ir olvidando de mí».

—¿Te pagan por meter las narices en la vida de los demás? —preguntó Tati con tono gélido.

—A mí me da igual que salgas con un delincuente, es tu problema —replicó Salima—. Ya eres mayorcita para tener dos dedos de frente, ¿no? Lo que me deja pasmada es que luego vengas lloriqueando porque lo han metido en la cárcel. Tú dices que no llevaba ningún arma de fuego, vale; pero lo cierto es que Gato *es* un delincuente, y su lista de «hazañas» incluye peleas, robos, amenazas, armas blancas, drogas... ¿Sigo?

Tati palideció.

—Ya veo que me equivoqué al venir a hablar con ustedes —observó—. Pero tan inocentes no son. Herrera estaba también en la pelea con su amigo Rosales, todo el mundo lo sabe.

—¿Todo el mundo? —sonrió Rodrigo—. Lo sabe la poli y con eso me basta, y yo no estoy en la trena como tu novio. Alguna diferencia habrá entre él y yo, ¿no?

—Los vendiste a todos, cabrón —insultó Tati—. Les diste todos los nombres, menos el de tu amigo Alexis.

—No tuve que dar el nombre de Alexis porque la policía ya vio que estaba allí, no están ciegos —replicó Rodrigo, cortante—. Y creo que esta entrevista se ha terminado. Vuelve a dirigirme la palabra cuando aprendas modales.

Tati inspiró hondo.

—No, lo siento, yo... es que estoy muy asustada. —Se echó a llorar, pero Rodrigo seguía contemplándola, imperturbable—. Fueron por él, Rodrigo, iban a matarlo. Y cuando no lo consiguieron, le colocaron encima esa pistola para que la policía la encontrara. Eso no ha pasado nunca, hay un código, ¿entiendes? Es cierto que hay peleas a veces, pero hay unas normas, y ahora no sé por qué...

—Es verdad que fueron por él —intervino Tina inesperadamente—. Yo lo vi. Se lanzaron todos sobre él al inicio de la pelea y lo obligaron a sacar la navaja. Pero le dieron una buena paliza hasta que consiguió quitárselos de encima.

Tati la miró sorprendida, como si no hubiese reparado antes en ella.

—¿Quién eres tú? —preguntó—. ¿Por qué estabas allí?

—Lo que no me ha quedado claro —intervino Salima oportunamente—, es por qué se peleaban. Dicen que fue por ti, Tatiana.

—Sí y no —respondió ella—. Bueno, son sus enemigos, ya saben cómo son estas cosas. Se pelean en cuanto tienen ocasión... —Calló de pronto, y Salima preguntó, animándola a continuar:

—¿Pero?...

—Pero hace un par de semanas sucedió algo raro. Estábamos en la disco, y Luis Daniel... ¿saben quién es Luis Daniel? Es el cabecilla de la banda de Jimmy...

—Entonces debería llamarse «la banda de Luis Daniel» —opinó Salima con ligereza; pero Rodrigo asentía pensativo, y Tina evocó al joven de cabello rubio teñido que había liderado al grupo durante la pelea.

—... Bueno, pues Luis Daniel me invitó a una copa esa noche —siguió contando Tatiana sin hacerle caso—. No recuerdo bien qué pasó, ya estaba un poco chumada, ¿saben?

—¿Chumada? —repitió Rodrigo.

—Borracha —tradujo Tina sin pensar.

—Pues cuando quise darme cuenta —prosiguió Tatiana—, Luis Daniel estaba metiéndome lengua, y sus amigos alrededor, animándolo y haciéndonos fotos...

—Oh-oh —musitó Salima.

—Gato sabía que era solo una provocación, pero no podía dejarlo así, ¿comprenden? Tenía que darle una lección, o habría perdido el respeto de sus rivales y, sobre todo, el de su banda.

—Qué primario —comentó Salima con disgusto.

—¿Puedes parar de interrumpir? —le espetó Tatiana irritada—. ¿Por qué no te vas a rezar a Alá o lo que sea?

—Porque hago otras cosas además de rezar —replicó Salima—. Como estudiar, por ejemplo. ¿Tú estudias? —le preguntó de pronto—. Quiero decir, ¿te planteas un futuro que no consista en parir a los hijos de un delincuente juvenil?

—¿¡Cómo te atreves!? —estalló Tati.

—A ver, por favor, dejad de discutir —cortó Rodrigo con cansancio—. Vale, me estás diciendo que Alexis está en el hospital porque ese tal Luis Daniel tenía ganas de bronca y provocó a Gato golpeándolo donde más le duele, es decir, en su orgullo de macho alfa. Pues mira, estoy de acuerdo con Salima: qué primario.

—Ustedes no lo entienden... —Tatiana sacudió la cabeza.

—No, eres tú la que no lo entiende. Puedes hacernos creer que unos y otros te utilizan como excusa para justificar sus peleas de gallos de corral, pero eso no te deja en buen lugar, precisamente. Casi prefiero quedarme con la imagen de mujer fatal que Alexis tiene de ti. Venga, por favor, dime que vas provocándolos a propósito, es menos triste que admitir que te tratan como si fueras un florero, o peor aún, un trofeo que tienen que disputarse.

Los ojos de Tati se llenaron de lágrimas.

—Es por lo de Adrián, ¿verdad? —preguntó de pronto.

Rodrigo se incorporó como movido como un resorte.

—Vaya, así que ahora quieres hablar de Adrián...

—De veras que siento mucho lo que le pasó —prosiguió ella—. Fuimos buenos amigos, tú ya sabes...

—No, no lo sé. Se dice que salíais juntos. ¿Es verdad? —le preguntó, mirándola con fijeza.

—Y... yo... n... nosotros... —tartamudeó ella—. N... no, solo fuimos buenos amigos... Yo había reñido con Gato entonces, ¿sabes? Me sentía sola y Adrián me tendió la mano. Sé que a Alexis nunca le gusté por mi relación con Gato... pero yo me acerqué a ellos de buena fe.

—Es raro —comentó Salima—. ¿Cómo llegasteis a ser tan amigos? No parece que tuvierais muchas cosas en común...

Tatiana se quedó mirándolos, dudosa. Al final se encogió de hombros.

—No quería contarlo, pero ya qué más da —suspiró—. La tarde en que reñí con Gato estaba tan enfadada que pensé en pedir a Jimmy que me dejase unirme a su grupo. Solo para fastidiar a Gato, tú sabes...

—Pero por aquel entonces Jimmy ya no era el líder del grupo —recordó Rodrigo—. Estaba todavía en la cárcel, ¿no?

—No, ya había salido, y acababa de inaugurar el bar. Fue ese día cuando me acerqué a hablar con ellos. Estaban todos celebrándolo en el local, y me quedé en la puerta, como una tonta. No me atreví a entrar. Di media vuelta para irme a mi casa, y entonces fue cuando topé con Adrián.

—¿Mi hermano estaba en el bar de Jimmy? Qué raro.

—No, no, él iba allí para buscar a Alexis, creo. Alexis sí que estaba en la farra, después de todo eran sus amigos. Pero Adrián tampoco llegó a entrar. Me vio llorando y se ofreció a acompañarme a casa. Estuvimos hablando... —Dudó un momento, pero al final negó con la cabeza y concluyó—: Bueno, y eso fue todo. Conectamos, me ayudó a superar lo de Gato, pero nunca fuimos nada más que amigos.

Rodrigo asintió, pensativo. Se tomó su tiempo antes de formular la siguiente pregunta:

—¿Y cómo le sentó a Adrián que volvieses a salir con Gato?

—No muy bien —reconoció Tati alicaída—. Pero no por

lo que piensas; él se preocupaba por mí y decía que Gato era una mala persona, que no debía volver con él porque me haría muy desgraciada.

Salima carraspeó como si fuera a decir algo, pero finalmente no lo hizo. Tati la fulminó con la mirada antes de añadir:

—Y sé que tenía buena intención, pero Gato es el hombre de mi vida y no me arrepiento de seguir a su lado. Y les juro que nunca, ni siquiera en el tiempo que estuvimos separados, le he puesto los cachos con otro. Ni con Adrián, ni mucho menos con Luis Daniel —añadió con disgusto.

—Conmovedor —murmuró Rodrigo, sin sentirse impresionado lo más mínimo—. Y dime, ¿cómo se tomó Gato tu... amistad... con Adrián?

—¿Qué quieres decir?

—Bueno, si organiza una pelea porque te ha besado otro tío, a lo mejor le molestó que te vieras tanto con mi hermano. Quizá no fuera nada personal, entiéndeme —aclaró con una sonrisa socarrona—, pero igual quería defender su honor ante la banda y esas cosas...

—¿Qué insinúas, que Gato mató a Adrián? —Tatiana le disparó una mirada indignada—. ¡De ninguna manera!

—¿Puedes demostrarlo? —la retó Rodrigo.

Ella vaciló.

—Eres tú quien deberías demostrar lo que dices. No puedes acusar a mi novio de ser un asesino así, sin más.

—Bueno, la poli lo ha detenido por participar en una pelea multitudinaria con un arma de fuego. Tú dices que no era suya. Pero no lo has demostrado.

Tati inspiró profundamente.

—Okey, no tengo pruebas que puedan convencerte de que el arma no era suya —admitió—. Por eso te he pedido ayuda, para que las busques tú.

—¿Y por qué debería hacerlo? ¿Por Adrián?

—Por ejemplo. Y porque sé que te gusta sacar la verdad a la luz, ¿no es así? Bien, pues sácala toda. No te quedes solo en la superficie, Rodrigo. Una verdad a medias se puede convertir muy fácilmente en una mentira.

Rodrigo asintió, pensativo.

—Y te voy a dar algo para que pienses en ello —añadió la chica—. Si Gato hubiese matado a Adrián, todo el mundo lo sabría.

—Y entonces estaría en la cárcel —le recordó Rodrigo—. Oh, espera...

—No te burles —replicó ella muy digna—. Sé de lo que hablo. No podrían demostrar que fue él, pero todo el mundo lo sabría. Si has perdido el respeto de la banda y lo quieres recuperar, no puedes hacer estas cosas en secreto. La gente tiene que saber, ¿entiendes?

Rodrigo entornó los ojos.

—Creo que sí. Me estás diciendo que si Gato hubiese querido «castigar» a mi hermano de alguna manera por ser tu amigo, habría reaccionado como con Luis Daniel y la banda de Jimmy: un desafío público, una pelea, que todo el mundo lo vea luchando por el honor de su chica, de su banda o lo que fuera. ¿Es así?

—Ya lo vas mordiendo —asintió Tati satisfecha—. Y bien, ¿me vas a ayudar?

—¿Qué quieres que haga exactamente? No me ha quedado claro.

—Eres amigo de los polis, a ti te escucharán. Diles que esa pistola no era suya.

—¿Cómo voy a decirles eso? No tengo pruebas, solo tu palabra...

—Pues investiga. Eso se te da bien, ¿no? Investiga, y verás que lo que digo es verdad —concluyó, antes de alejarse de ellos con andares de emperatriz latina.

Salima se volvió hacia sus amigos.

—¿Vosotros la creéis? —planteó.

Rodrigo se encogió de hombros.

—No sé. Por un lado, no me fío de ella. Por otro, me ha retado a que investigue.

—Y tú no te puedes resistir a eso, ya sé —suspiró Salima—. Bueno, yo creo que nos ha contado la verdad, pero no toda la verdad.

—Y una verdad a medias se puede convertir muy fácilmente en una mentira —asintió Rodrigo pensativo, citando a la propia Tatiana.

—Si es así, debe de estar muy desesperada —opinó Tina—. Quiero decir que te ha pedido que investigues, arriesgándose a que descubras precisamente lo que sea que quiere ocultar.

—De todas formas tampoco sabría por dónde empezar —reconoció Rodrigo—. No sé qué clase de contactos se cree Tatiana que tengo, pero desde luego, si es verdad que a Gato le colocaron esa pistola durante la pelea, no veo manera de demostrarlo.

—Salvo que ese tal Luis Daniel admita haberlo hecho, claro —comentó Salima.

Rodrigo se rio.

—Claro —coincidió—. Se lo preguntaremos amablemente con una grabadora delante de las narices. «Disculpe usted, señor Luis Daniel, ¿sería tan amable de contar para *Voces* cómo consiguió que detuvieran a su enemigo Gato endosándole un arma de fuego que no era suya?». Estará encantado de responder, seguro.

—Oye, no subestimes lo que algunos descerebrados son capaces de hacer para conseguir sus cinco minutos de fama. A lo mejor es como dice Tatiana: no tiene sentido fastidiar a tu enemigo si la gente no está enterada de que lo has hecho tú. Quizá esté deseando colgarse la medalla.

—En ese caso se lo habrá contado a sus amigos al menos —hizo notar Tina—. ¿Crees que, si Luis Daniel le tendió una trampa a Gato, Alexis lo sabría?

Rodrigo lo pensó.

—Es probable —respondió—, pero no me lo dirá.

—¿Y eso? —se interesó Salima—. Para ser tan amigo tuyo, te oculta muchas cosas, ¿no?

—Solo intenta protegerme...

—Sí, lo entiendo, pero me parece una actitud un poco hipócrita. «Haz lo que yo diga pero no lo que yo haga» y todo eso.

Rodrigo suspiró.

—Le preguntaré de todas formas, a ver si le saco algo.

Salima miró de reojo a Tina, y esta comprendió que quería decirle algo.

Lograron encontrar un momento para hablar durante la clase de educación física.

—¿Crees que tú podrías averiguar si Tati dice la verdad? —le preguntó Salima mientras trotaban alrededor de la cancha bajo un sol de justicia.

—Puedo espiar a la banda de Jimmy igual que hice con los de Gato —respondió ella pensativa—, pero primero tengo que saber dónde encontrarlos.

—En el bar de Jimmy, ¿no? ¿No es ahí donde se reúnen?

—Sí y no. En primer lugar, no creo que hablen de esas cosas delante de Jimmy porque ya no está en la banda. Y por otro lado, si Luis Daniel y los demás están en busca y captura por lo de la pelea del otro día...

—... No se dejarán ver por los sitios obvios, es cierto —reconoció Salima.

—Además —prosiguió Tina—, no voy a perder el tiempo con eso. Estos días voy a tener mucho trabajo vigilando a Rodrigo.

—¿A Rodrigo? ¿Por qué?

—Porque no tiene cuidado y sé que acabarán cazándolo, Salima —respondió ella con angustia—. Ya has oído, si hasta Tati le guarda rencor por ser el confidente de la policía, imagina lo que le harían Kevin y los demás si tuvieran oportunidad.

—Entiendo. Ya veo que estás muy preocupada por él. —Bajó la voz al añadir—. Y sé que te gusta mucho, pero ¿no crees que espiarlo en su propia habitación se parece un poco al acoso?

—¿¡Qué!? —saltó Tina, poniéndose muy colorada—. ¿Qué quieres decir?

—Bueno, no sé, a mí esa historia del fantasma de Adrián que lo visita por las noches me parece un poco rara y muy impropia de él, ¿no crees?

Tina se detuvo, abatida, y no echó a correr de nuevo hasta que el profesor de educación física le llamó la atención.

—No lo espío en su habitación —murmuró—. Fue solo la noche que dormí fuera de casa. No sabía a dónde ir y...

—¿... Y te colaste en casa de Rodrigo? ¿Invisible? ¿Te has vuelto loca?

—¡Baja la voz, por favor! Te lo contaré todo, pero no me mires así, que no soy un bicho raro...

Le relató brevemente las razones por las que había estado rondando la casa de Rodrigo el sábado anterior, lo que había hecho después y cómo y por qué había pasado la noche en la habitación de Adrián.

—Fue un impulso, nada premeditado —trató de justificarse—. Y desde luego que no lo volvería a hacer. Fue solo... que no sabía qué hacer...

—Podías haberme llamado —protestó Salima, herida—. Para eso están las amigas, ¿no?

—Era tarde y no quería molestar. Ya te digo que no lo pensé, solo estaba vigilando que no volvieran Kevin y Raúl, y entonces vi salir a Rodrigo del portal y...

—¡... Y subiste con él a su casa y dormiste en la habitación de su hermano muerto! ¿Para qué? ¿Para meterte mejor en el papel?

—Salima, Salima, no digas eso —protestó Tina, con los ojos húmedos—. Ya sabía que no tenía que habértelo contado. Me da mucha vergüenza, pero es que fue un día muy raro.

Ella se quedó contemplándola y finalmente sonrió.

—Ya lo imagino, Tina. Siento haberte juzgado. Todo esto debe de ser muy extraño para ti. Además, se nota que Rodrigo te gusta mucho.

Tina se puso colorada.

—¿De verdad se nota tanto?

Salima sonrió.

—Bueno, yo lo noto porque te conozco. También conozco a Rodrigo, creo. Es un buen chico, aunque está un poco obsesionado con su cruzada personal. —Suspiró, pesarosa—. Tal vez no sea mala idea que le eches un ojo para que no se meta en líos. Pero nada de volver a entrar en su casa sin su permiso, ¿vale? —le advirtió—. Esto está muy feo, incluso para una superheroína como tú. No está bien que uses tus poderes en beneficio propio o por razones personales. Así es como empiezan los supevillanos, ¿sabes?

Tina sonrió también.

—Claro, empiezas espiando al chico que te gusta y terminas maquinando planes de dominación mundial en tu superbase secreta del interior del volcán —bromeó.

—Y no olvides hacerte con el control del ejército de clones de la República.

—Descuida, es lo primero en mi lista de tareas pendientes.

—¡Reyes, El Hamidi! —les llamó la atención el profesor—. ¡Dejad de cotillear y seguid corriendo, que aún os quedan cinco vueltas!

20

En los días siguientes, Tina se convirtió en la sombra de Rodrigo. Por las mañanas se levantaba un poco más temprano para ir a esperarlo a la puerta de su casa y acompañarlo hasta el instituto, silenciosa e invisible. También lo seguía de vuelta al finalizar las clases, y permanecía vigilante ante su portal, por si acaso volvía a salir, hasta que se hacía de noche.

Por lo demás, cumplía escrupulosamente los horarios que había pactado con su madre. Pero, como Rodrigo se había convertido en su prioridad, ya no iba a las clases de *jiu-jitsu*, y también le había dicho a la madre de Ana María que no podría recoger a su hija a la salida del colegio.

Por las noches tampoco salía. Estudiaba y hacía deberes un rato después de cenar, a veces hasta tarde, pero luego se acostaba y dormía el resto de la noche, para poder madrugar al día siguiente y acompañar a Rodrigo hasta el instituto.

Cumplió lo que le había prometido a Salima y no volvió a subir a casa de su amigo. Pero lo seguía a todas partes, si podía, y pronto se acostumbró a sus hábitos y rutinas.

A veces, él intuía su presencia. Tina se esforzaba por ser cuidadosa, pero era muy posible que Rodrigo percibiese su respiración, o el sonido de las pisadas que lo seguían. A menudo se daba la vuelta y escudriñaba a su alrededor, inquieto. Pero nunca la veía.

Tina se sentía un poco culpable por vigilarlo de aquella manera. Pero sabía que, si dejaba de hacerlo y los chicos de Gato le tendían una emboscada, jamás podría perdonárselo.

Ya no se los veía rondando el portal de Rodrigo, ni tampoco en ninguna otra parte. Era como si hubiesen desaparecido del barrio.

Sin embargo, Tina sabía que no tendrían tanta suerte. Temía que aquello solo fuera la calma que precede a la tormenta, y a menudo evocaba las ominosas palabras de Suso: «Esto hay que cranearlo con calma».

Y así, un día sucedió.

Cuando Rodrigo salía del instituto siempre iba con dos amigos más, pero se despedía de ellos a mitad de camino y el resto del trayecto lo hacía en solitario, escoltado únicamente por la presencia leal e invisible de Valentina.

Aquella tarde parecía igual que las demás. Tina estaba un poco adormilada, porque la noche anterior se había quedado estudiando bastante rato después de cenar. Quizá por eso no estaba tan alerta como en otras ocasiones, y no vio a los matones hasta que los tuvieron encima.

Salieron de la boca de un callejón como una horda de bárbaros y se precipitaron sobre Rodrigo sin que ni a él ni a Tina les diera tiempo de reaccionar. La chica solo pudo seguirlos hasta el callejón, adonde arrastraron a Rodrigo, y entonces vio que solo eran cuatro: Suso, Kevin, Edwin y Raúl.

Arrojaron a Rodrigo contra la pared y bloquearon con sus cuerpos toda posibilidad de escape. Tina miró a su alrededor, alarmada, en busca de cualquier cosa que pudiera utilizar como arma. Localizó tres litronas de cerveza vacías al pie de un contenedor, y sintió una oleada de alivio.

Mientras tanto, Suso se encaraba a Rodrigo.

—¿Sabes por qué estás aquí, Herrera?

Rodrigo trató de incorporarse, un poco aturdido.

—¿Porque me ha asaltado una pandilla de orangutanes con almorranas? —murmuró.

—¿Qué fue lo que dijo? —preguntó Edwin desde atrás.

Suso lanzó un puñetazo contra el estómago de Rodrigo. El chico se dobló sobre sí mismo con un grito de dolor, y Tina dejó escapar una exclamación de angustia. Raúl, que estaba a su lado, dio un respingo y miró a su alrededor, inquieto.

—¿Oyeron eso?

—Yo solo oigo los lloros de este mocoso —declaró Suso—. Cuando acabemos contigo no te mostrarás tan arrecho, ¿verdad que no?

Levantó el puño para golpearlo de nuevo, pero Tina no se lo permitió. Apartó a Edwin de un empujón y disparó una patada contra Suso para alejarlo de Rodrigo.

Suso era más grande y fuerte que ella, por lo que le asestó otra patada, esta vez directa a la entrepierna. El joven aulló de dolor; se le doblaron las rodillas y se cubrió con ambas manos la zona sensible. Tina aguardó un momento, con la botella en la mano, pero Suso no parecía estar en condiciones de levantarse. Se volvió entonces hacia los otros chicos, que retrocedieron, sobresaltados, al ver la botella levitando en el aire.

—¡Chucha! —exclamó Raúl, atónito—. ¿Qué es eso?

Kevin avanzó para hacerse con la botella flotante; pero Tina la estampó contra su hombro con todas sus fuerzas. El recipiente se rompió, y Kevin gritó de dolor cuando los cristales le cortaron la piel. Edwin y Raúl retrocedieron un poco más.

Kevin se miró el hombro sangrante, sin dar todavía crédito a lo que estaba sucediendo. Tina se había quedado con el cuello de la botella rota en la mano. Acarició la idea de asustarlos con alguna frase grandilocuente, pero era demasiado consciente de la presencia de Rodrigo a su espalda, y temía que él reconociera su voz aunque tratara de disfrazarla. De modo que, cuando los chicos hicieron ademán de avanzar hacia ella, alzó los restos de la botella con ademán amenazador, y ellos saltaron hacia atrás, alarmados. Les arrojó el cristal y se cubrieron la cabeza con los brazos, aterrorizados.

—¿Q... qué está pasando aquí? —pudo decir Kevin.

Tina cogió otra botella y la blandió ante ellos. Raúl hizo ademán de acercarse, pero ella giró la cadera y le estampó una patada en el estómago. El chico lanzó un gruñido y, al retroceder, tropezó con Edwin y ambos cayeron de espaldas al suelo. Tina movió la botella sobre ellos, salpicándolos con los restos de cerveza que contenía. Edwin respondió con un grito histérico, se levantó como pudo y echó a correr, despavorido. Raúl se persignó varias veces, horrorizado, y lo siguió.

Kevin los miró, indeciso, aún sujetándose su hombro sangrante. Parecía tan desconcertado que Tina le dio la espalda un momento para volverse hacia Suso.

El líder del grupo contemplaba la espantada de la mitad de su banda. Se levantó con un gesto de dolor, vigilando la botella flotante por el rabillo del ojo, y le espetó a Rodrigo:

—¿Cómo carajo hiciste eso?

El chico seguía acurrucado contra la pared, estupefacto. Tina decidió que no le interesaba que ambos contrastaran información. Hizo ademán de arrojar la botella contra Suso, y este lanzó un grito de alarma y se apartó de un salto. La botella lo persiguió hasta que él, desconcertado y tras dirigir una última mirada envenenada a Rodrigo, huyó todavía cojeando, seguido muy de cerca por Kevin.

Tina y Rodrigo se quedaron solos en el callejón. Ella aguardó todavía un momento, vigilante, antes de darse la vuelta para mirar a su amigo. Este se quedó un instante contemplando la botella voladora y después alzó una mirada pensativa hacia el lugar donde calculaba que podría estar el rostro de la persona que la estaba sosteniendo, un poco por encima de la cabeza de Tina, que no era demasiado alta. Ella se dio cuenta de pronto de que jadeaba por el esfuerzo, y su respiración resonaba con fuerza en el callejón. Trató de contener el aliento y dejó caer la botella, que rodó hasta los pies de Rodrigo. Él la miró un momento y después volvió a alzar la cabeza, pero había perdido el punto de referencia y no fue ya capaz de ubicar a su misterioso salvador.

Tina retrocedió. Sus pies pisaron los restos de la botella que había estrellado contra el hombro de Kevin. Rodrigo observó con asombro e interés cómo aquella fuerza invisible machacaba los cristales rotos.

—Espera —pidió, al darse cuenta de que las pisadas se alejaban de él—. Espera.

Tina se detuvo, con el corazón latiéndole con fuerza. Entonces Rodrigo se levantó con cierta dificultad y miró a su alrededor inquisitivamente, tratando de localizar a su salvador. Tina descubrió que sus ojos estaban húmedos. Estaba preguntándose si debía quedarse a su lado un rato más cuando, de pronto, él habló de nuevo, y sus palabras la dejaron clavada en el sitio:

—Espera, Adrián. Por favor, no te vayas otra vez.

Tina se tapó la boca con la mano para reprimir una exclamación de angustia.

Y ya no aguardó más. Dio media vuelta y echó a correr, horrorizada, sin preocuparse ya de que Rodrigo pudiera oír con claridad el sonido de sus pasos.

Aún resonaba a sus espaldas la voz del chico llamando a su hermano muerto cuando dobló la esquina sin mirar atrás.

Cuando Tina llegó al instituto al día siguiente vio un coche de policía aparcado ante la puerta. Allí estaban los agentes Moreno y Durán, hablando con un grupo de alumnos de bachillerato y tomando nota de lo que les decían. Tina trató de pasar de largo junto a ellos sin llamar su atención; pero Durán la miró de reojo, pensativo, mientras ella se apresuraba a cruzar el portón de entrada.

Se reunió en el patio con Salima.

—¿Qué pasa? —le preguntó—. ¿Qué hace aquí la poli?

Ella se encogió de hombros.

—Cualquier cosa, ¿no? Estarán buscando droga, o interrogando a alguien por acoso escolar, o algo de eso. Rutina, ya sabes. ¿Por qué estás tan preocupada? —le preguntó de pronto—. ¿Hay algo que no me has contado?

Tina respiró hondo.

—Ayer Kevin y sus amigos intentaron darle una paliza a Rodrigo —le explicó.

—¿¡Qué!? ¿Cómo...? ¿Y qué pasó? ¿Está bien?

—Creo que sí... Yo iba tras él y los vi, y conseguí pararles los pies. Llegaron a darle un puñetazo, pero nada más.

—¿Tú les paraste los pies? —repitió Salima perpleja—. ¿Tú sola? ¿Y cuántos eran?

—Cuatro, pero yo era invisible, recuérdalo. Les aticé un poco y salieron corriendo básicamente porque no veían llegar los golpes ni entendían qué estaba pasando.

—Pero eso es bueno, ¿no? Si no he entendido mal, salvaste a Rodrigo de una paliza. ¿Por qué pones esa cara de angustia? No te va a detener la policía por eso, ¿sabes?

Tina negó con la cabeza.

—Es que Rodrigo me vio...

—Pero ¿no eras invisible?

—Ay, Salima, déjame terminar. Vio las cosas que hacía, cómo peleé contra los matones. Claro que no sabía que era yo, pero sí se dio cuenta de que había alguien más allí, ¿comprendes? Intentó hablar conmigo a pesar de que no podía verme. Me llamó «Adrián» —gimió, sintiéndose muy culpable.

Su amiga se quedó mirándola con los ojos abiertos.

—¿Me estás diciendo que Rodrigo cree que el fantasma de su hermano lo protege? ¿Literalmente?

Tina se frotó un ojo, agobiada.

—Yo qué sé... Él es demasiado racional como para pensarlo en serio, y sin embargo... Mira, soy invisible, pero estoy ahí, a su lado. Tiene sentido que note que hay alguien, aunque no lo pueda ver.

—Bueno, pero buscará más explicaciones...

—Oh, ojalá. Quizá se dejó llevar por la emoción del momento, o... —se calló de golpe porque su amiga le dio un codazo y le señaló al propio Rodrigo que, pálido y ojeroso, se acercaba a ellas con las manos en los bolsillos y la mochila colgando en precario equilibrio de un solo hombro.

—Buenos días, Herrera —saludó Salima—. Vaya cara traes. ¿Te han cacheado los polis a la entrada o qué?

Rodrigo sonrió y echó un vistazo por encima de su hombro.

—Bueno, me temo que soy el causante de la «fiesta policial» de hoy —respondió—. Ayer por la tarde Kevin y sus amigotes me hicieron una visita de cortesía. Me faltó tiempo para ir a denunciarlos y ya veis... No creo que osen asomar el hocico por aquí en una buena temporada, pero, de todos modos, los polis han venido a preguntar.

—¿Al instituto? —inquirió Tina—. ¿Y por qué no a sus casas?

—Porque sus familias no les han visto el pelo desde el día de la pelea. Deben de estar reunidos en casa de algún colega, pero claro, nadie va a decir dónde se esconden, ni con quién.

—Oye, pues todavía tienes todos los dientes en su sitio —observó Salima, examinándolo con curiosidad—. ¿No te dieron el desayuno de los campeones? Ya sabes, leches y galletas.

—Ah, bueno, eso es lo más curioso de todo. El caso es que solo me sacudieron un poco antes de salir corriendo. Tengo un moratón en el vientre y poco más, y claro, eso le ha restado credibilidad y dramatismo a mi denuncia.

—Ostras —murmuró Salima—, vaya potra. Entonces, ¿les diste pena, o algo así?

Rodrigo vaciló un momento antes de responder:

—Salieron huyendo de pronto, no sé de qué. Igual vieron algún coche patrulla por allí.

Salima entornó los ojos, pero no siguió preguntando. Cuando se despidieron de Rodrigo, justo antes de entrar en clase, le comentó a Tina en voz baja:

—Tenías razón: se cree de verdad que eres el fantasma de su hermano muerto.

Ella dio un respingo.

—¿Qué? ¿Por qué dices eso?

—Porque no nos ha contado lo que pasó de verdad. Si tuviera dudas sobre su salvador invisible nos hablaría de él, iniciaríamos una investigación o por lo menos nos pediría nuestra opinión... Pero no va a contarnos sin más que lo protege un fantasma, primero porque no lo creeríamos, y segundo porque es un asunto personal.

—Porque se trata de su hermano, claro —comprendió Tina—, y por eso no lo va a compartir con nosotras. Igual que se fue solo a lo de la pelea de bandas, porque Alexis estaba implicado.

Salima asintió con energía.

—Te lo estás imaginando, ¿no? «A ver, El Hamidi —soltó, imitando a Rodrigo—, a ti que te gusta leer cosas frikis: si te digo que una fuerza invisible puso en fuga a los matones, ¿qué dirías tú que fue? ¿El poder del karma, un ángel vengador, supertelequinesis o el fantasma de mi hermano?».

—No —coincidió Tina—, eso último no lo diría.

—Exacto. Pero tampoco nos ha planteado las otras opciones, y por eso creo que esa es la única que contempla ahora mismo. Aunque la del poder del karma tampoco era mala —añadió tras un instante de reflexión.

Tina no respondió. Ambas se sentaron en sus pupitres y sacaron el material para la primera clase. Un rato después, mientras la profesora de biología copiaba en la pizarra un esquema de los mecanismos del sistema inmunitario, Salima le pasó una notita a Tina. Ella leyó: «¿Se lo vas a decir?». «¿El qué?», garabateó Tina a toda prisa. «Lo que pasó realmente ayer. Ya me entiendes», respondió Salima.

Tina suspiró. Echó un rápido vistazo a la profesora para asegurarse de que no las miraba y escribió en la nota: «¿Te has vuelto loca? ¿Cómo se lo voy a contar?». Salima planteó: «Entonces, ¿vas a dejar que siga pensando que se trata de su hermano?». «¿Y qué quieres que haga? Si se lo digo, no me va a creer», respondió Tina. «Ponlo a prueba», la desafió Salima. «Además, se lo puedes demostrar». Tina reflexionó. Había asumido la máxima superheroica sobre ocultar su verdadera identidad a toda costa, en principio para proteger a sus seres queridos de las fuerzas del mal. Pero no había supervillanos a la vista y, por otro lado, su doble vida era mucho más llevadera desde que la compartía con Salima. Sería bonito que Rodrigo estuviese también al tanto de su secreto y de todas sus actuaciones en favor de la justicia. Por un momento se imaginó a sí misma diciéndole que podía volverse invisible, desapareciendo ante sus ojos... Pensó también en lo que diría él. Se sorprendería, haría preguntas... pero después, se dijo Tina alicaída, ella se vería obligada a confesarle que lo había estado escoltando en secreto. Y tal vez él ataría cabos y llegaría a adivinar que se había colado en su casa sin permiso. Enrojeció. Le dio la vuelta al papel para escribir al dorso: «No, ni hablar. Me moriría de vergüenza si se enterase de que lo he estado siguiendo. Y adem...».

—Me moriría de vergüenza si se enterase de que lo he estado siguiendo —leyó una voz por encima de su hombro.

Tina se sobresaltó y alzó la mirada para encontrarse con el gesto severo de la profesora de biología. Se oyeron risas de fondo.

—Ya me parecía a mí extraño que mostrases tanto interés por los linfocitos —comentó ella con acidez—. Pero déjame recordarte, Tina, que la clase de biología no es lugar para consultas sentimentales. Ni siquiera cuando toque hablar del aparato reproductor, por si alguno se lo estaba planteando —añadió, volviéndose hacia el resto de la clase.

Carcajada general. Tina, completamente roja, hundió el rostro entre las manos. Sintió que Salima le daba una patada por debajo de la mesa y le susurraba:

—¡Cuidado, contrólate!

Alzó un poco la cabeza y comprobó con horror que sus manos comenzaban a transparentarse. La profesora le había dado la espalda y caminaba de vuelta hacia la pizarra, de modo que escondió las manos bajo el pupitre y se esforzó por centrarse en su libro de texto e ignorar al resto del mundo.

—Lo siento —murmuró Salima muy arrepentida, cuando Tina consiguió volver a ser completamente visible. Pero ella no contestó.

Volvieron a hablar del tema durante el recreo.

—¿Realmente crees que es buena idea contárselo? —planteó Tina.

—A ver, así, en abstracto, no me lo parece —matizó Salima—. Pero es que él cree que eres Adrián. Cualquier día te saca la ouija para comunicarse contigo, y entonces, ¿qué le vas a decir?

Tina sacudió la cabeza.

—He estado pensando que ahora ya no hace falta que lo proteja —respondió—, porque ha avisado a la policía y todo eso.

Echó un vistazo al portón del instituto. Los agentes se habían marchado, y el coche patrulla ya no estaba aparcado ante la entrada.

—Entonces, ¿lo vas a dejar pasar?

—Dejaré de seguirlo. Como ya no me sentirá a su lado, quizá se olvide del tema...

—Bueno, es otra opción —respondió Salima no muy convencida.

De modo que, por primera vez en muchos días, Tina no se volvió invisible cuando acabaron las clases para acompañar a Rodrigo hasta su casa. Salió del edificio como una estudiante más, hablando con Salima acerca de los ejercicios de inglés que tenían que entregar al día siguiente, y sonrió para sí misma al pensar que su madre se sorprendería al verla llegar tan pronto a casa.

En el patio vieron que Rodrigo se despedía de Tatiana, que se alejaba de él con gesto decepcionado. Se reunieron con él y Salima le preguntó:

—¿Hay novedades sobre Gato?

—Sigue en chirona, para desesperación de su chica —respondió él—. Quería saber si he preguntado a la poli por él.

—¿Y lo has hecho?

—Sí, cuando puse la denuncia aproveché para comentar el tema del arma que le encontraron.

—¿Y qué te dijeron?

—Que eso no es asunto mío. Como era de esperar —contestó Rodrigo encogiéndose de hombros.

—Si te dieran un euro cada vez que alguien te dice «Eso no es asunto tuyo», Herrera, a estas alturas serías ya millonario.

—¿Verdad que sí?

Tina apenas los escuchaba. Acababa de localizar en la entrada al agente Ernesto Durán. Iba de paisano y por eso la mayoría de los alumnos no le prestaban atención, aunque aquellos que lo conocían de haber tenido algún encontronazo con él lo miraban de reojo y procuraban caminar más deprisa cuando llegaban a su altura.

Pero el policía no estaba interesado en ellos. Sus ojos estaban clavados en el trío formado por Rodrigo, Tina y Salima.

Ella quiso volverse invisible para escapar de su inquisitiva mirada, y al mismo tiempo tuvo que luchar contra aquel impulso para que su cuerpo no cumpliera su deseo de forma literal. Agachó la cabeza y apresuró el paso, pero Rodrigo se detuvo y saludó con naturalidad:

—Buenas tardes, agente Durán. ¿Han encontrado ya a Kevin y los demás?

—Seguimos con ello, Rodrigo —respondió él—. Pero ahora me gustaría hablar con tu amiga, si es posible. Valentina, ¿verdad?

Ella deseó que se la tragara la tierra por segunda vez en el mismo día.

—Eeeh... sí, pero es que ahora tengo un poco de prisa —se justificó.

—Muy bien —respondió Durán encogiéndose de hombros—. ¿Cuándo te viene bien que pase por tu casa, entonces?

—¿Cómo dice? —soltó Tina aterrorizada.

—Para hacerte un par de preguntas. Ahora recuerdo que tu madre pidió estar presente cuando hablara contigo, así que será mejor que os visite cuando tú me digas que me vais a poder atender.

Tina tragó saliva. Durán había sido muy hábil. Le dejaba solo dos opciones: o hablar con él allí mismo, a solas, o hacerlo en casa, delante de su madre. De paso había aprovechado para recordarle que sabía muy bien quién era y dónde vivía.

—Vale —claudicó—, quizá le pueda dedicar un rato, si no es muy largo.

Rodrigo y Salima cruzaron una mirada.

—Bueno, pues ya nos vemos mañana, ¿de acuerdo? —dijo Salima, alzando las cejas en un gesto que Tina interpretó como «y me lo vas a contar absolutamente todo».

—Hasta mañana, Tina —se despidió Rodrigo, también un poco perplejo.

Ella los contempló con resignación mientras se alejaban. Salima aún se dio la vuelta para saludar con la mano antes de reunirse con sus hermanos, pero Rodrigo acudió al encuentro de sus amigos sin mirar atrás.

Tina se volvió hacia el agente Durán con resignación; si tenía que pasar por aquel trance, que fuera cuanto antes.

—¿De qué quería hablar conmigo? —le preguntó sin rodeos—. No he hecho nada malo.

—No te he acusado de nada, tranquila. Verás, es que estamos investigando a un grupo de chicos que están causando problemas en el barrio. Hace unos días organizaron una pelea multitudinaria, creo que estás enterada...

—Pues no —replicó Tina.

Comprobó que algunos chicos los miraban con curiosidad, y echó a andar para alejarse de la puerta del instituto. El agente Durán la siguió.

—¿Estás segura? Son latinoamericanos, y hay dos pandillas enfrentadas, por lo que sabemos.

—¿Por qué tendría que conocerlos? —planteó ella—. ¿Solo porque yo soy de origen colombiano? Porque si es así...

—No —cortó Durán—: porque el día de la pelea llamaste al teléfono de la policía para dar aviso. Desde el móvil de tu amigo Rodrigo Herrera, por cierto.

Tina apretó los dientes; Rodrigo le había dicho que no había dado su nombre a la policía, pero al parecer no había sido sincero con ella.

—No sé de qué me habla —replicó sin embargo, por si acaso.

Durán sonrió.

—Estoy bastante seguro de que era tu voz. La misma voz, por cierto, de quien llamó esa misma noche desde el teléfono de la Tasca de Manolo para avisar de que había un grupo de pandilleros armando jaleo bajo su portal. —Tina palideció, y la sonrisa del policía se acentuó—. Grabamos todas las llamadas que recibimos al número de emergencias, y las comprobamos por rutina —le explicó—. Cuando hablamos con Manolo, el dueño del bar, nos describió a la chica que entró a esa hora a usar su teléfono y, la verdad, tuve la impresión de que se parecía bastante a ti.

»Y además resulta que el bar en cuestión está junto al portal donde vive tu amigo Rodrigo, el mismo que ayer se libró por los pelos de que le dieran una buena tunda. Te lo ha contado, ¿no?

—Por encima —respondió Tina fingiendo desinterés—. No somos tan amigos, ¿sabe usted? Ni siquiera vamos a la misma clase.

—Ah, no lo sabía. Hoy os he visto juntos en el instituto y

me parecía que os llevabais bien. Y esa chica musulmana es muy amiga tuya, ¿verdad? Me han dicho que forma parte de la redacción del periódico que dirige Rodrigo.

—Está usted bien informado —observó Tina—, pero no entiendo a dónde quiere ir a parar.

—No, eres tú la que está bien informada, y eso me interesa. Sabías lo de la pelea, ¿cómo te enteraste? ¿Por Rodrigo? —Tina no respondió—. Él no nos quiso dar tu nombre, pero también investigamos por nuestra cuenta. Está jugando a un juego muy peligroso. No sé si tú eres consciente de eso. A mí me consta que Rodrigo, desde luego, no.

—Claro que no —replicó ella sin poderse contener—, pero ¿qué quiere que le diga? Supongo que Rodrigo le dio los datos de las personas que lo atacaron. Dijo que los conocía.

—Sí, los estamos buscando desde el día de la pelea.

—Pues si espera que yo le cuente dónde encontrarlos... me temo que se ha equivocado de persona, porque no tengo ni la más remota idea.

Durán se detuvo para mirarla fijamente. Ella se removió, incómoda.

—Te creo —dijo por fin—, pero también me parece que ocultas cosas. ¿Qué sabes de esos chicos, la banda de Gato?

—Que el tal Gato está en la cárcel. Y no hace falta que me pregunte cómo lo sé. Su novia va a mi instituto, esas cosas se comentan.

—Ya. ¿Y sabes por qué está en la cárcel?

—Por lo de la pelea, supongo.

—¿Y...? —la animó Durán.

Tina hizo una pausa. Sospechaba que aquella pregunta era una especie de prueba, por lo que, cuando respondió, evitó mencionar la pistola que Tati juraba que no era de Gato:

—Porque es una mala pieza, por eso. Él y sus amigos montan follones en el barrio, han atracado a gente, roban en la gasolinera y en otros sitios y trafican con drogas.

Durán se detuvo de nuevo, sorprendido.

—¿Ah, sí? ¿Quién te ha dicho eso?

—Es lo que se dice por ahí. Todo el mundo lo sabe.

—No, lo de las drogas es nuevo —observó el policía—. Obviamente sabemos que son consumidores, pero lo de que trafiquen no está tan claro.

—Bueno, yo creo que es de cajón...

—No, no lo es tanto. Mira, en el barrio hay gente que vende droga, eso es así y tratamos de luchar contra ello. El caso es que, aunque parece que son distintas personas, hace tiempo que sospechamos que hay una organización detrás. Cualquier camello que llegue después tendrá que ponerse de acuerdo con ellos.

Tina evocó la conversación que había escuchado entre Suso y aquel tal Berto que le suministraba la droga.

—No venden drogas aquí, sino cuando salen de fiesta —recordó—. En discotecas y cosas así.

—¿Y tú lo sabes por...?

—Porque lo sabe todo el mundo —repitió ella, irritada—. Oiga, yo no he hecho nada malo, solo repito chismes que se oyen por ahí.

Durán se rio.

—No te enfades. Nosotros prestamos mucha atención a las «cosas que sabe todo el mundo». ¿Sabes cómo son esas colchas que llaman *patchwork*? Se cosen con muchos retales diferentes, cada uno de una tela distinta. Bien, pues la información en el barrio es un poco así. Está hecha de retales, de cosas que la gente te cuenta; nuestro trabajo consiste en unirlas todas hasta tener un único tapiz. Y parece fácil, porque si preguntas, la gente habla... y todos te cuentan más o menos las mismas historias, de modo que los retales parecen sólidos y la colcha, bastante consistente. Pero cuando llevas un tiempo aquí descubres que la realidad del barrio no es la colcha: es precisamente lo que se oculta debajo de ella. Puedes hablar con los vecinos y sí, te contarán cosas... pero lo que realmente queremos saber... y lo que nunca nadie nos dice... es lo que hay debajo de esa colcha. ¿Comprendes?

—No muy bien —respondió Tina con cierta cautela.

—Si insisto en hablar contigo —concluyó el policía—, es porque ya me has dicho un par de cosas que no coinciden con los retales de mi colcha. Cosas que nadie más me había contado antes, y ¿sabes qué pienso? Que eso se debe a que me estás enseñando lo que hay debajo. Tienes información muy interesante y me encantaría que la compartieses conmigo.

—¿Ustedes no sabían que Gato y sus amigos son traficantes? ¿No se lo contó Rodrigo?

—Ah, sí, insinuó algo, pero no fue capaz de decirme de dónde había sacado la información. Ahora empiezo a tener una idea al respecto —añadió, mirando a Tina de nuevo.

—Ya le he dicho que lo sabe todo el mundo —gruñó ella—. A lo mejor era un retal de su colcha que no había cosido todavía.

—Bueno, a lo mejor es cierto que lo sabe todo el mundo —admitió Durán—, pero solo me lo has dicho tú, y también Rodrigo, que, por cierto, es amigo tuyo. Y además fue tu voz la que grabamos alertándonos de la pelea, cosa que Rodrigo no hizo. Y ya que estamos, a lo mejor lo de la pelea era algo que todo el mundo sabía, pero de lo que nadie nos había informado... hasta que lo hiciste tú.

—¿Y qué quiere que haga? ¿Que deje de avisar a la policía? Porque si es así, va por buen camino.

—No, no, al contrario. Lo que quiero es que me informes más. Porque sospecho que tú sabes muchas cosas; que puedes tirar de esa colcha de retales de información superficial para mostrarnos lo que hay debajo... para que nosotros podamos actuar contra todos esos individuos que contaminan el barrio y meten miedo a la gente decente.

Tina no respondió, pero pensó que las palabras del agente Durán le recordaban mucho a las del propio Rodrigo. Ahora comprendía por qué se llevaban tan bien.

—Sé que no quieres quedarte callada, ni de brazos cruzados —insistió él—. Gracias a ti detuvimos a un violador al que llevábamos mucho tiempo buscando; no creas que se me ha olvidado.

Tina dio un respingo.

—¿Disculpe?

Durán sonrió de nuevo.

—La mujer a la que intentaba atacar cuando lo cogimos nos dijo que una adolescente la convenció de que llamara a la policía. Yo vi a esa chica, y sé que eras tú. Me diste un nombre falso...

—Ya le dije que me confunde con otra...

—Tengo buena memoria para las caras, y tenemos grabada esa llamada también. Se oye tu voz, por cierto. Otra vez.

Tina se maldijo a sí misma por no haber pensado en que la policía comprobaría ese tipo de cosas.

—Pues insisto en que me confunde con otra. Mi madre no me deja salir por las noches.

—Yo no he dicho que fuera de noche cuando pasó todo aquello —hizo notar el policía con tono triunfal—. ¿Cómo lo sabías?

Pero Tina le devolvió una mirada socarrona.

—Bueno, porque todo el mundo lo sabe —le soltó—. Y ahora, si me disculpa... Vivo en esta calle.

—Espera, antes de que te vayas quería comentarte un par de cosas más.

Tina suspiró.

—Usted dirá...

—Quiero que quede claro que estamos de tu parte y que te agradezco todo lo que haces. Solo quiero pedirte que tengas cuidado y que no te metas en líos. Si sabes de algo chungo, cuéntalo a la policía y deja que nosotros nos ocupemos.

Tina no dijo nada.

—Piensa en Rodrigo —insistió Durán—. Se libró de una paliza por los pelos, y la gente que le tiene ganas es la misma que nosotros queremos meter entre rejas o, como mínimo, en un centro de menores si no tienen edad penal.

—Le tienen ganas por meterse donde no lo llaman —le espetó Tina—, pero también por hablar con la policía, precisamente. Si no hubiese contado lo que pasó el día de la pelea, esos brutos no habrían intentado machacarlo. Y siguen en la calle, por cierto. Así que no sé de qué ha servido.

—Estamos en ello, Tina. Por eso necesitamos la colaboración de todos.

—Bueno, pues ya le digo que no sé dónde se esconden esos chicos, ni ganas. ¿Eso es todo? ¿Me puedo ir ya?

—Espera, por favor. Una última cosa.

Pareció dudar un momento antes de sacar el móvil; Tina lo observó mientras trasteaba con la pantalla táctil hasta que halló lo que buscaba.

—Mira este vídeo, por favor.

Tina estiró el cuello para ver de qué se trataba. Al principio no reconoció la escena, que se desarrollaba de noche, en una plaza que le era familiar. Pero entonces vio el altercado, identificó las camisetas de dos equipos de fútbol diferentes y comprendió lo que estaba mirando solo un par de segundos antes de presenciar el prodigioso ataque de la silla levitante.

Se le encogió el estómago, aunque tuvo que reconocer que, visto desde fuera, resultaba bastante impactante.

—Mola —comentó cuando se detuvo la grabación—. ¿Es de alguna peli de ciencia ficción?

Durán se quedó mirándola, tratando de dilucidar si le estaba tomando el pelo o no, y Tina temió haber ido demasiado lejos. Pero el policía optó por dejar pasar la impertinencia.

—Este vídeo se grabó hace un par de semanas en la plaza del mercado. La vecina que lo hizo y también varios testigos presenciales juraron que las sillas se movían solas, y se pusieron a golpear a estos cafres que se estaban peleando después del partido.

»Cuando llegamos para poner orden, nos contaron una historia delirante sobre un fantasma justiciero que hablaba con voz de chica, o algo parecido. Apenas un rato después recibimos la llamada de tu madre, diciendo que tú no estabas en casa. Pero sí que estabas, y con señales de haber sido golpeada, por cierto.

—Me choqué contra una puerta —replicó Tina maquinalmente—. No sé a dónde quiere ir a parar.

Durán suspiró.

—Mira, lo primero que uno pensaría es que te maltratan en casa o te acosan en el colegio —le dijo con franqueza.

—Pues se equivoca usted si cree que...

—... y, si ese es el caso, quiero que sepas que estaremos aquí para ayudarte cuando quieras hablar de ello. Pero yo, personalmente, creo que se trata de algo más complejo, ¿no es así?

Tina no respondió.

—Últimamente pasan cosas raras en el barrio, y la gente habla de algo invisible que aterroriza a los delincuentes. El «fantasma justiciero» o algo así. No sé cuánto hay de verdad y cuánto de fantasía en esta historia, pero me encuentro contigo una y otra vez, ahora estás, ahora no estás... y sabes mucho más de lo que dices. Dime, ¿tienes idea de quién o qué puede ser ese «fantasma justiciero»? —preguntó por fin, alzando de nuevo el móvil ante ella.

El corazón de Tina latía furiosamente, pero se las arregló para mostrarse escéptica cuando contempló de nuevo el vídeo en la pantalla:

—No sé por qué me hace perder el tiempo con historias de fantasmas. No creo en esas cosas, ¿sabe usted? Está claro que esto tiene que ser un truco.

Durán negó con la cabeza.

—Parece ser que el vídeo no ha sido manipulado, lo subieron a Internet tal cual fue grabado...

—¿Lo subieron a Internet? —repitió Tina alarmada; en cuanto lo dijo se dio cuenta de que había cometido un error.

Durán la miraba fijamente.

—¿Qué es lo que sabes de esto?

Ella sacudió la cabeza.

—Nada, ya se lo he dicho. Es un vídeo curioso, si me da el enlace a lo mejor lo puedo compartir con mis amigos en Facebook —soltó, a pesar de que no tenía cuentas en redes sociales porque ni siquiera disponía de ordenador en su casa.

Durán se rindió.

—Está bien, no te molesto más. Pero acuérdate de la colcha de retales, por favor. Y piensa en todos los delincuentes y criminales que se esconden debajo, y a los que tenemos que sacar a la luz.

Tina no respondió. Se despidió del agente Durán y subió a su casa a toda prisa, con el corazón latiéndole con fuerza.

21

Después de la conversación que había mantenido con el agente Durán, Tina llegó a la conclusión de que lo mejor era no despertar las sospechas de nadie más.

—Me retiro —le anunció solemnemente a Salima al día siguiente.

—¿Qué? ¿Por qué? —saltó ella.

—¿Cómo que por qué? ¿No me has estado escuchando los últimos diez minutos?

—Bueno, vale, hay un poli que valora tu colaboración, te agradece que le informes de los chanchullos y te pide que no dejes de hacerlo. ¿Dónde está el problema?

Tina suspiró.

—Me grabaron en vídeo cuando participé en aquella pelea...

—Pero a ti no se te ve en ese vídeo. Porque eras invisible, ¿recuerdas? El «fantasma justiciero»... ¡Oye, mira, ya tienes nombre superheroico!

—Céntrate, Salima, por favor. No me sirve de nada un nombre superheroico si la poli sospecha de mí. Y además, no quiero ser un fantasma.

—A lo mejor estás un poco paranoica, Tina. Solo porque un agente te ha hecho algunas preguntas...

—Entonces, ¿por qué me enseñó el vídeo precisamente a mí? Creo que sospecha algo, y se está comportando como un perro de presa: seguirá investigando hasta que descubra la verdad.

—Bueno, es posible que haya ciertos indicios que lo lleven a sumar dos y dos; pero, para que llegue a la conclusión de que el «fantasma justiciero» es una chica de instituto que puede volverse invisible, todavía le falta un buen trecho, Tina. Y aunque llegara a planteárselo, ¿qué explicación le daría? ¿Cómo podría demostrarlo? Y por último, pero no menos importante: ¿con qué cara se lo iba a contar a sus jefes? Nadie lo iba a creer.

Tina tardó un poco en responder.

—No es solo por eso —dijo tras pensarlo unos instantes—. Es... por muchas cosas. Por Rodrigo, porque no quiero que me confunda con un fantasma. Por los riesgos que hay... Esto estaba bien cuando hacía cosas y nadie sabía que era yo. Pero ahora la policía tiene mi nombre, conoce mi cara... No me siento cómoda, y además... es demasiado peligroso.

Salima lo meditó un instante.

—Te entiendo —murmuró por fin—. Si quieres que te diga la verdad, lo siento por toda la gente a la que ya no vas a poder ayudar... pero me alegro por ti. Estarás más tranquila y tendrás más tiempo para ti misma. Y para estudiar de cara a los exámenes —añadió con intención.

Sin embargo, si esperaba que Tina se picara por la insinuación, se llevó una sorpresa. Porque su amiga asintió y respondió con rotundidad:

—Exactamente.

Salima sonrió.

—Bueno, pues me alegro —reiteró—. ¿Y qué vas a hacer con las clases de artes marciales? ¿Vas a seguir yendo al gimnasio?

—¡Ostras, el gimnasio! La verdad es que hace un par de semanas que ya no voy. Porque estaba haciendo de guardaespaldas de Rodrigo y todo eso. —Reflexionó—. Creo que lo voy a dejar, al menos por este curso —decidió—. Quizá me reenganche en septiembre.

De modo que el lunes siguiente, al salir de clase, se pasó por el gimnasio para comunicarle sus planes a Mario. Mientras hablaba con él vio llegar a Juanjo, su compañero de entrenamiento. Hizo además de alzar la mano para saludarlo, pero se detuvo al descubrir que llegaba acompañado por una chica.

—Es una pena que no puedas seguir este curso —estaba diciendo Mario—. Pero, en fin, lo primero es lo primero, y supongo que, a medida que cumples años, los estudios se complican también...

Pero Tina no lo escuchaba. Controlaba a Juanjo por el rabillo del ojo, porque había reconocido a la chica que lo acompañaba: era Noemí, una de las mejores amigas de Tatiana Ramos. Tina la había visto varias veces con el grupo de Gato y sabía que salía con uno de aquellos chicos. ¿Qué relación tendría Juanjo con ella? Reflexionó. Quizá se conocieran del instituto. Le sonaba haber visto a Noemí por allí, aunque no en los últimos tiempos. Tal vez había dejado ya los estudios. En cualquier caso, resultaba curioso que hubiese mantenido la amistad con Juanjo, si ya no coincidían en clase.

Se habían detenido en la entrada del gimnasio para despedirse, y parecía que se hablaban con bastante confianza. Tina se despidió de su entrenador con cierta prisa para interceptar a Juanjo, que ya se había separado de Noemí y se disponía a entrar en el gimnasio.

—¡Hey, Juanjo! ¿Qué tal?

—¡Hola, Tina, cuánto tiempo sin verte por aquí! —exclamó el chico con una sonrisa.

—Ya, lo siento, es por los estudios. Oye, quería hacerte una pregunta, si no es indiscreción.

Juanjo se detuvo y la miró con curiosidad.

—Claro, ¿qué pasa?

—Es por esa chica con la que venías... Se llama Noemí, ¿verdad?

—Pues sí —respondió él sin comprender—. ¿Por qué lo preguntas?

Tina no sabía muy bien cómo plantear la cuestión.

—Bueno, la conozco de vista, del barrio y tal... ¿Es muy amiga tuya?

—Bastante, sí. Pero ¿a qué viene eso?

Ella miró a su alrededor y se retiró a un rincón para asegurarse de que podían hablar con mayor privacidad. Juanjo la siguió, un poco escamado.

—¿Conoces a la gente con la que va? —preguntó Tina en voz baja.

Un destello de comprensión iluminó la mirada de Juanjo.

—Sí, más o menos. De vista, como tú.

—¿Sabes que ella tiene novio? Un tal Nelson; la poli lo está buscando por participar en una pelea con navajas y cosas peores.

—Sí, Noe me lo ha contado. Pero eso no tiene nada que ver conmigo. Yo soy un tío legal, ¿eh?

Tina dudó sobre si ofrecerle consejo a pesar de que él no lo había pedido. Entonces pensó que, ya que no iba a cubrirle más las espaldas, valía la pena prevenirlo, al menos.

—Esta gente se pelea por cualquier cosa —le advirtió—. Incluso se pegan con otros si se acercan a sus novias. Como si tuvieran que defender una propiedad, no sé si me explico.

Para su sorpresa, Juanjo le dedicó una amplia sonrisa.

—Ah, no tienes que preocuparte por eso, y mucho menos Nelson —respondió—. Soy gay.

—Oh... ah —dijo Tina muy cortada—. No lo sabía. Lo siento, supongo que malinterpreté la situación. Perdón por meterme donde no me importa.

Él se rio.

—No, no, te agradezco que te preocupes por mi salud. Nelson es un tío relativamente majo, sobre todo si lo comparamos con algunos de sus amigos, pero también tuve que dejárselo claro a él, por si acaso.

—Entonces, Noemí y tú...

—Somos vecinos y amigos desde que éramos críos —confirmó Juanjo.

—Ah... vale, pues disculpa las molestias. No te entretengo más. —Sin embargo, justo entonces tuvo una idea—. Bueno, sí, una última cosa. ¿Tú crees que podría hablar con Noemí?

—Quién, ¿tú?

—Sí... bueno, y tal vez Salima, de *Voces*. Sobre Nelson y sus amigos, y también quizá sobre Tatiana.

—Ah, ya..., pues no, no creo que quiera. Mira, Noe es buena chica; sus amigos no lo son tanto, pero ella no los va a delatar. Y mucho menos para que publiquéis todo lo que os cuente en el periódico del instituto.

—No, no es para eso. Salima sabe ser discreta si se lo pides; pero, si se va a sentir más cómoda, podría hablar conmigo solamente.

—Pero ¿por qué? Es que sigo sin entenderlo.

Tina se mordió el labio inferior. Podría contarle a Juanjo que los amigos de Noemí habían estado a punto de pegarle una paliza a Rodrigo. O que había visto al propio Nelson peleando contra Alexis en el descampado. Pero, si Noemí estaba dispuesta a proteger a su novio y sus amigos, con aquellos argumentos no conseguiría convencerla de que hablara con ella.

—Es sobre el chico de la azotea —se le ocurrió de pronto.

Juanjo dio un respingo.

—¿Te refieres al chaval que se suicidó en el insti? —preguntó con voz extraña.

Tina recordó entonces que, meses atrás, cuando había ayudado a Juanjo contra los matones en el parque, él la había confundido con el fantasma de Adrián Herrera. De hecho, había sido el primero en hacerlo, pensó con cierta amargura.

Decidió seguir por ahí de todos modos.

—Noemí es muy amiga de Tatiana Ramos, ¿verdad? Bueno, pues Tati estuvo saliendo con Adrián Herrera poco antes de que se suicidara.

—Anda, eso no lo sabía.

—La gente que lo conoció cuenta historias distintas sobre lo que pasó entre Tati y Adrián, ¿sabes? Por eso quería preguntarle a Noemí si ella sabe algo. No es por mí, ni tampoco tiene nada que ver con el periódico. Es que el hermano de Adrián... también es amigo nuestro. Y lleva ya mucho tiempo queriendo saber qué pasó.

Juanjo asintió, pensativo.

—Sé que ahí hay algo raro. ¿Sabes que cuentan que el fantasma del chico de la azotea se pasea por el instituto? —Bajó la voz antes de añadir—: No me tomes por loco, pero yo creo que son algo más que rumores.

—Puede ser —respondió Tina sin comprometerse.

—Sí, sí, es así —insistió Juanjo—. Y pienso que quizá tenga un asunto pendiente. Y por eso sigue rondando por aquí. ¿Crees que tiene que ver con Tatiana?

—No lo sé, pero el otro día estuvimos hablando con ella y nos contó algunas cosas que no nos cuadraban. Si Noemí era su amiga ya entonces, a lo mejor nos da alguna pista.

—Bueno, se lo comentaré, pero no te prometo nada.

Se despidieron con prisas, porque Juanjo ya llegaba tarde

a la clase de *jiu-jitsu*. Tina lo vio marchar, un poco preocupada, sin tener claro todavía por qué le había pedido que le presentara a Noemí. «No debería seguir con este tema», se dijo. «Se supone que voy a intentar llevar una vida normal a partir de ahora».

Se consoló pensando que probablemente Noemí no querría hablar con ella, y la cosa no iría más allá.

Sin embargo, al día siguiente Juanjo la buscó por el instituto para darle un recado.

—Oye, que he hablado con Noemí. Dice que no tiene nada que ver con Adrián Herrera, que era amigo de la gente de Jimmy, y que ella y Tatiana no se juntan con ellos.

—¿Tatiana tampoco? —quiso asegurarse Tina—. Porque ella misma nos dijo que sí tuvo cierta relación con Adrián. Precisamente cuando rompió con Gato.

—Huy, qué culebrón —comentó Juanjo—. Mira, mejor le preguntas a ella, ¿vale? Si te pasas mañana por el gimnasio, estaremos por allí.

Tina le dio las gracias. Acarició la idea de comentarlo con Salima y Rodrigo, pero llegó a la conclusión de que, después de todo, no tenía nada que contarles, al menos por el momento.

La tarde siguiente acudió a la cita, un poco antes del inicio de la clase de *jiu-jitsu* a la que tampoco aquel día iba a asistir. Juanjo y su amiga ya se encontraban allí.

Noemí era una chica bajita, de rostro dulce, labios carnosos y larga melena negra. Tina la había visto de cerca a menudo, cuando espiaba a Gato y a sus amigos, y recordaba muy bien el brillo soñador de sus ojos castaños. Aquella tarde, sin embargo, la miraban con desconfianza.

—¿Quién eres tú? —le preguntó en cuanto se acercó a ellos—. Me ha dicho Juanjo que quieres hablar conmigo, pero yo no te conozco. ¿Eres de la banda de Jimmy?

—No —la tranquilizó Tina—. Soy amiga del hermano de Adrián Herrera.

—...de la banda de Jimmy —concluyó Noemí con desdén.

Tina negó con la cabeza.

—No me interesan las peleas de bandas. Solo quiero saber qué pasó con Adrián.

—¿Y cómo quieres que yo lo sepa?

—Eres amiga de Tati, ¿no?

—Sí, ¿y qué?

—Tati estuvo saliendo con Adrián antes de que se suicidara.

—Ya me conozco esa historia. Ahora quieren echarle a Tati la culpa de que ese chico saltara desde el tejado. No, no, saltó porque quiso y no hay más que hablar.

Tina suspiró para sus adentros. «¿Qué haría Salima en mi lugar?», pensó. Casi le pareció oírla responder, como si fuera obvio: «¡Busca a la maruja que hay en ella, Tina!».

—Me han contado que rompió con Gato, ¿cómo puede ser? —siguió preguntando—. ¡Si hacen muy buena pareja!

—Ay, sí —suspiró Noemí—. Estuvieron solo dos meses separados, y Tati lo pasó tan mal, pobrecilla...

—Ella nos contó que quiso unirse a la banda de Jimmy para fastidiar a Gato...

—¿De veras? —sonrió Noemí—. Bueno, uno no se une a la banda de Jimmy así como así, ¿saben? Hay que superar unas pruebas.

—¿Pruebas? —repitió Tina sin entender.

—Para demostrar que eres digno o algo parecido —asintió Noemí con disgusto—. Y después no te puedes marchar. Algunos a veces lo intentan, ¿saben? Y luego van a pedirle a Gato que los proteja de sus antiguos amigos. ¿No es de chiste? —se rio, pero a Tina no le parecía nada divertido.

—¿Va en serio lo que me estás contando?

—Vosotros también hacéis eso, Noe —intervino Juanjo muy serio—. Lo de las pruebas para admitir a gente nueva...

—Sí, sí, pero no tiene nada que ver —se defendió ella—. Son cosas ridículas que deben hacer los nuevos para reírnos un rato. Acá en España tienen un nombre también.

—Novatadas —respondió Juanjo—. No a todo el mundo le parecen graciosas, Noe. Y algunas son muy crueles.

La chica le quitó importancia con un gesto.

—Sí, sí, ya sé, nosotros no llegamos a tanto, lo juro. Pero lo que pasaba en la banda de Jimmy... es algo muy distinto, créanme.

—¿Ellos... maltratan a los nuevos, o algo así? —preguntó Tina con un estremecimiento.

De pronto, Noemí pareció darse cuenta de que estaba hablando demasiado.

—No lo sé, no lo sé, yo no estoy con ellos. Solo les digo lo que se cuenta: que quien entra en la banda de Jimmy nunca más vuelve a salir, porque ellos se aseguran de comprar su lealtad.

—Comprar su lealtad —repitió Juanjo estupefacto—. ¿Y eso cómo se hace?

—Pregúntenles a ellos —replicó Noemí, incómoda de pronto—. Y miren la diferencia: Tati se fue de nuestra pandilla y volvió, ¿no ven? Y si quieren saber qué le pasó a Adrián pregunten a Luis Daniel, o mejor aún a Jimmy, que por mucho que se finja inocente, sigue siendo el jefe de esos tarados. Que respondan ellos por los suyos.

Tina quiso decirle que Adrián no pertenecía a la banda, pero no podía entretenerse mucho más. Juanjo ya miraba el reloj, nervioso, porque de nuevo iba a llegar tarde a la clase de *jiu-jitsu*.

De modo que se despidió de ellos y se dirigió a su casa, más confundida que antes. Cayó en la cuenta de que Noemí no le había dejado claro si Adrián y Tatiana habían sido algo más que amigos, al menos durante aquel tiempo en que la chica se había alejado de la banda de Gato.

Pensó en compartir aquella información con Rodrigo y con Salima; sin embargo, al día siguiente regresó Alexis al instituto, ya completamente recuperado de sus heridas. Cuando Tina lo vio en el patio, enseñando con cierto orgullo el aparatoso vendaje que cubría su hombro izquierdo, decidió que tenía que comprobar si lo que decía Noemí era cierto antes de difundirlo por ahí.

Lo más sencillo sería volverse invisible de nuevo para espiar, en esta ocasión, a la banda de Jimmy. El problema radicaba en que, si bien era público y notorio que Gato y los suyos se reunían en las canchas, los chicos de Luis Daniel no eran tan fáciles de encontrar. Tina tenía entendido que quedaban en el bar de Jimmy; pero también ellos se habían esfumado después de la pelea en el polígono, y si la policía los estaba buscando, probablemente tendrían el local vigilado y ellos no se dejarían caer por allí.

Además, le había dicho a Salima que se retiraba, que no iba a volver a utilizar sus poderes para ese tipo de cosas. Y deseaba cumplir con su palabra. Sin embargo...

Aquella tarde, mientras regresaba a casa, vio aparcado a lo lejos el coche patrulla. Y se le ocurrió una idea.

Dudó un instante antes de acercarse. El agente Durán le imponía mucho respeto, hasta el punto de que, cuando él la miraba, le entraban unas ganas irrefrenables de volverse invisible y esconderse en el rincón más remoto del planeta, donde el policía no pudiera encontrarla. No obstante, él quería que Tina le facilitase información, y ella había pensado que podía aprovechar la ocasión para enterarse de algunas cosas a su vez. Por otro lado, si demostraba que estaba dispuesta a colaborar de buena gana con él, tal vez el agente

Durán dejase de importunarla con preguntas sobre el «fantasma justiciero».

Finalmente se aproximó con cierta timidez. Los agentes Durán y Moreno hacían la ronda por el parque, y Tina los saludó con la mano. Durán la vio y se acercó a ella.

—Buenas tardes, Tina —saludó—. ¿Hoy sí quieres hablar conmigo?

Ella respiró hondo, un tanto incómoda.

—Sí y no. En realidad, me preguntaba si usted querría hablar conmigo, para variar.

El policía se sorprendió.

—¿Yo?

—¿Ha oído hablar de un tal Jimmy?

—¿El del bar Ayala? Claro. Buena pieza. ¿Por qué?

—Fue un delincuente juvenil, ¿verdad? El grupo que formó todavía se llama «la banda de Jimmy».

—Sí, eso dicen. Pero eso debes de saberlo tú también, porque era una de las pandillas que se peleaban el otro día, cuando detuvimos a Gato.

—Sí, sí, lo sé. Su líder es uno que se llama Luis Daniel.

—Sí, lo sabemos. ¿A dónde quieres ir a parar?

—¿Todavía van por el bar de Jimmy?

—Nosotros no los hemos visto, pero seguimos vigilando por si acaso —respondió él, confirmando las sospechas de Tina.

—Entonces, ¿ese Jimmy sigue en la banda o no?

—No, que sepamos. Aunque conserva algunas amistades dentro.

—¿Por qué lo metieron en la cárcel?

—Bueno, con quince años ya era el terror del barrio, según tengo entendido. Agresiones, coacciones, extorsiones, peleas, robos con arma blanca... una joya, vamos. Pasó varias veces por comisaría y lo mandaron de «vacaciones» a un centro de menores, pero siempre volvía a las andadas. Luego cumplió los dieciocho y se volvió mucho más escurridizo.

—Para que no lo metieran en la cárcel —comprendió Tina.

—Exacto. Para entonces ya tenía su banda, y hacía que los chavales más jóvenes cometieran los delitos más gordos. Sin embargo, una noche la cámara de seguridad de un banco lo grabó mientras cometía un atraco a punta de navaja en plena calle. Se lo reconocía perfectamente, así que acabó en prisión. Estuvo tres años, y luego volvió y se montó el bar. Y no se ha vuelto a meter en problemas, que sepamos.

—Pero su banda sigue por ahí...

—Sí, y tampoco dejaron de operar mientras él estuvo en la cárcel, según parece.

—Se dice que estuvieron tan perdidos que la banda de Gato aprovechó para quedarse con su territorio.

—Puede ser. Pasa algo raro con esa pandilla, y es que apenas los ves ni los oyes... pero de vez en cuando se arma una gorda y ¡zas!, allí están ellos, y son mucho más numerosos y están mejor organizados de lo que pensábamos.

Tina asintió, pensativa.

—¿Por qué me haces estas preguntas? —quiso saber entonces el agente Durán—. ¿Sabes algo sobre Jimmy que quieras contarme?

Tina comprendió que tendría que ofrecerle alguna información relevante; después de todo, el policía había sido muy amable respondiendo a todas sus preguntas. «No como yo», tuvo que admitir, algo avergonzada. «En fin, *quid pro quo*». Pero ¿hasta dónde podría contarle sin desvelar sus propios secretos?

Noemí había insinuado que Jimmy sabía algo acerca de la muerte de Adrián Herrera. Pero tal vez había hablado por hablar, de modo que decidió que, antes de contárselo a la policía, debía investigarlo.

—Bueno, he oído que está detrás de algo muy serio —respondió, sin concretar. Recordó entonces otra de las cosas que le había comentado Noemí, y se dijo que podía repetirla sin comprometerse demasiado—: Que sigue siendo el líder de la banda y que lo del bar no es más que una tapadera. Así que yo de ustedes lo mantendría bien vigilado, porque no es tan inocente como parece.

—¿De verdad? ¿Y quién te ha contado eso?

—Un buen investigador no revela sus fuentes —replicó ella, citando a Rodrigo.

—Ya veo. Bueno, pues les dices a tu amigo Rodrigo y a vuestras «fuentes» que ni se os ocurra seguir jugando a los «investigadores» por vuestra cuenta, y mucho menos con esa gente. Si tenéis algo que compartir con la policía, un soplo, un rumor, lo hacéis, pero no sigáis tirando del hilo, que es peligroso. ¿Queda claro?

Tina enrojeció. Quiso decirle que Rodrigo no tenía nada que ver con todo aquello, pero no lo hizo, porque temía que el policía siguiese preguntando. Después de todo, pensó, en el fondo le convenía que creyesen que eran Rodrigo y su «equipo» quienes investigaban, y no un misterioso «fantasma justiciero» relacionado de alguna manera con Valentina Reyes.

Como si le hubiese leído la mente, Durán preguntó:

—¿Qué hay del vídeo que te enseñé el otro día? ¿Habéis oído algo sobre el tema?

Tina había previsto que le preguntaría por ello, y constató, aliviada, que el propio Durán le había proporcionado la coartada perfecta. Negó con la cabeza.

—Rodrigo no quiere saber nada, así que no lo vamos a investigar.

—¿Y eso? —se extrañó Durán.

—Pues porque la gente en el insti dice que se trata del fantasma de su hermano Adrián, ya sabe, el que se suicidó hace un par de años. Y todos pensamos que es una broma de muy mal gusto y no le vamos a seguir el juego a quienquiera que esté haciendo todo esto. Por respeto a nuestro amigo Rodrigo y por la memoria de Adrián —le soltó, mirándolo desafiante.

El agente Durán se había quedado sin palabras.

—Anda, claro... —pudo decir al fin—. No había pensado que... En fin —concluyó, reponiéndose de la sorpresa—, comprendo que puede ser un asunto desagradable. Entonces, ¿creéis que es todo obra de algún bromista?

—¿Y qué otra cosa podría ser? —preguntó Tina a su vez; aunque trató de hablar con ligereza, su corazón latía con fuerza, temiendo que él la mirara fijamente y respondiera algo como: «No lo sé, dímelo tú».

Pero Durán se limitó a sacudir la cabeza.

—En fin, tened cuidado, ¿eh? Y no os mezcléis con esos chicos de las bandas; son peligrosos.

Tina asintió, aliviada, y se limitó a farfullar:

—Bueno, pues muchas gracias por atenderme, y perdón por las molestias.

—A mandar. Y ojito con meteros en líos, ¿eh?

Tina asintió de nuevo y se alejó de él, meditabunda.

Aquella noche, y a pesar de lo que le había prometido a Salima, se volvió invisible, usó el duplicado que había hecho de sus llaves y salió de casa sin que su madre lo advirtiera. Tenía que madrugar al día siguiente, pero no podía evitar darle vueltas a toda la información que había reunido aquellos días. Tenía que pasarse por el bar de Jimmy para ver si Luis Daniel y los demás estaban allí. Necesitaba comprobar por sí misma hasta qué punto era peligrosa aquella gente. Rodrigo se esforzaba por alejar a Alexis de aquel ambiente, pero ¿y si Noemí tenía razón, y no pudiese abandonar la pandilla aunque quisiera?

Mientras recorría las calles, aún invisible, pensó en todas las horas que había pasado espiando a la pandilla de Gato. Sin embargo, no sabía nada acerca del grupo que lideraba Luis Daniel, salvo que lo había creado Jimmy, que Alexis pertenecía a él y poco más. Si hubiese repartido mejor su tiempo, si hubiese reunido información también sobre el otro bando...

Pensó de pronto que era absurdo. Alexis era amigo de Adrián, Gato era su enemigo, Tati había mantenido una relación con él, sentimental o no... Todo apuntaba en una misma dirección. Si había algún culpable de la muerte de Adrián, era en la banda de Gato donde debía buscarlo.

Y sin embargo...

Llegó hasta el bar Ayala casi sin aliento. Allí, la noche transcurría con normalidad. El local no estaba muy lleno, pero había bastante animación para tratarse de un jueves. Tina localizó a Jimmy tras la barra, y a la camarera sirviendo las mesas del fondo. Se retiró a un rincón para que nadie tropezara con ella y, desde allí, se dedicó a observar.

Identificó a gente a la que conocía de vista, pero a nadie a quien pudiera asociar con la banda liderada por Luis Daniel. Parecía que ninguno de ellos se encontraba allí aquella noche.

Por si acaso, y como no se le ocurría qué otra cosa podía hacer, esperó.

Observó a Jimmy en su elemento; parecía tranquilo, relajado y feliz. Se enteró de que la camarera era su novia, y también de que estaba embarazada cuando ella y Jimmy lo anunciaron a un grupo de amigos, que lo celebraron estruendosamente.

Tina suspiró. Parecía cierto que Jimmy se había reformado, pero en tal caso ¿dónde podría encontrar a Luis Daniel y los demás? Se le ocurrió entonces que podría tratar de seguir a Alexis, para ver si se reunía con sus amigos aquel fin de semana. Pero se resistía a repetir con otra persona el mismo procedimiento que había llevado a Rodrigo a creer que lo protegía un fantasma.

Las horas fueron pasando, el partido que echaban por la tele terminó y el local se fue vaciando poco a poco. La novia de Jimmy se retiró relativamente temprano, la cocinera se fue también, y al final se quedó él solo recogiendo el bar. Tina llegó a la conclusión de que ya no tenía nada que hacer allí. Estaba a punto de pasar por debajo de la persiana metálica, que Jimmy había dejado medio bajada para evitar que entrase nadie más, cuando alguien llamó con los nudillos. La chica retrocedió hasta la pared, alarmada.

—Está cerrado ya —anunció Jimmy desde el rincón que estaba barriendo.

El visitante se agachó para pasar por debajo de la persiana y entró en el local sin hacer caso de la advertencia.

—Buenas noches —saludó—. Ponme un café, anda.

Para sorpresa de Tina, Jimmy dejó la escoba y fue a hacer café, a pesar de que ya había apagado y limpiado la cafetera hacía un rato.

El recién llegado se acodó en la barra, y fue entonces cuando Tina se dio cuenta de que lo conocía: era el agente Moreno de paisano.

Tina se acercó con curiosidad. ¿Qué estaría haciendo allí Moreno? ¿Habría ido a interrogar al dueño del bar Ayala? Después recordó que Durán le había contado que la policía tenía el local bajo vigilancia. Probablemente Jimmy lo sabía; tal vez por eso los atendía con el bar medio cerrado cuando no estaban de servicio.

—Bueno, y ahora ¿qué se te ofrece? —le preguntó al policía mientras este sorbía lentamente el café.

Moreno miró a su alrededor.

—¿No está Marga?

—No, se sintió cansada y se fue a casa. Estamos solos.

—Ah, bien. —El policía apuró su café y miró a Jimmy antes de preguntar—: Y tus chicos, ¿están bien escondidos?

—Sabes que sí —respondió él frunciendo el ceño—. Pero no te voy a decir dónde.

Tina asistía perpleja a aquella conversación. Si se trataba de un interrogatorio, desde luego le resultaba un tanto extraño.

—Ni yo te lo voy a preguntar. Solo quiero asegurarme de que lo tienes todo bajo control.

Jimmy sonrió y le mostró las palmas de las manos.

—Wepaaa, tranquiiilo, Moreno —respondió—. Va todo bien, ¿no?

—¿Tú crees? —gruñó el policía—. Si os hubieseis cargado a Montoya cuando tocaba, ahora no estaríamos en esta situación.

Tina inspiró hondo, anonadada. ¿De qué estaba hablando Moreno?

—Eso no fue culpa nuestra —replicó Jimmy—. Acordamos que ustedes no aparecerían por allí.

—Esto ya lo hemos hablado, Ayala. Dieron el aviso, nos vimos obligados a intervenir. Pero tuvisteis tiempo de sobra de acabar la faena, así que no me jodas.

Jimmy se encogió de hombros.

—Tenía que parecer creíble, tú sabes. Si le hubiésemos clavado las facas nada más llegar, todos se habrían dado cuenta de que íbamos por él. Pero ¿cuál es el problema? Está en chirona, ¿no?

—Porque tuve reflejos y le metí la pistola en la mochila. Si no, ya andaría por la calle otra vez.

—Bueno, ¿y qué es lo que hay? Él está en la trena y sus muchachos no volverán a jodernos.

Moreno sacudió la cabeza.

—Hoy han venido preguntando por vosotros. Por ti, en concreto.

Jimmy frunció el ceño.

—¿Quién?

—¿Qué más da?

—¿Es ese chaval que anda fisgoneando por ahí? ¿El que denunció a Montoya y los demás? —Jimmy dejó escapar una carcajada desdeñosa.

—Él y sus amigos están haciendo demasiadas preguntas, Jimmy. Están poniendo en peligro todo el negocio. Mientras estuvo obsesionado con Gato y los suyos no hubo problema, pero no lo quiero haciendo preguntas sobre tus actividades fuera del bar, ¿queda claro?

—Solo es un niño...

—Tiene la edad de algunos de tus «niños», y sé muy bien lo que sois capaces de hacer. Además, lo tengo calado. Es igual de entrometido que su hermano. No parará de meter las narices hasta que saque toda la mierda. Y sé bien que es muy amigo de uno de tus chicos. De Alexis Rosales, precisamente, así que ándate con ojo. Tienes un cabo suelto bien gordo ahí, Ayala, y nosotros no vamos a atarlo por ti. Ni te vamos a echar un cable cuando te hundas por culpa de tu propia incompetencia. Estás avisado.

La expresión de Jimmy se había vuelto de piedra.

—Comprendo. Muy bien, pues. Nos ocuparemos de él.

Los hombros de Moreno se relajaron visiblemente.

—¿Sabrás hacerlo? Tenéis que ser discretos...

Jimmy se rio de nuevo.

—Eso es un quitao, Moreno. Ya oí que Suso y su cuadrilla lo andan buscando para darle una catimba. Ya ves, ellos mismos van a hacer el trabajo por nosotros.

—Yo no me fiaría mucho, ¿sabes? Parece que intentaron

zurrarlo pero no lo consiguieron. Eran cuatro contra uno y se les escapó.

Jimmy se rio con ganas.

—¿Ves? Nosotros nos encargaremos. Pero después recuérdale a todo el mundo que los chicos de Gato lo tenían amenazado.

Moreno sonrió ampliamente.

—Tú sí que sabes, Ayala.

Tina, absolutamente horrorizada, se apartó de la pared, con tan mala fortuna que tropezó con la escoba. Los dos hombres se volvieron hacia ella sobresaltados.

—¿Qué ha sido eso? —exclamó Moreno.

—La escoba, que se ha caído. No seas tan melindroso, hombre.

Con el corazón bombeándole con fuerza, Tina se deslizó por entre las mesas, se escurrió por debajo de la persiana y huyó de allí tan deprisa como pudo.

22

Aquella noche le fue imposible dormir. No podía dejar de pensar en la conversación que había escuchado en el bar de Jimmy y en todo lo que implicaba. Muchas cosas cobraban sentido de repente, un sentido siniestro y aterrador.

Tina había sido siempre consciente del peligro que suponía interponerse en la guerra de bandas; lo que no había llegado a imaginar era lo que se ocultaba detrás de ella o, en palabras del agente Durán, «debajo de la colcha de retales».

Ahora comprendía que la pelea del polígono no se había iniciado por Tati, ni siquiera por una enemistad juvenil tan acérrima como irracional. No; aquella batalla había tenido por objetivo enmascarar el asesinato premeditado de Gato, por razones que Tina todavía no comprendía del todo.

Estaba claro que Jimmy aún manejaba los hilos de su banda, una posibilidad que ella nunca había llegado a descartar del todo. Pero la implicación de la policía en aquella historia rompía sus esquemas y la sumía en una angustia desoladora.

En primer lugar, porque hasta aquel momento había sabido que, si las cosas se ponían demasiado feas, siempre podía ceder las riendas a los profesionales, dar un paso atrás y dejar que ellos se ocupasen de todo. Pero ahora ya no sabía en quién confiar.

Y, sobre todo, porque había sido la propia Tina quien los había puesto sobre aviso, al hablar con el agente Durán acerca de sus sospechas sobre Jimmy. Y le había dado a entender que Rodrigo estaba detrás de sus pesquisas. «Es igual de entrometido que su hermano», había dicho Moreno. ¿Qué estaba insinuando con aquello? ¿Y a qué se refería Jimmy al afirmar que se ocuparían de él? ¿Planeaban asesinarlo o «solo» darle una lección? En cualquier caso, aquellos dos tenían razón: si algo le pasaba a Rodrigo, todo el mundo creería que había sido obra de Suso, Kevin y los demás, como represalia por su implicación en la detención de Gato.

Se levantó al amanecer sin haber sido capaz de pegar ojo. Apenas desayunó, a pesar de que su madre insistió en que lo hiciera; y salió corriendo en dirección a la casa de Rodrigo, dispuesta a protegerlo una vez más o, como mínimo, a alertarlo.

—¿Sí? —preguntó la voz de su padre cuando Tina llamó al interfono—. ¿Quién es?

—¿Está Rodrigo?

—No, acaba de salir para el instituto.

—¿Tan temprano?

—Dijo que tenía cosas que hacer. ¿Quién eres?

—U... una compañera de clase. Gracias, y perdón por molestar.

Tina corrió todo lo rápido que pudo, temiendo que alguien hubiese interceptado a Rodrigo en el trayecto hacia el instituto. Sin embargo, llegó a su destino sin novedad.

El patio estaba casi desierto; ya habían abierto las puertas, pero aún faltaba media hora larga para el comienzo de las clases. Tina localizó a Rodrigo sentado en un banco, con las manos en los bolsillos y un gesto melancólico en la mirada. El alivio al verlo sano y salvo la inundó por dentro como un torrente de aguas desbordadas.

—Rodrigo...

El muchacho la miró y le sonrió débilmente.

—Buenos días, Tina. Qué madrugadora.

Ella no supo qué contestar. Había compuesto en su mente un largo discurso para explicarle todo lo que había averiguado, pero se había quedado en blanco.

—Eh, ¿has venido corriendo? Siéntate, mujer, recupera el aliento.

Tina obedeció mecánicamente. Fue entonces, al mirarlo más de cerca, cuando se dio cuenta de que estaba pálido y tenía los ojos húmedos.

—¿Te encuentras bien? —le preguntó, de nuevo preocupada.

Rodrigo se volvió hacia ella.

—¿Cómo?... Ah, sí... No es nada, solo cansancio —respondió; suspiró y se frotó los ojos—. No he dormido demasiado bien.

—Lo siento —murmuró Tina.

—¿Por qué lo sientes? Si no es culpa tuya.

Ella no supo qué responder. Sobrevino un silencio incómodo entre los dos, que Rodrigo terminó por romper.

—No me hagas mucho caso, es que hoy estoy... raro.

—¿Tienes... algún problema en casa? —se atrevió a preguntar Tina.

Rodrigo se encogió de hombros.

—Bueno, mi situación familiar no es que sea como para tirar cohetes, pero no me quejo, la verdad. En el instituto tengo buenos amigos, la relación con mis padres es buena, aunque estén separados... Lo que pasa es que... —Dudó un momento antes de continuar—. No sé muy bien cómo explicarlo. Desde que murió mi hermano he sentido que algo no estaba bien, que alguna cosa no encajaba. Llevo dos años buscando esa pieza que falta y he tenido la impresión de ser el único que lo hacía. Pero últimamente... me había parecido que no estaba solo. Que había alguien conmigo. Alguien a quien no podía ver. —La miró, calibrando su reacción ante aquellas palabras; pero Tina solo le devolvió una expresión vagamente culpable—. Lo sé, es una locura —suspiró Rodrigo al fin.

Tina pensó deprisa en algo que decir. Recordó entonces la conversación que había tenido al respecto con Salima.

—¿Te refieres a una especie de... ángel guardián?

—¿Crees en esas cosas? —preguntó él a su vez—. Quiero decir... ¿eres religiosa?

—Mi madre, sí —respondió ella—, pero yo no sé muy bien en qué creo.

—¿Piensas que hay vida más allá de la muerte?

—No lo sé. —Tina empezaba a sentirse algo incómoda con aquella conversación—. ¿Te refieres a si vamos al cielo después, o algo así?

—O algo así —asintió él—. O tal vez no vamos a ninguna parte. ¿Crees que... a lo mejor hay gente... que se queda entre nosotros?

—En nuestros corazones y nuestros recuerdos, claro.

—Bueno, no me refería a eso. Tú no piensas que puedan existir los fantasmas, ¿verdad?

—No lo sé, pero si existen, debería haber algún tipo de evidencia científica.

—Tal vez la haya, o tal vez aún no hemos inventado un aparato que sea capaz de captar... presencias...

—Rodrigo, me estás asustando.

Él sonrió con cierta melancolía.

—Lo siento, no era mi intención. Lo que quería decir es que estas últimas semanas he tenido la sensación de que había alguien a mi lado. Ya sé que te va a sonar extraño, pero estoy casi seguro de que era Adrián. Y eso me dio fuerzas, como si por fin estuviera a punto de descubrir qué le pasó, como si estuviese acercándome a la verdad que llevo tanto tiempo buscando.

—Rodrigo —intervino Tina, tratando de reconducir la conversación—, ya sé que tú no crees que se suicidara, pero... ¿qué otra explicación hay?

—Pues por lo menos dos más —enumeró él, para su sorpresa—: la prosaica y la paranoica. La primera es simple: Adrián no se lanzó al vacío, sino que se cayó por accidente. —Bajó la voz para añadir—: no sé si esto llegó a comentarse por ahí, pero lo cierto es que la autopsia reveló que había ingerido bastante alcohol aquella noche. Pudo haber perdido el equilibrio, sin más...

Tina no se atrevió a hacer ningún comentario. Rodrigo prosiguió.

—No dejó ninguna nota de suicidio, así que bien pudo ser un accidente. Si es verdad que Tatiana rompió con él, quizá no estaba tan depre como para suicidarse, pero sí para subir a la azotea a rumiar sus penas con una botella de ginebra.

—¿Encontraron la botella?... —osó preguntar Tina.

Rodrigo asintió.

—Sí, pero había bebido bastante más. Y en la botella había huellas y restos de saliva, pero todo suyo, y de nadie más. Así que pudo haberse tirado o pudo haberse caído, y nunca lo sabremos, porque estaba solo cuando sucedió... salvo que no lo estuviera, claro.

—La explicación paranoica.

—Exacto. Porque, si alguien lo hubiese empujado... alguien, pongamos, celoso de su relación con Tatiana... no habría manera de demostrarlo. A esa azotea sube mucha gente, había restos biológicos de muchos alumnos del instituto...

—¿Y de Gato?...

Rodrigo calló un momento.

—No, de Gato no —admitió finalmente—. Él ya no venía al instituto por aquel entonces.

—Pero podría haber enviado a alguien que sí fuera alumno... como Kevin, por ejemplo.

—Exacto. Aun así, habría sido muy difícil de demostrar. Y, como no había pruebas que señalasen al único que podría tener algo en contra de Adrián, y tampoco encontraron ninguna nota de despedida... se concluyó que había sido un desgraciado accidente.

—¿En serio? —se sorprendió Tina—. Yo creía que habían dicho...

—Aunque la investigación no descartó el suicidio, dijeron que un accidente era la explicación más probable. Y ya sabes cómo es la gente en el barrio. La teoría del suicidio tiene más morbo, y por eso es la que repetía todo el mundo hasta que se convirtió en la única verdad posible.

»De hecho cerraron la azotea para que nadie volviera a subir, por si acaso, pero la gente forzaba la cerradura de todas maneras. Se habló de poner una barandilla de seguridad..., aunque al final, en fin..., se quedó todo como estaba.

—Lo siento mucho —murmuró Tina, sin saber qué otra cosa decir.

—Yo no me resigno a que las cosas se queden como están. Y es obvio que Adrián tampoco.

—¿Cómo dices? —se sobresaltó Tina. Por un momento había creído que Rodrigo iba a dejar de hablar de fantasmas, pero estaba claro que su amigo era un joven de ideas fijas.

—Sé que mi hermano ha vuelto de alguna manera, o tal vez nunca se ha ido del todo. Ha estado conmigo estos últimos días, a mi lado; al principio pensaba que era porque quería que averiguase qué le pasó en realidad, pero entonces se manifestó cuando me atacaron Suso y los suyos que, por cierto, no salieron huyendo sin más. Mi... ángel guardián, o como quieras llamarlo, los asustó. Me salvó de los matones... me salvó, Tina, te lo juro, tendrías que haberlo visto. Ojalá lo hubiese grabado en vídeo, porque no hay manera de describir lo increíble que fue, en todos los sentidos. —Le brillaban los ojos al hablar de las acciones de su salvador invisible, y Tina sintió una cálida emoción por dentro—. Y entonces, de repente... se fue —concluyó, abatido de pronto.

—¿Se... fue? —repitió Tina sin aliento.

—Sí —suspiró él—, y no he vuelto a sentirlo a mi lado desde entonces.

—¿Qué aspecto tenía?

—No lo vi, pero estaba allí, te lo juro. Y ahora no sé dónde ha ido, ni si volverá...

—A lo mejor no se ha ido —musitó ella, mirándolo intensamente—, y no te das cuenta de que sigue a tu lado. Tal vez los árboles no te dejan ver el bosque.

—¿Tú crees? —sonrió él—. Ojalá fuera así. ¿Sabes? Nunca había pasado tanto miedo como cuando ese animal de Suso me estampó contra la pared —admitió en voz baja—. Y cuando ese algo invisible los puso en fuga... no pude evitar pensar que había ido demasiado lejos. Y que no tendría tanta suerte la próxima vez. Y empiezo a plantearme... si no estoy perdiendo el tiempo con todo esto.

—¿Por eso estás tan triste?

—¿Qué?... ¿Te parece que estoy triste? Bueno, tal vez —reflexionó un momento antes de añadir—: Me siento un poco como don Quijote antes de morir.

—¿Don Quijote se muere? —soltó Tina sorprendida.

Rodrigo se rio.

—¿Has leído el libro?

—Algunos trozos, en clase de lengua. Como todos, supongo. Pero pensaba que al final volvía a su casa después de vivir tantas aventuras.

—Se muere en la segunda parte —le destripó Rodrigo.

—¿Hay una segunda parte?

—Bueno, hay dos segundas partes —le explicó él—. Una de ellas la escribió otro autor, un tal Avellaneda, para aprovecharse del éxito que había tenido el primer libro. Cervantes se picó tanto que decidió escribir su propia continuación y al final mató a su personaje para que nadie más pudiese seguir escribiendo historias sobre él.

—No lo sabía —reconoció Tina—. Bueno, a lo mejor viene en el libro de lengua y yo no lo había visto —confesó.

Rodrigo sonrió. Por un momento, la chispa regresó a sus ojos.

—El caso es que don Quijote sale en busca de aventuras porque quiere defender a los débiles y ayudar a los desvalidos —prosiguió—. Se cree que es un caballero andante y que puede arreglar el mundo. La gente se ríe de él porque resulta estrafalario, pero no le importa. Probablemente porque no es consciente de ello. —Su rostro se ensombreció, y Tina adivinó que ya no estaba hablando solo de un personaje literario—. Y entonces, al final de la segunda parte, después de muchas peripecias, don Quijote cae enfermo y recupera la cordura. Se da cuenta de que ha hecho el ridículo, de que no ha salvado al mundo y de que ni siquiera es un caballero andante. Y después, se muere.

—Qué triste —murmuró Tina.

—Sí, y se supone que es un final positivo porque don Quijote ya no está loco. Pero mientras lo leía yo pensaba: «¿Y qué importa lo que diga la gente? ¿Qué importa, si es cierto que el mundo necesita héroes que ayuden a los demás y luchen contra los malvados?». Por muy ridículo que resultase, las intenciones de don Quijote eran buenas y nobles, y era digno de admiración, y no de burlas. Me consolaba pensando que él sabía que estaba haciendo lo correcto, y con eso bastaba. Como si fuera el único cuerdo en un mundo de locos.

—Es una interpretación curiosa. No se me había ocurrido.

—Pero entonces llegué a ese final de la segunda parte... y bueno... Si al menos hubiese muerto durante una batalla, de forma heroica... Pero no: don Quijote reconoce que estaba equivocado. Que no va a salvar el mundo. Que es inútil. Que él es solo un pobre viejo demasiado idealista y fantasioso que tuvo el atrevimiento de creerse un valiente caballero andante.

A Tina la estremeció el tono amargo de sus palabras.

—Rodrigo...

Él tenía los ojos húmedos. Se los secó casi con rabia antes de concluir:

—Así me siento yo hoy, Tina. Como el don Quijote cuerdo. Tanto tiempo pensando que hago lo que es correcto, tratando de encontrar la verdad, de poner mi granito de arena para que el mundo sea un sitio un poco mejor... y tal vez lo único que estoy haciendo es el ridículo.

—¡No digas eso!

—¿Qué sentido tiene, dime? A lo mejor estoy tan loco que ya empiezo a ver fantasmas donde no los hay. A lo mejor solo invento excusas para seguir enderezando entuertos, aunque nadie me lo haya pedido. A lo mejor soy solo un pobre iluso más.

Tina se deshacía de pena. Se moría de ganas de abrazarlo, de consolarlo, de hacer todo lo posible por devolverle la sonrisa. Habría combatido contra quien fuera por defenderlo, pero ¿cómo podía luchar contra los fantasmas de la tristeza y el desaliento? «Salima sabría qué hacer», pensó de pronto. «Soltaría alguna de sus réplicas, se metería un poco con él y lo haría reír». Pero no se le ocurría nada gracioso que no resultase inapropiado.

Todo su cuerpo ansiaba estrecharlo entre sus brazos, acariciarle el pelo, reposar la frente de él sobre su hombro y dejar que descargase allí su angustia y su cansancio.

Pero no se atrevía a salvar la distancia física y emocional que los separaba.

—Yo no creo que seas un pobre iluso —logró decir por fin, con timidez.

Rodrigo reaccionó como si hubiese olvidado que estaba allí.

—¿Qué?

Tina enrojeció.

—Yo sí pienso que lo que haces es importante —murmuró—. No luchas contra las fuerzas del mal como un superhéroe, ni como un caballero andante... pero no te callas ante las injusticias ni tienes miedo de denunciar lo que está mal. Siempre he pensado que eres muy valiente —concluyó en voz muy baja.

Rodrigo sonrió.

—A lo mejor no hay tanta diferencia entre los valientes y los locos, ¿verdad? Bueno; como dijo Salima, el primer paso es reconocerlo.

—Rodrigo, tú no estás loco.

Pero él sacudió la cabeza.

—No lo sé —susurró—. Ya no lo sé.

Hundió el rostro entre las manos y permaneció un momento así, en silencio. Tina se quedó contemplando los mechones de cabello castaño que se rizaban sobre su nuca; tuvo el impulso de pasarle un brazo por los hombros para consolarlo. Lo deseaba con todas sus fuerzas, con una necesidad casi física, pero no se atrevía a hacerlo.

Estaba ya alzando la mano, dubitativa, cuando una voz la sobresaltó:

—¡Rodrigooo!

Tina se volvió rápidamente y se dio cuenta de que el patio no estaba tan vacío como antes. Ya llegaban los demás alumnos, y uno de ellos en concreto se dirigía hacia ellos a buen paso. Rodrigo alzó la cabeza; había logrado recomponer su expresión y ahora mostraba una sonrisa amistosa. Sin embargo, cuando se volvió hacia ella, Tina detectó todavía un poso de dolor en el fondo de su mirada.

—Siento el rollo —le dijo—. Hoy no estoy especialmente simpático. No volveré a darte la brasa con esto, te lo prometo.

Parecía un tanto desconcertado, como si él mismo fuera el primer sorprendido ante su propia e inesperada locuacidad; Tina, sin embargo, estaba acostumbrada a que la gente hablara de más en su presencia, incluso cuando no era invisible en sentido literal. Salima le había dicho alguna vez que tenía la gran virtud de saber escuchar. Y eso era algo que invitaba a las confidencias, aunque en aquel momento Rodrigo no fuese consciente de ello. «Es una pena que no quieras ser periodista», había lamentado Salima. «¡La de cosas que te contaría la gente, solo para que los escucharas decirlas!»...

—No me estabas dando la brasa... —empezó Tina; pero entonces el otro chico llegó a su altura y acaparó la atención de Rodrigo, y ella volvió a quedar en segundo plano.

Sonó entonces el timbre, y no tuvo más remedio que levantarse para dirigirse hacia su clase.

No le había hablado a Rodrigo de lo que había oído en el bar de Jimmy; pero, tal y como estaban las cosas, decidió que era mejor no complicarlas más.

Salima se dio cuenta de que estaba preocupada.

—¿Estás bien? —le preguntó en clase de inglés—. ¿Son problemas eso que huelo, o solo desazón provocada por la lista de los *phrasal verbs*?

Tina sonrió.

—No es nada, tranquila. Se me pasará.

Había decidido no compartir con Salima todo lo que había averiguado. Ya era bastante malo que Rodrigo estuviera en el punto de mira de aquellos criminales por «meter las narices», «andar fisgoneando» y «hacer demasiadas preguntas». Tina no quería poner en peligro a Salima también.

Estuvo el resto del día inquieta, rondando cerca de Rodrigo sin atreverse a hablar con él. El chico parecía haberse recuperado un poco y se mostraba más animado y comunicativo, pero Tina no se decidía a contarle que Jimmy Ayala le había prometido a la policía que se «ocuparía de él».

Al salir de clase vio a Alexis en el patio, y se le ocurrió una idea. Se le acercó, con timidez.

—Disculpa, Alexis, ¿tienes un momento?

Él la miró con curiosidad y cierta cautela. Sin duda recordaba que Tina había estado presente durante la pelea de bandas, acompañando a Rodrigo. No habían cruzado una palabra desde entonces, y Tina pensó de pronto que ni siquiera le había dicho que se alegraba de que hubiese salido del hospital. Ya era demasiado tarde para ello sin embargo, se dijo. Algunas cosas tienen su momento y después están de más, de modo que decidió ir al grano.

—Es sobre Rodrigo —aclaró.

Alexis entornó los ojos.

—¿Sí? ¿Qué sucede con Rodrigo?

Tina no sabía cómo plantearlo.

—Sabes que el otro día intentaron darle una paliza, ¿verdad?

—Sí —asintió él; apretó los puños con rabia—. Qué hijos de perra. Si hubiese estado allí...

«No», pensó Tina, «estaba yo». Pero no se lo dijo.

—Me he enterado de que hay otra gente que quiere hacerle daño.

Alexis la miró con interés.

—¿Cómo? ¿De qué estás hablando?

Tina respiró hondo y se la jugó:

—¿Te suena un tal Jimmy, el dueño del bar Ayala?

Alexis se quedó de piedra.

—Claro que sí. Lo conozco, pero...

—Estaba el otro día hablando con alguien. Decían que Rodrigo les molestaba, que hacía demasiadas preguntas y que Jimmy y sus chicos se iban a ocupar de él.

El joven se rio.

—Debes de estar equivocada, chica. Rodrigo no tiene nada que ver con esa gente. Los conozco, algunos son amigos míos. —Vaciló un momento antes de añadir en voz baja—. Bueno, tú ya sabes que tenemos nuestros enemigos y que a veces peleamos con ellos. Pero Rodrigo es de los nuestros.

—¿Lo es? —inquirió Tina.

—Intento que no se meta en nuestros líos, si eso es lo que te preocupa. Pero tiene la protección de la banda, eso te lo puedo asegurar.

Tina asintió, un poco más tranquila.

—Tú no dejarías que le hiciesen daño, ¿verdad?

Alexis se rio.

—Claro que no, lo quiero como a un hermano. Pero ahora dime cómo y dónde escuchaste eso que me acabas de contar.

Tina vaciló.

—No lo oí yo directamente, es algo que me ha contado alguien —mintió.

—Pues ese alguien es bien paquetero —decretó Alexis sacudiendo la cabeza—. Son los amigos de Gato los que andan buscando a Rodrigo. A veces la gente nos confunde con ellos —añadió torciendo el gesto.

—¿Podría ser que tus amigos estuviesen planeando algo así... y tú no lo supieras?

Alexis iba a responder, pero se detuvo, pensativo.

—Estuve un tiempo en el hospital, ya sabes. Les di un buen susto a mis padres y ahora ya no salgo tanto, por no preocuparlos. Podría ser que mis amigos tuviesen planes que yo no conozco. Pero nunca contra Rodrigo.

Tina se mordió el labio inferior, inquieta.

—Si los tuvieran —insistió—, ¿podrías enterarte? ¿Podrías convencerlos de que lo dejasen en paz?

Alexis la miró fijamente y pareció leer entre líneas. Colocó una mano sobre su hombro y le dedicó una media sonrisa.

—Déjalo en mis manos, chica. Yo lo protegeré.

Y Tina sintió tal alivio que tuvo que reprimir las ganas de llorar.

—¿Le contaste a Rodrigo algo de todo esto? —quiso saber Alexis.

Tina negó con la cabeza.

—Quería hacerlo, pero... hoy lo he visto raro. Un poco triste, no sé.

—Ah. —Alexis pareció abatido de pronto—. Claro. Debe de ser por lo del cumpleaños.

—¿El cumpleaños?

El chico asintió.

—Hoy su hermano Adrián habría cumplido dieciocho años —le explicó—. Si estuviera vivo, claro... —se le quebró la voz y no pudo continuar.

—Lo siento —susurró Tina.

Alexis sacudió la cabeza, y Tina vio que tenía los ojos húmedos. Se despidió con cierta precipitación y se alejó de él, con el corazón encogido.

Poco después vio a Rodrigo alejándose calle abajo, flanqueado por Alexis, y se sintió un poco mejor.

Pero justo entonces oyó a su espalda una voz que la llamaba:

—¿Tina?... Te llamas Tina, ¿verdad? ¿Te importa que hablemos un momento?

Se trataba de dos chicas y un chico. Conocía el nombre de una de ellas, Brenda; iba a su curso, pero no a su clase. Habían hablado en alguna ocasión, porque Brenda era colombiana, llegada a España tan solo tres años atrás. Sabía que el chico y la chica que la acompañaban eran sus amigos, latinos también, pero poco más.

—Soy Brenda —dijo ella, por si Tina no lo recordaba—. Y ellos son Erika, de Ecuador, y Dante, de República Dominicana.

Tina los saludó y se presentó a su vez, aún intrigada por lo que aquellos chicos tendrían que decirle. Los tres cruzaron una mirada, un tanto incómodos, hasta que Brenda tomó de nuevo la palabra.

—Queríamos hablar contigo porque vemos que últimamente vas mucho con Rosales.

—Bueno, no tanto —puntualizó Tina—. Es amigo de un buen amigo mío.

—Solamente queríamos avisarte de algo que a lo mejor no sabías —siguió diciendo Brenda—, y es que ese muchacho está en una banda.

—Sí, ya lo sabía.

—No es malo estar en una banda —se apresuró a aclarar Dante—. Nosotros también tenemos nuestro grupo, somos casi todos latinos, pero no estamos cerrados a más gente.

—Salimos juntos, vamos al parque a charlar, escuchamos música... —enumeró Erika.

—Sííí, y los fines de semana salimos a rumbeaaar —añadió Dante moviendo las caderas.

Las chicas se rieron.

—Bueno, nos gusta bailar —dijo Erika risueña—, y no tanto ir de botellón como hacen acá los españoles.

—Yo soy española —les recordó Tina, y los tres parecieron un tanto confusos.

—Para ti a lo mejor es diferente porque llevas aquí toda la vida —trató de explicarse Brenda—, pero a los que llegamos acá hace poco, a veces nos gusta quedar entre nosotros, hablar de cómo era todo allá en Colombia, en Ecuador, en Bolivia... Por eso tenemos nuestro grupo, pero no hacemos nada malo, solo salimos a bailar y a divertirnos.

—La banda de Rosales es otra cosa —prosiguió Dante, moviendo la cabeza con disgusto—. Te ofrecerán entrar en ella a cambio de protección...

—¿Protección? —repitió Tina sin comprender.

—Por eso muchas veces nos juntamos los latinos —siguió explicando Brenda—, para defendernos de los insultos racistas. Pero los amigos de Rosales se pelean duro a veces, incluso con otros latinos, algo que yo nunca pude entender.

—Y además de eso hacen otras cosas —apuntó Dante—. A mi hermano mayor lo invitaron a entrar, y él fue a informarse, pero cuando los conoció un poco más ya no quiso ir con ellos.

—¿Por qué? —preguntó Tina—. ¿Qué hacían?

—No sé, no me lo contó.

—Lo que tratamos de decirte —recapituló Brenda—, es que no te dejes enredar por ellos. Somos muchos los latinos en el instituto que no estamos en esa banda ni tampoco en la otra. Así que si te sientes sola o necesitas un grupo de amigos, ya sabes que puedes contar con nosotros.

—Oh, pues... muchas gracias —murmuró Tina, conmovida.

—A lo mejor te aburren un poco nuestras charlas si nos ponemos nostálgicos —añadió Brenda riendo—, pero no lo hacemos siempre, y tenemos amigos españoles que vienen con nosotros también.

—Mi novio es español —dijo Erika muy bajito, poniéndose colorada.

Tina reiteró su agradecimiento y les prometió que quedarían alguna vez.

Aquella tarde se volvió invisible para rondar de nuevo por el barrio. Era consciente de que le había dicho a Salima que se retiraba, pero se sentía incapaz de quedarse sin hacer nada, confiando simplemente en que Alexis encontraría la manera de proteger a Rodrigo. Sin embargo, cuando dio un escarmiento a un hombre que molestaba a una chica, no pudo evitar la tentación de dejar su «firma».

—Soy el fantasma justiciero —susurró al oído del acosador, que soltó un grito aterrorizado—. Y tú vas a aprender que «no» significa «no», o de lo contrario...

No tuvo que decir nada más. El hombre salió corriendo, dando alaridos, y Tina se rio para sus adentros.

Su actividad superheroica, sin embargo, no le sirvió para apartar de su mente la preocupación que sentía por Rodrigo. Reprimió la tentación de volver a seguirlo, aunque se habría sentido mucho más tranquila de haber podido acompañarlo para protegerlo de Jimmy y los suyos. Pero tampoco podía olvidar la conversación que habían mantenido aquella mañana, y la forma en que Rodrigo la había mirado cuando hablaba del fantasma de su hermano. «No puedo volver a hacerle eso», se repetía Tina. «No está bien».

Pero entonces, ¿de qué otra manera podría ayudarlo?

Por fin, a última hora de la tarde se dejó caer por el bar de Jimmy por si conseguía averiguar alguna otra cosa, ya que fue lo único que se le ocurrió. Estuvo rondando por allí, espiando a Jimmy, pero este se comportó con normalidad, atendiendo a sus clientes, entre los que, en esta ocasión, no se encontraba ningún policía. En torno a las ocho y media, sin embargo, recibió una llamada en su móvil y le dijo a Marga:

—Tengo que salir un momento.

—¿Qué dices? —protestó ella—. ¡Si es casi la hora de las cenas!

—Será solo un momento, nena.

Salió del bar con paso ligero, y Tina lo siguió.

No fue demasiado lejos. Su destino se encontraba a un par de manzanas del local, en un callejón al que daba la puerta trasera de un restaurante que llevaba un par de años cerrado. Allí, sentado en el escalón de la puerta, con el rostro oculto bajo la capucha de una sudadera a pesar del calor, estaba Luis Daniel.

—¿Qué quieres, loco? —susurró Jimmy irritado—. ¿No te dije que no me llamaras?

El joven se puso en pie de un salto, pero se mantuvo entre las sombras del dintel.

—¿Quién más sabe lo de Herrera, Jimmy? —preguntó a su vez.

—¿Quién más? —se sorprendió él—.Pues quien ha de saberlo, Luis. ¿De qué estás hablando?

—Alguien nos está chequeando. Hoy vino Alexis a hablarme del asunto. Y no lo supo por mí.

Hubo un breve silencio.

—Bien, ¿y hablaste con él? ¿Se lo dejaste todo claro?

—Sí, pero no lo vi muy convencido. Ese nos dará la puñalada, Jimmy. Al tiempo.

—Ten fe. Y sigue el plan, porque es el mejor que tenemos. Pero solo funcionará si se hace hoy. Si dejamos pasar la oportunidad, habrá que hacerlo de otro modo y tomará más tiempo.

—¿Y si Alexis nos lo jode?

Jimmy rio.

—Bueno, es el mejor plan que tenemos, pero no el único. Si no sale bien, ya mañana lo hablaremos. Pero ahora deja de preocuparte y métele mano. ¿Está todo listo ya?

Luis Daniel asintió.

—Tranquilo, jefe. Si nadie lo chotea, esta noche ese chico estará tan muerto como su hermano.

Tina inspiró hondo, horrorizada, y huyó de allí sin esperar más.

Fue primero a casa de Rodrigo, y llamó a su timbre por segunda vez en el mismo día.

—¿Quién es?

—¿Está Rodrigo?

—¿Quién es?

—Soy una amiga. ¿Se puede poner? Tengo que hablar con él, es importante.

—Ha salido a cenar con unos amigos.

El corazón de Tina se detuvo un breve instante.

—¿Qué amigos?

—No lo sé. Llámalo al móvil y déjame tranquilo, ¿quieres?

Tina apreció que la voz del padre de Rodrigo sonaba pastosa, casi líquida, y arrastraba un poco las palabras. No quiso molestarlo más. Se despidió y se alejó del portal, pensando a toda velocidad.

No tenía ni idea de dónde empezar a buscarlo. Ni siquiera podía avisarlo, porque no sabía su número de móvil. Se le ocurrió volver sobre sus pasos para pedírselo al padre de Rodrigo, pero enseguida desechó la idea. Porque se le ocurrió otra mejor.

En menos de veinte minutos, después de una alocada carrera, se había plantado ante el portal de Salima. Llamó al timbre; respondió su hermana Asmae, y para cuando consiguió que ella se pusiera al interfono, ya había perdido cinco valiosos minutos más.

—Vamos a cenar, Tina. ¿Qué pasa? —preguntó su amiga, inquieta.

—¿Tienes el número de móvil de Rodrigo?

—Sí, pero...

—Llámalo y pregúntale dónde está.

—Pero...

—Tú hazlo, Salima. Es importante. —Reflexionó un momento y añadió—: Es cuestión de vida o muerte.

—Me estás asustando, Tina —respondió Salima.

Pero se retiró del interfono. Tina esperó varios minutos más, mordiéndose las uñas de impaciencia. Después de un rato que se le hizo eterno, la voz se Salima volvió a sonar por el interfono.

—¿Tina?

—¿Sí?

—No responde. Su móvil está apagado o fuera de cobertura.

—No puede ser... —se desesperó ella.

—¿Qué es lo que pasa, Tina?

—No te lo puedo contar por aquí...

—Espera, que bajo.

—¡No hay tiempo! Mira —añadió, bajando la voz—, creo que van a ir a por Rodrigo esta noche. Creo que quieren matarlo...

—¿¡Que quieren matarlo!? —chilló Salima.

—¡No grites! ¿Sabes dónde puede haber ido? Su padre me ha dicho que ha salido a cenar.

—¿Que quieren matarlo? —repitió Salima moderando el tono de voz—. ¿Te refieres a los esbirros de Gato?

—No, no, la banda de Jimmy...

—¿La banda de Jimmy?

—¿Quieres dejar de repetir todo lo que digo? Es una historia muy larga, ¿vale? Dime, ¿dónde puede haber salido a cenar?

—Pues... no sé, por la calle de los bares, ¿no? Y si no está por allí ahora, quizá se acerque después de cenar.

Tina suspiró.

—Vale, lo buscaré allí. Gracias, Salima.

—¡Espera, no te vayas! ¿Qué puedo hacer yo? ¿Llamo a la policía?

—¡No, ni se te ocurra! —Tina se acercó al interfono todo lo que pudo para susurrar—. Los polis están en el ajo también. No podemos confiar en ellos.

—¿Qué? Pero entonces, ¿qué...?

—Sigue llamando al móvil de Rodrigo. Si consigues hablar con él, dile...

—¿Sí?

—Dile que está en peligro. Cuéntale lo que he averiguado, y si no te cree, dile que sabes que Alexis estuvo hablando esta tarde con Luis Daniel. Dile que Luis Daniel le ha mentido, que es verdad que hay un plan para matar a Rodrigo, y que va a ser esta noche.

—Ostras, Tina, eso es muy fuerte. En serio que deberíamos llamar a la policía...

—¡No! Mira, Salima, no puedo entretenerme más. Por favor, intenta localizar a Rodrigo como sea.

—Tina... —Pero ella ya había salido corriendo y no oyó las últimas palabras de su amiga—, ten cuidado, ¿vale?

23

Tardó casi un cuarto de hora en llegar a la llamada «calle de los bares», que a aquellas horas presentaba bastante actividad: jóvenes que iban de fiesta, parejas que salían a cenar... Tina localizó en un banco a un grupo de chicos de su instituto y prácticamente se abalanzó sobre ellos:

—Perdonad, ¿habéis visto a Rodrigo Herrera?

—Hey, hey, ¿a dónde vas tan deprisa? ¿Vas a perder el tren?

Tina resopló.

—Por favor, ¿alguien ha visto a Rodrigo Herrera? —insistió—. ¡Es muy urgente!

—Yo, no.

—Yo, tampoco.

Tina les dio las gracias y siguió buscando, desesperada. Al principio preguntaba solo a la gente de su instituto, después empezó a abordar a todos los adolescentes que veía, a pesar de que muchas veces le respondían que no sabían quién era ese tal Rodrigo.

Por fin consiguió una pista.

—¿Herrera? —dijo una chica—. No, no lo he visto, lo siento.

—Espera, yo sí —intervino su amiga—. Iba hace un rato con Rosales camino del instituto.

—¿Camino del instituto? —quiso asegurarse Tina.

—Se fue por esa calle, no sé... Tampoco los seguí —respondió ella encogiéndose de hombros.

Tina le dio las gracias y salió disparada en la dirección indicada.

Efectivamente, la calle que la chica le había señalado conducía al instituto. Tina se asomó al restaurante chino y a los dos bares que había de camino, pero no los vio; y tampoco los encontró sentados en los bancos de la calle. Por fin, cuando sus pasos la llevaron hasta el portón del centro, se detuvo, pensativa.

El instituto estaba cerrado a cal y canto, y sus luces, apagadas, como era de esperar un viernes a las diez de la noche. Tina se preguntó, desalentada, qué hacer a continuación. Su única pista terminaba allí. Miró a su alrededor, en busca de alguien a quien preguntar por Rodrigo y Alexis, pero la calle estaba desierta.

Iba a dar media vuelta cuando oyó unas risas. Alzó la cabeza, desconcertada. Parecían proceder del interior del instituto, y se preguntó con extrañeza quién se habría colado en el recinto, y para qué.

Entonces tuvo una corazonada.

Se volvió invisible y trató de trepar a lo alto de la valla que delimitaba el perímetro. Le costó bastantes intentos y un roto en la pernera de los vaqueros, pero finalmente se dejó caer al otro lado, doblando las rodillas para reducir el impacto. Se incorporó y prestó atención.

Ya no se oían risas, pero desde arriba le llegaron unos susurros apagados. Alzó la cabeza y el corazón le latió más deprisa cuando comprendió que las voces procedían de la azotea.

La puerta principal estaba cerrada, de modo que rodeó el edificio buscando el lugar por donde se habían colado los intrusos. Descubrió entonces que una de las ventanas del gimnasio estaba medio abierta. Se aupó hasta el alféizar y se propulsó hacia el interior. Perdió el equilibrio y cayó, con una exclamación de alarma, sobre un montón de colchonetas. Se levantó como pudo, exhalando un suspiro de alivio.

Recorrió los pasillos en penumbra hasta las escaleras. Subió al último piso en silencio y se encontró con que la puerta que conducía a la azotea había sido forzada. La abrió con cuidado, pero no pudo evitar que las bisagras chirriaran.

—¿Qué fue eso? —exclamó Alexis de pronto.

—No veo nada —respondió Rodrigo—. Debe de haber sido el viento.

Tina se deslizó pegada a la pared, inmensamente aliviada al ver que Rodrigo estaba a salvo.

Los dos chicos se habían acodado en el antepecho y sostenían sendos botellines de cerveza. Tina se percató de pronto de que estaban situados exactamente en el mismo lugar desde el que Adrián Herrera se había precipitado al vacío, dos años atrás.

—Pues, como te estaba contando —prosiguió Rodrigo—, gané yo la apuesta y Adrián me dio el billete que me había prometido. Aquella misma tarde le pedí a mi madre que me llevara al quiosco, y pedí una bolsa de chucherías encantado de la vida... y entonces saqué el dinero y los adultos me dijeron que con eso no podía pagar, que era un billete de pega del Monopoly.

Alexis se rio a carcajadas.

—¡Qué mamón! Pero ¿qué edad tenían?

—Yo tenía cuatro años y él seis o siete, creo.

—¿Te hablé de la vez que le pedí prestado y estuve un mes sin devolvérselo? ¿Sabes lo que hizo?

—No, ni idea.

—Pues un día dijo que me invitaba a comer en un sitio nuevo. Nos pusimos a reventar, y en los postres él dijo que se iba un momento a mear... y ya no volvió.

Rodrigo se rio.

—¿En serio?

—Sí, nene, me quedé esperándolo como media hora y luego hube de pagarlo todo yo. En compensación por el dinero que le debía, me dijo después.

Los dos siguieron compartiendo risas y anécdotas durante un rato. Tina se recostó junto a la pared con una sonrisa en los labios, procurando no moverse mucho para no sobresaltarlos.

—Por Adrián —brindó finalmente Alexis, alzando su cerveza—. Por sus dieciocho años, esté donde esté.

Rodrigo se estremeció un poco, pero solo Tina lo notó.

—Por Adrián —dijo sin embargo, chocando su botellín con el de su amigo.

Bebieron un par de tragos en silencio, y entonces Alexis dijo:

—¿Sabes? Hay muchas cosas que no te conté sobre Adrián. En su momento él no quiso que las supieras, pero ya qué más da.

—¿Sí? ¿Qué tipo de cosas?

Alexis suspiró.

—Tú sabes que no le caían bien mis amigos.

—Sí, ya he visto a qué dedicáis el tiempo libre. —La voz de Rodrigo se endureció.

—No nos juzgues, nene, así es la vida para nosotros. Pura cuestión de supervivencia. Ya sabes lo que dicen: «Si la vida te da la espalda, tócale el culo».

—«Si la vida te da limones, haz limonada». Eso es lo que decimos nosotros por aquí.

—Son dos maneras diferentes de verlo.

—Bueno, ¿y qué tienen que ver tus amigos con Adrián?

—Durante un tiempo se vino mucho con nosotros —rememoró Alexis—. Se veía que quería integrarse, ser uno más... Y fue entonces cuando Luis Daniel descubrió que nos estaba espiando.

—¿Cómo?

Tina se irguió, atenta.

—Tomaba nota de las cosas que hacíamos, de los negocios de la banda... Me dijo que solo era para hacerme ver que mis socios no eran buena gente, pero lo cierto es que estaba reuniendo pruebas para ir a la policía.

Rodrigo no reaccionó.

—Era un chota, ¿comprendes? —siguió Alexis con cierta impaciencia—. Acá en España les dicen chivatos.

Rodrigo se aclaró la garganta.

—¿Qué estás intentando decirme? —preguntó con voz ronca—. ¿Que mi hermano los denunció?

—No, Rodrigo. Lo que intento decirte es que no tuvo tiempo, porque no lo dejaron.

Hubo un silencio tenso, como si el tiempo se detuviera mientras Tina y Rodrigo asimilaban aquella información.

Entonces Rodrigo se apartó de un salto. Tina se levantó, con el corazón latiéndole con fuerza. Cuando el chico habló, lo hizo con lentitud, como si estuviese escogiendo muy bien las palabras:

—¿Me estás confesando que tus amigos... que Luis Daniel, o ese tal Jimmy... mataron a mi hermano?

Alexis sonrió amargamente en la penumbra.

—No, nene. Ni Jimmy ni Luis Daniel mataron a tu hermano. —Suspiró antes de concluir—: Fui yo.

Tina dejó escapar una exclamación de sorpresa, que quedó ahogada por la risa nerviosa de Rodrigo.

—Esto es una broma de muy mal gusto, Alexis —le advirtió—. Y más en un día como hoy.

La sonrisa de Alexis se acentuó.

—Veníamos acá a menudo, ¿sabes? A tomar el fresco y hablar de nuestras cosas. Fue mucho más sencillo de lo que esperaba. Le dije: «Mira, por allá viene Paula con sus amigas», y se asomó enseguida, porque estaba muy enchulado de la tal Paula. Después solo tuve que empujar... Fue hasta demasiado fácil —concluyó, con una tristeza extraña.

Rodrigo empezó a temblar violentamente.

—Estás de broma —acertó a decir—. Estás de broma. Tú me dijiste que Tatiana...

—Esa boba nunca tuvo nada que hacer con él. Se lo dije a Jimmy, que no la mandara a seducirlo, que ella estaba loca por ese idiota de Gato y que a Adrián no le interesaba ella, pero aún así... Y ya ves, el plan fracasó, no conseguimos que Gato le partiera la cara a Adrián y tuve que intervenir yo.

Rodrigo empezaba a mirar a Alexis con otros ojos. Horrorizado, pero sin poder apartar la mirada de él, dio un paso atrás.

—Quieto ahí, nene —ordenó Alexis, y sacó una pistola del bolsillo de la cazadora—. No me lo pongas más difícil —añadió, encañonándolo.

Tina gritó. Los chicos dieron un respingo y miraron a su alrededor; Rodrigo trató de retroceder, pero Alexis volvió a dirigir el arma contra él.

—Quieto ahí —repitió.

Rodrigo se detuvo, aún sin terminar de asimilar lo que estaba sucediendo.

—No debería haberte contado todo esto —prosiguió Alexis—. Debía haberte lanzado para abajo sin más, igual que a Adrián —sonrió—. Ni siquiera lo habrías visto venir.

Rodrigo sacudió la cabeza.

—Me estás tomando el pelo. Dime que me estás tomando el pelo —suplicó.

Alexis lo miró con pena.

—Ojalá, nene. Yo no quería que pasara esto, ¿sabes? Porque de veras te aprecio. Pero eres igual que tu hermano, no puedes simplemente vivir tu vida, tenías que husmear en la de los demás...

—¿De qué estás hablando?

—Nuestros negocios son nuestro futuro, el único que tenemos. ¿Por qué no lo entendiste? —exclamó Alexis, frustrado—. Tenía que haber parado con Adrián. Tenía que haber parado con Adrián —repitió, casi obsesivamente.

—Alexis —casi sollozó Rodrigo—, no lo entiendo. ¿Por qué?

—Por eso no te he empujado todavía, Rodrigo. Para explicártelo. Porque te mereces saber la verdad.

—Muy bien, pues explícamelo, porque te juro que estoy tratando de entenderlo y no lo consigo —casi gritó Rodrigo, angustiado.

Mientras tanto, Tina se acercaba a Alexis en silencio. Sabía que solo tendría una oportunidad; el chico parecía muy excitado, y si no conseguía quitarle el arma, podría matarlos a los dos. Se detuvo a medio camino, sin embargo; temía que Alexis detectara su presencia antes de tiempo. «Calma, calma, no te precipites», se ordenó a sí misma. Debía esperar el momento adecuado. Parecía que Alexis tenía ganas de hablar, de modo que tal vez bajara la guardia.

—Adrián iba a delatarnos, Rodrigo.

—Sí, eso lo he entendido, pero sigo sin creer que tú fueras capaz de matarlo. Otro, tal vez, pero no tú.

Rodrigo tenía ya las mejillas empapadas en llanto. Tina respiró hondo y se obligó a mantenerse atenta y con la mirada fija en Alexis para aprovechar cualquier distracción.

—Yo, sí —replicó Alexis, y soltó una carcajada amarga—. ¿Y quién si no? Adrián sospechaba de todos los de la banda, menos de mí.

—Entonces lo engañaste... le hiciste creer que eras su amigo... desde que erais críos, Alexis. No, lo siento, no lo puedo creer. Inventa otra historia mejor.

—¡Yo era su amigo de verdad! —exclamó él—. Y por eso debía ser yo quien lo matara, ¿entiendes? Era mi prueba de ingreso.

Rodrigo se quedó helado. Tina, invisible, también.

—¿Tu qué?

—Mi prueba de ingreso. Debía hacer algo importante por la hermandad, algo que realmente me costara mucho. Para demostrar dónde están mi corazón y mi lealtad. No habría tenido el mismo valor si me hubiese tocado liquidar a cualquiera que pasara por la calle.

Rodrigo estaba boquiabierto.

—¿Mataste a mi hermano para entrar en una estúpida banda de delincuentes juveniles?

—¡No nos llames así! —bramó Alexis, amenazándolo con la pistola; Rodrigo alzó las manos para tranquilizarlo—. Tú no sabes nada, nene. Si no lo hacía, me quedaba fuera para siempre. Habría perdido la protección de la banda, sus oportunidades...

—Oportunidades —repitió Rodrigo estupefacto.

—Intenté mantener a Adrián al margen pero él no quiso, trató de atacarnos desde dentro... Y tuve que tomar una decisión.

—Y los elegiste a ellos —murmuró Rodrigo, que iba poco a poco asimilando todo lo que Alexis le iba contando.

—No había elección, nene. Nunca la hubo. Tu hermano quería estudiar, ¿sabes? ¡Estaba pensando en hacerse piloto! —se rio como si hubiese contado un chiste macabro—. Habríamos acabado distanciándonos, porque no había futuro en nuestra amistad. Adrián y yo éramos muy diferentes. Los muchachos de la banda, en cambio... sí son como yo.

—Yo pensaba que tú no eras como ellos...

—Sí —respondió Alexis con una triste sonrisa—, Adrián también cometió el mismo error.

Tina, estremecida, recordó entonces las palabras de Noemí: «Quien entra en la banda de Jimmy nunca más vuelve a salir, porque ellos se aseguran de comprar su lealtad». Tal vez Alexis había sido diferente años atrás, pero Jimmy se había encargado de convencerlo de que su única opción era unirse a su grupo de delincuentes. Al convertirlo en un asesino, además, había aniquilado cualquier futuro que hubiese podido tener fuera de la banda.

Rodrigo lo miraba con asco y horror.

—¿Por qué me cuentas todo esto ahora? ¿Cómo has podido guardártelo tanto tiempo? ¿Fingir que eras mi amigo cuando en realidad... habías asesinado a mi hermano a sangre fría?

—A sangre fría no, Rodrigo. Solo Dios sabe lo que me costó. —Ahora, también Alexis lloraba—. No sé ni cómo pude regresar a casa esa noche... todo me parecía irreal... como si estuviese drogado, ¿sabes? Al día siguiente fui al instituto como si acabase de despertar de una pesadilla. Y entonces vi la gente, la policía, el cuerpo de Adrián tapado con una manta... y me hundí... Ahí sí estuve a punto de confesarlo todo... Pero entonces pensé que no serviría de nada, que él estaba ya muerto y eso no se podía arreglar. Y todos decían que se había suicidado, así que... ¿para qué removerlo más?

Rodrigo temblaba violentamente, incapaz de pronunciar palabra. Alexis seguía tratando de justificarse:

—Le pedí perdón al cadáver de tu hermano y le juré que

cuidaría de ti como lo habría hecho él. Si te hubieses mantenido al margen...

—Estás loco, Alexis.

—Y en cuanto a por qué te cuento todo esto ahora —añadió Alexis secándose las lágrimas con rabia—, ya lo sabes. Se debe a que tienes que morir esta noche.

Rodrigo retrocedió, alarmado. Tina seguía con la mirada fija en el arma que sostenía Alexis, pero este la sujetaba con fuerza, y ella temía que la disparara si trataba de arrebatársela.

—Pero ¿no habías superado ya tu prueba de ingreso? ¿Es que mi hermano no está lo bastante muerto?

Alexis sacudió la cabeza.

—La primera vez es la más difícil. Pero si lo haces una vez... ya qué importancia tiene repetirlo. Le juré a Jimmy que no serías una molestia, que te mantendría vigilado, y que si metías las narices, yo mismo me encargaría de ti. Pero la jodiste al meterte en la pelea, nene. Lo teníamos todo preparado para que Gato muriera esa tarde, y tuviste que llamar a la policía y fastidiarlo todo.

—¿Cómo dices?

—Y sigues haciéndolo, enterándote de las cosas no sé cómo, colaborando con la policía... Eres tan chota como tu hermano y ahora te tengo que matar.

Rodrigo dejó escapar un jadeo de incredulidad.

—¿Tú te estás oyendo, Alexis? ¿Hasta cuándo piensas seguir con esto? Dime, ¿qué más vas a tener que hacer para demostrar que eres digno de seguir a las órdenes de ese psicópata?

Alexis no respondió.

—¿Quién será el próximo? —insistió Rodrigo—. ¿Tu madre? ¿Tu hermana?

Alexis vaciló. Y Tina se abalanzó sobre él.

Le pareció que todo sucedía a cámara lenta y, sin embargo, apenas tuvo tiempo para pensar. Agarró a Alexis por la muñeca y trató de obligarlo a que soltara el arma, desviándola para que dejara de apuntar a Rodrigo. El joven gritó alarmado al sentir aquel cuerpo invisible forcejeando contra él. Tina estuvo a punto de arrebatarle la pistola, pero de pronto esta se disparó y ella se quedó paralizada de miedo un instante. Alexis se recuperó, sostuvo el arma con fuerza y golpeó a ciegas para librarse de su adversaria. Le acertó en el pecho y la hizo retroceder con un jadeo de dolor.

Tina se dispuso a atacarlo de nuevo, pero se detuvo, horrorizada. Alexis había recuperado el equilibrio y apuntaba el arma a su alrededor, en busca de un enemigo que no podía ver, con los ojos desorbitados y las aletas de la nariz dilatadas de puro terror.

—¿Qué está pasando aquí? ¿Qué es esto?

Rodrigo había asistido a aquella breve y extraña batalla, tan aturdido que no había acertado a moverse. Reaccionó por fin ante la pregunta de Alexis:

—Has disparado ese trasto —murmuró—. Podrías haberme dado. Tú...

Alexis resopló y lo encañonó de nuevo.

—No lo entiendes, ¿verdad? —Tina se estremeció ante la angustia y el dolor que destilaban sus palabras—. No quiero dispararte porque debes morir igual que tu hermano, pero lo haré si no me dejas opción.

De pronto el aullido de una sirena resonó por las calles adyacentes. Alexis miró a Rodrigo, furioso.

—¿Llamaste a la policía? ¿Cómo pudiste llamar a la policía?

—¿Qué? —soltó Rodrigo, anonadado—. Yo no he llamado a nadie. ¿Cómo podría haberlo hecho? ¿Por telepatía?

Alexis echó un vistazo por encima del antepecho y vio

los coches patrulla frenando bruscamente ante el portón de entrada. Soltó una imprecación.

—Yo no los he llamado —repitió Rodrigo, sin poder ocultar el alivio en su voz—, pero están aquí. Ríndete, Alexis.

—No puedo —murmuró él—. No puedo. Soy un asesino, ¿no lo ves?

Rodrigo avanzó muy lentamente, con las manos en alto.

—Quieto —le advirtió Alexis.

—Baja el arma y...

Solo pudo dar un paso antes de que Alexis apretara el gatillo. Sintió de pronto que algo cálido y pesado se arrojaba sobre él, dejándolo sin aliento y haciéndole perder el equilibrio, oyó una detonación, después un grito, luego otra más...

...Y de pronto tenía a Tina entre sus brazos.

Los dos cayeron al suelo. Rodrigo sostuvo a su amiga, desconcertado.

—¿¡De dónde has salido tú!? —gritó entonces Alexis, aterrado—. ¡No estabas aquí! ¡No estabas aquí!

Los apuntaba todavía con la pistola, pero la mano le temblaba como si fuese de gelatina.

—Valentina... —murmuró Rodrigo, sin comprender todavía lo que estaba pasando.

La chica alzó la cabeza y le sonrió con todas sus fuerzas antes de desvanecerse... para que su sonrisa, como la del gato de Cheshire, fuese lo último que viera Rodrigo de ella.

El chico se miró las manos y las vio llenas de sangre, justo un instante antes de que la policía irrumpiera en la azotea y se desatara el infierno.

Salima colocó la palma de la mano sobre el cristal y elevó una oración silenciosa por la persona que yacía al otro lado, tendida en una cama de hospital y completamente entubada.

—Salima —dijo una voz a su espalda, sobresaltándola.

Ella se volvió.

—Ah, eres tú. Qué susto me has dado. ¿Dónde estabas? Acabo de llegar y no he visto a nadie...

Rodrigo se colocó a su lado; Salima leyó el cansancio y el desaliento en la palidez de su rostro, en sus ojeras y en su cabello revuelto.

—Gracias por venir —murmuró el chico—. La madre de Tina está hablando con los médicos, y yo tenía una conversación pendiente con la policía.

—¿Se pondrá bien? —preguntó ella, inquieta—. He preguntado aquí y allá, pero nadie me ha sabido responder.

Rodrigo se frotó un ojo con un suspiro.

—Porque no lo saben, supongo. La operaron de urgencia nada más llegar, pero aún está muy grave. Tiene dos heridas de bala; la primera no era mortal, pero la segunda... En fin, que tiene varios órganos muy dañados y no saben cómo va a evolucionar.

—¡*Ya-Allah!*—musitó Salima—. Pero ¿cómo es posible? ¿Qué ha pasado?

Rodrigo suspiró otra vez.

—Alexis me disparó —explicó; Salima lanzó una exclamación consternada—. Era a mí a quien quería matar, pero Tina salió de pronto de no sé dónde y se puso en medio... Y Alexis se asustó al verla y disparó otra vez. —Rodrigo hizo una pausa y prosiguió, con la voz teñida de emoción—. Me salvó la vida, Salima. No la oí ni la vi venir, y de pronto allí estaba, entre mis brazos, muriéndose.

Salima le oprimió el brazo en señal de afecto.

—Tú tenías razón —dijo entonces Rodrigo, comido por la angustia—. Alexis no era buena gente, y yo, que me creía tan listo y tan perspicaz... no fui capaz de verlo.

—No quisiste verlo, que es diferente —murmuró Salima—. Pero los sentimientos pueden confundir al más sagaz de los investigadores, Rodrigo. Después de todo, somos humanos.

—Ojalá hubiese sido más reflexivo y menos sentimental. Entonces habría desconfiado de Alexis, y Tina no estaría ahora en esta situación.

—No te tortures echándote la culpa de las malas acciones de otros. Ni te atribuyas sus méritos tampoco. Si Tina ha arriesgado su vida por ti no lo ha hecho como consecuencia de tu estupidez, sino a causa de su propia valentía.

—Claro que sí —replicó él, sorprendido—. No lo he dudado ni por un momento. No se lanzó sobre mí por casualidad, lo hizo a propósito... para protegerme —concluyó, emocionado.

—Es una heroína —susurró Salima, y Rodrigo asintió con energía y los ojos llenos de lágrimas.

Se quedaron en silencio unos instantes. Entonces llegó el agente Durán y se reunió con ellos.

—¿Estáis bien, chicos? Ha sido una noche muy larga.

Rodrigo asintió, sin apartar la vista de la figura inerte de Tina.

—Todavía no entiendo qué pasó —dijo Salima sin poderse contener—. Nadie me lo ha podido explicar. ¿Por qué disparó Alexis? ¿Por qué quería matar a Rodrigo?

—No lo tengo claro aún —respondió el chico sacudiendo la cabeza—. Dijo que me estaba entrometiendo, pero yo jamás habría adivinado que él había matado a mi hermano. Solo lo sé porque él me lo contó.

Salima lanzó una exclamación de sorpresa.

—¿Que mató a tu hermano? ¿Alexis?

—Es una larga historia. —Rodrigo cambió de tema para no tener que volver a enfrentarse a ello—. También habló de ciertos negocios de su banda, de los que, por cierto, tampoco tengo idea. Insinuó que habían organizado la pelea solo para matar a Gato, y se ve que Tina y yo les fastidiamos el plan al pasarnos por allí y avisar a la policía.

—¿Necesitaban organizar una pelea para matar a Gato? No lo entiendo.

—Yo tampoco.

—Lo que pretendían era encubrir los motivos por los cuales querían asesinar a Gato —intervino el agente Durán—. Si lo acuchillaban durante la pelea parecería un ajuste de cuentas dentro de la dinámica de las bandas, pero había algo más: resulta que Gato y los suyos habían comenzado a traficar con drogas y se ve que invadieron la zona de influencia de la banda de Jimmy.

Hubo un breve silencio.

—¿Qué? —soltó Rodrigo entonces.

—Es un poco largo de contar. Nosotros siempre hemos pensado que los camellos del barrio están demasiado organizados para ir cada uno por su lado. Pero no dábamos con la persona o personas que movían los hilos detrás, los que controlaban el cotarro, vamos. Pues ha resultado que eran Jimmy y sus chicos.

—No puede ser. Si no son más que unos pandilleros con pocas luces...

—Eso es lo que Jimmy quería que pensáramos todos. Y es lo que de hecho serían esos chicos sin él. Pero ese tipo es condenadamente listo. Muchas bandas entran en el tráfico de drogas a pequeña escala, pero él convirtió a la suya en una red criminal muy bien organizada. El error de Gato fue atreverse a pisarle el terreno.

—¡Y Tina y yo los pusimos sobre aviso! —comprendió Salima de pronto—. Nosotras le contamos a Rodrigo que Gato y sus amigos traficaban con droga. Alexis estaba delante cuando lo dijimos.

—Sí, y él respondió que eso no podía ser verdad, que nunca se atreverían —recordó Rodrigo—. ¿Iría entonces con el cuento a Jimmy?

—Tal vez —respondió Durán—, o quizá se enteró por otro lado.

—Y ahora que lo pienso, Alexis también dijo que veía a los camellos en el descampado cuando salía a pasear al perro —rememoró Salima—, y recuerdo que pensé: «sí, claro, a pasear al perro». Porque nadie en el barrio se deja caer por allí a esas horas a no ser que quiera comprarles alguna cosa. No se me ocurrió que él pudiera ser uno de los vendedores. ¿Lo era?

—Ya no lo sé —dijo Rodrigo, abrumado—. Probablemente.

—El caso es que Jimmy decidió que Gato era una molestia y que tenía que quitárselo de en medio —siguió explicando Durán—. Podrían haberlo matado sin más, pero entonces habríamos tirado del hilo, habríamos llegado tarde o temprano al verdadero móvil del crimen y habríamos descubierto toda la trama de narcotráfico que había detrás. Pero cuando tienes a un chaval cosido a navajazos en medio de una pelea multitudinaria... no parece que haya mucho más que rascar. Sobre todo si es ese mismo chaval el que le ha buscado las cosquillas a la banda rival desafiándolos en público.

—Y por eso los chicos de Jimmy le tiraron los tejos a Tatiana en la discoteca —siguió hilvanando Salima—. Para que fuera Gato el que los desafiara. Alexis nos contó que fue Tatiana quien los provocó a ellos, pero estaba claro que mentía.

—Alexis mintió en muchas cosas —murmuró Rodrigo, dolido.

—Fue una jugada retorcida, pero muy hábil —admitió Durán—. En la confusión de la pelea sería difícil discernir quién había matado a Gato en realidad, y tampoco era probable que sus amigos declararan algo al respecto. Tienden a protegerse unos a otros.

—Aún me cuesta creer que Alexis estuviera al tanto de todo esto.

—Ha sido él quien nos lo ha contado todo. Se ha venido abajo en cuanto lo hemos detenido.

—¿Cómo... cómo está? —preguntó el chico tras un instante de silencio.

—Le han curado ya la herida de la pierna y nos lo llevaremos en cuanto le den el alta.

—¿Qué le ha pasado? —quiso saber Salima.

—Los agentes le dispararon porque iba armado y había disparado primero —explicó Rodrigo—. Tiene suerte de seguir vivo.

El agente Durán asintió con gravedad.

—Ha preguntado por ti y por Tina. Pero te recomiendo que no vayas a verlo.

—No tenía pensado hacerlo. Tengo la sensación de que ya no lo conozco. Si es verdad todo lo que me contó...

—¿Que mató a tu hermano? —completó Salima con timidez—. Pero ¿cómo puede ser?

—Ahora lo comprendo todo un poco mejor —dijo Rodrigo, aunque todavía se mostraba un tanto perplejo—. Alexis me habló de que tenía que proteger los negocios de la banda, de que ahí estaba su futuro... Y yo pensé en robos y trapicheos de poca importancia. No imaginaba que estaba hablando de algo más gordo.

—Por lo visto, hace dos años Adrián amenazó con denunciarlos —asintió Durán—. Y por eso se libraron de él pero, nuevamente, lo dispusieron todo de manera que pareciera otra cosa. Un accidente, o un suicidio, con ruptura amorosa incluida. Cualquiera de las dos opciones habría parecido más probable que el asesinato, y además, en el caso de que hubiésemos investigado en esa dirección, los principales sospechosos habrían sido Gato y sus amigos. Y creo que esa era la intención de Jimmy desde el principio.

—Yo no creí que se hubiera suicidado —murmuró Rodrigo—. Pero sí pensé que lo había matado Gato. Caí en la trampa...

—No fuiste el único, tranquilo. A Gato y a sus amigos les gusta llamar la atención, y Jimmy se aprovechaba de ello. Hacía sus negocios en la sombra, con discreción, y cuando necesitaba un cabeza de turco, se las arreglaba para implicar a Gato de alguna manera. Este era un sospechoso habitual, de todas formas, así que a nadie le sorprendía. Lo que no comprendo —añadió, dirigiendo una mirada pesarosa hacia la adolescente que luchaba por su vida al otro lado del cristal— es cómo es posible que Tina se viera involucrada en todo esto.

—Ella quería ayudar —dijo Salima a media voz—. Se enteraba de cosas..., y quizá las dijo a las personas equivocadas.

—Pero ¿cuáles eran sus fuentes? Me contó algunas cosas que nosotros no habíamos olido ni de lejos.

Salima lo miró de reojo.

—Tina dijo una cosa extraña anoche, cuando pasó por mi casa —recordó—. Me dijo que Rodrigo estaba en peligro, que la banda de Jimmy lo quería matar, que tratara de contactar con él, pero —recalcó, eligiendo con cuidado las palabras— que no avisara a la policía. Porque... «están en el ajo también», dijo.

Durán suspiró, abatido.

—¿Cómo es posible que se enterara de eso?

—¿De qué? —preguntó enseguida Rodrigo.

El policía les dirigió una mirada apesadumbrada.

—A raíz de los recientes acontecimientos —les explicó—, hemos descubierto que algunas personas en la comisaría estaban compinchadas con Jimmy Ayala. Hacían la vista gorda ante sus «negocios» y a cambio se llevaban una jugosa comisión. Esto explica, entre otras cosas, por qué era tan difícil destapar la trama. No me siento orgulloso de decir que algunos de los nuestros alteraban pruebas, saboteaban investigaciones y proporcionaban información falsa. En fin, los de Asuntos Internos van a tener trabajo para rato con ellos.

Rodrigo pensaba intensamente.

—¿Tina hablaba a menudo con la policía sobre las investigaciones que llevaba a cabo? —preguntó de pronto.

—Solo conmigo, que yo sepa. Reconozco que algunas veces quizá la presioné un poco... pero hace un par de días ella misma vino a buscarme para hacerme preguntas. Acerca de Jimmy, precisamente. Me dijo que seguía en activo y que estaba detrás de algo gordo y, aunque no tenía pruebas, pensé que sería buena idea que alguien investigara el tema...

—¿Y contó usted a sus compañeros lo que Tina le había dicho?

—No llegué a hacerlo, no tuve tiempo. Bueno, espera, sí; creo que lo comenté con el agente Moreno... Oh —dijo de pronto, comprendiendo lo que Rodrigo intentaba decirle.

—¿Cree que Moreno puede ser uno de eso policías corruptos?

—Espero que no —respondió Durán, francamente impresionado—. Vaya, espero que no. Pero si es así... bueno, Moreno solo me vio hablar con Tina, pero es posible que pensara que esa información venía de tu parte, Rodrigo. Eres el que tiene la fama de investigador y entrometido, tú ya me entiendes. Y si él y Jimmy se sintieron amenazados de alguna manera...

Rodrigo no dijo nada. Durán sacudió la cabeza, anonadado.

—La investigación pondrá a cada uno en su lugar. Alexis está dispuesto a hablar, espero, y en cuanto detengamos a

Jimmy, los demás irán cayendo. Y estoy seguro de que cantarán los nombres de todos los agentes implicados, porque no estarán dispuestos a irse a la cárcel sin ellos. Si resulta que Moreno era uno de ellos... te deberé una disculpa muy gorda, Rodrigo. Por tenerlo delante de mis narices y no ser capaz de verlo. En mi defensa solo te diré que estaba seguro de que lo conocía bien. Está claro que me equivocaba.

—Sé lo que se siente —murmuró el chico.

—Tina lo descubrió —dijo Salima—. Tendría que haberla creído.

Durán negó con la cabeza.

—Ella tenía razón, pero hiciste bien en llamar a la policía después de todo. De no haber estado patrullando por la zona, no habríamos oído el primer disparo ni llegado a tiempo para detener a Alexis.

—A tiempo para mí, demasiado tarde para ella —musitó Rodrigo.

—Debería haber llamado antes —susurró Salima, con los ojos llenos de lágrimas—. Si hubiese llamado antes...

—No sé si habría cambiado en algo las cosas. No teníamos ninguna pista sobre el lugar donde se encontraban, y el instituto estaba cerrado.

—Qué estúpido fui al colarme allí con Alexis —suspiró Rodrigo—. El allanamiento no está entre mis *hobbies* de fin de semana, pero cuando me propuse subir a la azotea para homenajear a Adrián... pensé... bueno, no sé... se me cruzaron los cables, supongo.

El agente Durán iba a responder, pero una exclamación de disgusto interrumpió la conversación:

—¿Qué haces *tú* aquí? ¿Cómo te atreviste a venir?

Los tres se volvieron hacia la madre de Tina, que avanzaba hacia ellos hecha una furia. Tras ella corría un médico, alarmado ante su reacción.

—Yo... —empezó Salima al comprender de pronto que era el objeto de la ira de Camila; pero ella no la dejó terminar:

—¡Tú tienes la culpa de que mi hija se esté muriendo!

—¿Cómo dice? —soltó Rodrigo perplejo.

—Señora Reyes, cálmese —intervino el agente Durán, interponiéndose entre ella y Salima.

—¡Salima no tiene la culpa! —protestó Rodrigo—. Fue ella quien llamó a la policía. Si no lo hubiera hecho, Tina y yo estaríamos muertos ahora mismo.

Camila lo miró sin comprender.

—¿Qué estás diciendo? ¡Mi hija es una víctima inocente del terrorismo islámico!

—A su hija le ha disparado un chico que estaba en una banda latina —replicó Rodrigo.

—¿Te piensas que mi hija estaba en una banda latina solo porque es colombiana? —Miró a Rodrigo con profundo desprecio—. No sé por qué me sorprende todavía qué tan racista puede ser la gente en este país.

Todos se quedaron mirándola sin dar crédito a sus oídos.

—Rodrigo no ha acusado a su hija de ser una delincuente juvenil —dijo Durán con frialdad—. Al contrario: estos tres chicos, Salima incluida, nos han ayudado a detener a unos delincuentes muy peligrosos que están detrás de una importante trama de narcotráfico.

—¡Tina me ha salvado la vida! —añadió Rodrigo—. Y Salima avisó a la policía y ha colaborado en la investigación.

Camila deslizaba la mirada de uno a otro, sin terminar de comprenderlo. Y entonces se derrumbó.

—Valentina... —musitó, echándose a llorar—. Mi hija... Tiene que ponerse bien... Tiene que ponerse bien... Está protegida por una bendición, ¿saben ustedes?

—¿De verdad? —dijo Durán por cortesía.

—Cuando era una beba me la llevaba conmigo a trabajar

a la casa de una señora muy anciana —rememoró Camila entre sollozos—. Valentina correteaba por toda la casa y a ella no le importaba, porque vivía sola con una enfermera y ya no regía muy bien. Una tarde vinieron sus hijos porque la señora se estaba muriendo. Y mi Valentina entró en la habitación sin permiso y trató de treparse a su cama. —Suspiró entre lágrimas antes de continuar—. La señora le puso una mano en la cabeza y yo me llevé a la beba de allí y la regañé por estar buscando lo que no se le había perdido. Pero entonces la hija de la señora me dijo: «No la riñas, Camila, solo ha venido a que mi mamá le dé su bendición». Me contaron que la señora era muy respetada allá en su pueblo. Que la iban a visitar de muy lejos porque curaba a las personas. —Se rio con amargura—. Ya ven, puras papas. Pero pensé que mi niña sería especial. No imaginé que la vería así... —señaló el cristal de la habitación con un gesto vago—, tiroteada en un hospital —concluyó con profunda amargura.

—¡Ella es muy especial! —saltó Salima—. ¡No imagina usted cuánto! ¡Es maravillosa, buena y valiente!

—Su hija es una heroína, señora Reyes —declaró Rodrigo con firmeza.

—Es verdad —asintió el agente Durán.

Camila se echó a llorar otra vez; Rodrigo le pasó un brazo por los hombros, y Salima se unió a ellos, y los tres buscaron consuelo en aquel abrazo mientras, al otro lado del cristal, Valentina seguía caminando por el fino hilo que pende entre la vida y la muerte.

Ni Rodrigo ni Salima pudieron quedarse mucho tiempo más. Salima les había dicho a sus padres que iba a ver a Tina, sin especificarles que la chica estaba herida en el hospital; pero las noticias corrían rápido en el barrio, y ella no dudaba que a aquellas alturas ya les habrían llegado rumores de lo sucedido. A Rodrigo, por otra parte, le habían dicho que debía pasarse por la comisaría con su padre, y este fue a buscarlo al hospital en cuanto lograron contactar con él.

Antes de marcharse, sin embargo, ambos pidieron permiso para pasar a ver a Tina.

—De acuerdo, pero solo un momento —concedió el médico.

Entraron en la habitación y se detuvieron junto a la cama de su amiga sin saber qué decir.

—Ojalá se ponga bien —manifestó entonces Rodrigo, con un nudo en la garganta.

—Yo rezo para que así sea —respondió Salima.

—Yo no creo que haya nadie a quien rezar —opinó él—. No te ofendas.

—No me ofendo. Pero creo que es bueno rezar, aunque no estés seguro de que alguien te escuche. Porque al rezar expresas tu deseo de que todo mejore. A lo mejor por dentro estás pensando: «Por favor, por favor, que Tina se ponga bien», aunque no se lo digas a nadie en concreto.

—¿Y qué diferencia hay entre una oración y un deseo? No se va a cumplir solo porque tú lo quieras. Y si se cumple porque un dios lo ha decidido así, ¿no te parece injusto que algunas oraciones sean escuchadas y otras no?

—Yo no entro a valorar eso. No soy quién para decirlo. No sé si Dios me escuchará o no; pero sí sé que al rezar canalizo mi tristeza y mi impotencia hacia algo positivo. Si no rezara, esos sentimientos me ahogarían por dentro y acabarían por transformarse en ira y en odio —concluyó Salima, alargando la mano para tomar la de su amiga. La oprimió con fuerza, tratando de infundirle apoyo, pero la retiró de pronto, con brusquedad.

—¿Qué? —preguntó Rodrigo.

—Me ha dado un calambre. Seguramente por culpa de alguna de esas máquinas —añadió, dirigiendo una mirada de disgusto al soporte vital conectado a Tina.

Rodrigo detectó a Camila en el umbral; su lenguaje corporal mostraba claramente que se sentía incómoda con ellos allí dentro.

—Tenemos que irnos, Salima. Volveremos por la tarde —le prometió a Camila.

Tina no sobrevivió a aquella noche. Su cuerpo no pudo soportar los daños producidos por las balas que lo habían herido, y un fallo multiorgánico se la llevó al filo de las tres de la madrugada.

En el instituto recibieron la noticia con relativa sorpresa. Los pocos amigos de Tina la lloraron sinceramente, pero la mayoría de sus compañeros no sabían qué pensar de ella. Algunos, incluso, llegaron a comentar: «¿Valentina Reyes? No me suena». Rodrigo, muy afectado, quiso poner en marcha un número especial de *Voces* dedicado a ella, pero tuvo que dejarlo en un reportaje a doble página y un par de artículos porque solo él y Salima tenían alguna idea de lo que querían escribir. Rodrigo propuso entonces dedicarle un homenaje durante la fiesta de fin de curso, que aquel año sería mucho menos alegre y bastante más solemne. Y le dijo a Salima que escribiera unas palabras sobre Tina para leer en público.

—¿Yo? —preguntó ella—. ¿Por qué?

—Bueno, pues porque tú eras quien mejor la conocía, claro está. Y porque creo que es importante que la gente sepa quién fue, y lo que hizo.

Salima meditó unos instantes. Después dijo, con la voz preñada de emoción:

—¿Sabes qué? No creo que todo el mundo deba saber

quién fue y lo que hizo. A ella no le habría gustado y, de todos modos, nadie lo creería tampoco.

—¿Qué quieres decir?

—Pero —prosiguió Salima, mirándolo con intensidad—, sí creo que tú debes saberlo todo acerca de Tina. Así que ahora mismo nos vamos a ir a dar un paseo y me vas a escuchar sin interrumpirme durante un buen rato. Y después vas a escribir tú ese discurso sobre Tina. No vas a poner en él nada de lo que voy a contarte ahora, pero lo sabrás todo cuando lo escribas. Y cuando lo leas delante de todo el mundo.

—Salima, estás flipando un poco, ¿no?

—Espera a escucharme hasta el final y sabrás lo que es flipar de verdad, Herrera.

Salima habló durante mucho rato. Se interrumpió en varias ocasiones para llorar, incapaz de contenerse; pero retomó su relato todas las veces. Rodrigo empezó a escucharla sobrecogido; después la contempló con incredulidad e hizo ademán de interrumpirla, indignado. Pero Salima lo obligó a escuchar hasta el final, y, cuando terminó de hablar, Rodrigo se mantuvo también en silencio, tembloroso y con los ojos húmedos.

—No puedo creer lo que me estás contando —musitó al fin—. ¿Tina era...?

—El «fantasma justiciero» —confirmó Salima, y se echó a llorar otra vez—. Rodrigo, ¿te das cuenta de lo extraordinaria que era? No por sus poderes, sino... por lo que hacía con ellos.

—No puedo creerlo —repitió Rodrigo—. Y no sé qué me cuesta más aceptar: que luchase contra el crimen, que pudiera hacerse... invisible, según dices..., o el hecho... de que ya no esté entre nosotros. No lo puedo creer, Salima.

—Tú la viste en acción cuando te salvó de los matones de Gato.

Rodrigo se quedó contemplándola mientras asimilaba aquella nueva perspectiva.

—No la vi, pero...

—Ya me entiendes. Era ella, Rodrigo. Fue ella todo el tiempo. Y la gente no la veía —gimió de nuevo Salima, ahogada en llanto—. Y ahora ya no la veremos más.

Rodrigo cerró los ojos. Tampoco él pudo retener las lágrimas.

—Yo... yo pensaba que era el fantasma de mi hermano, y eso que ni siquiera creo en fantasmas en realidad —concluyó con una débil sonrisa—. ¿Cómo podía imaginar...? —se interrumpió, pero Salima terminó la frase por él:

—¿Cómo podías imaginar que Tina sería capaz de hacer algo así por ti? —lo ayudó con una sonrisa. Rodrigo sonrió también, porque no era eso lo que quería decir; pero Salima parecía obstinada en hablar de lo que Tina hacía con sus poderes, más que del hecho de que los tuviera—. Pues porque era muy grande por dentro, aunque pareciera pequeña por fuera.

Rodrigo no encontró palabras para responder a eso.

Se quedaron los dos en silencio un buen rato, lidiando con su pena. Después, primero vacilantes, luego con más aplomo, empezaron a hablar de Tina, a recordar anécdotas que había protagonizado, cosas que había dicho...

Pasaron toda la tarde recordando a su amiga, llorando a menudo, sonriendo a ratos. Solo al final, cuando se hubieron vaciado, volvieron a retomar aquel asunto para el que aún no habían hallado ninguna explicación.

—¿Cómo es posible que ella... pudiese volverse invisible? —planteó entonces Rodrigo.

—Ni lo sé ni me importa, Herrera —replicó Salima—. Pero tengo la teoría de que Dios... o el universo si lo prefieres, o el destino, o lo que creas tú que hay detrás de todo... le otorgó esos poderes para compensar de alguna manera.

—¿Compensar? ¿Qué quieres decir?

—Piensa en las historias de los cómics. —Salima se iba animando poco a poco—. Hay superhéroes porque hay supervillanos, ¿entiendes?

—¿Estás insinuando que hay más gente con poderes? ¿También entre los malos?

—Bueno, creo que Tina nunca llegó a toparse con otra persona con poderes, villano o no. Sin embargo, los malos pudieron con ella. Porque eran más. ¿Comprendes?

—No estoy seguro de seguirte.

—Imagina un patio de colegio y todos los niños jugando a polis y cacos. El juego tiene sentido si hay más o menos el mismo número de niños en cada bando; pero ahora imagina que los niños no quieren ser polis, que prefieren ser cacos, porque es más divertido huir y esconderse que correr con la lengua fuera detrás de los demás. Supón por un momento que, antes de empezar el juego, los niños pueden elegir en qué bando quieren estar, en lugar de echarlo a suertes. Y después resulta que tienes veinte cacos y cinco polis. ¿Quién crees que ganará la partida?

—Entiendo —asintió Rodrigo despacio.

—Supón que entonces llega un profesor y dice, por ejemplo: «No me parece justo. Pongamos una regla nueva: este poli podrá detener a los cacos que vea solo con llamarlos por su nombre, y no tendrá que capturarlos uno a uno. Para compensar».

—Ya veo.

—Bueno, es solo una teoría. A lo mejor el caso de Tina era algo excepcional y totalmente arbitrario. A lo mejor no hay nadie más como ella, o quizá sí los hay, y la invisibilidad es una especie de mutación genética aleatoria que le ha tocado a ella porque sí.

—Que podría ser.

—Podría ser, sí, pero ahora te planteo otra pregunta:

¿qué crees que hubiese hecho cualquier otra persona con ese poder? O mejor aún: ¿qué crees que habría hecho Tina si hubiese tenido cualquier otro poder? La conociste lo bastante como para imaginarlo: si hubiese tenido superfuerza, por ejemplo... jamás se habría atrevido a usarla para ayudar a los demás. Porque no quería ser el centro de atención. Pero el poder que tenía... precisamente ese y no otro, Rodrigo, date cuenta... era el poder perfecto para ella.

—Casualidad —sonrió Rodrigo.

—A mí me parece que hay algo de intencionalidad detrás, pero no voy a discutir contigo por eso porque no nos pondremos de acuerdo —replicó Salima sonriendo a su vez—. Pero sí quiero que escribas sobre ella y que cuentes al mundo lo que fue, y lo que hizo.

—¿Cómo voy a contar a la gente que podía volverse invisible?

—Eso no lo digas, porque no es necesario que nadie lo sepa. Basta con contarles que convivían con una persona extraordinaria y que muy poca gente lo supo ver, incluso cuando no utilizaba su poder.

Rodrigo bajó la cabeza; llevaba toda la tarde pensando que también él había sido una de aquellas personas incapaces de ver a Tina.

—Pero ¿por qué yo, Salima? —planteó de nuevo, sinceramente desconcertado.

—Porque a Tina le habría gustado escucharlo de tus labios, Rodrigo —se limitó a responder ella, sin añadir nada más.

Unas semanas después, durante la fiesta de fin de curso, alumnos y profesores se reunieron en el salón de actos para el homenaje a Tina. No había mucha gente, pero eso a los organizadores no les importaba. Sabían que las noticias corrían rápido, y que los presentes compartirían con los ausentes lo que se había dicho allí.

Los profesores hablaron de ella, pero las palabras de la mayoría de ellos sonaron forzadas y huecas. Se limitaron a decir que era una buena chica, que no se metía en líos y que su muerte había sido una tragedia para todos. Salima también habló de ella, de los buenos ratos que habían compartido juntas; pero dejó enseguida espacio en el atril para Rodrigo, que subió a la tarima, muy serio.

El chico inspiró hondo, miró a los asistentes, se aclaró la garganta y comenzó, con la voz repleta de emoción:

—Valentina Reyes era una desconocida para muchos de nosotros. Era tímida y no le gustaba llamar la atención. Le costaba trabar amistad con la gente, y por eso muchos pasaban por alto su presencia. Sin embargo, ella hizo cosas extraordinarias y cambió la vida de muchas de las personas que estamos aquí, aunque algunos no sean conscientes de ello.

Rodrigo siguió hablando. Compartió con sus compañeros cosas que ellos jamás habrían imaginado. Les mostró una faceta de Tina que les resultaba completamente desconocida. Les habló de su valentía, de su lealtad, de su compromiso y de su integridad. Les dijo que practicaba artes marciales para defender a la gente de los matones; que se había mezclado con los criminales del barrio solo para poder denunciarlos a la policía, con el riesgo personal que ello suponía; que gracias a su actuación se había desarticulado una poderosa red de narcotraficantes, y que con ello había cambiado para bien la vida de mucha gente.

Porque ella creía que debía luchar por hacer del barrio un lugar mejor para todos. Y había dado la vida por ello.

No habló de Adrián, ni de Alexis, porque todavía no estaba preparado para hacerlo. Pero no le hizo falta para poder finalizar su discurso con la única conclusión posible:

—Valentina Reyes era una heroína —dijo, y tuvo que parpadear para retener las lágrimas—. Y debemos recordarla como tal, por todo lo que hizo por nosotros en silencio, sin que fuéramos conscientes de ello. Gracias, Tina. De todo corazón.

El auditorio prorrumpió en aplausos, mientras Rodrigo, incapaz de seguir hablando, apartaba la cabeza bruscamente para que no lo vieran llorar.

Salima, junto a la puerta lateral del salón, también derramaba lágrimas silenciosas por su amiga ausente. Se fijó en los rostros de los presentes, en sus ojos húmedos. Allí estaba Camila en primera fila, con aquella ligera expresión de perplejidad que reflejaba su rostro cada vez que le hablaban de las cosas extraordinarias que había hecho su hija. Estaban también los padres de Rodrigo y la familia de Salima. En segunda fila, entre los alumnos que asistían al acto, se encontraban Brenda, Erika y Dante, muy afectados; y un poco más allá, Juanjo, que lloraba sin disimulo. Al fondo, tratando de pasar desapercibido, estaba el agente Durán, de paisano.

Salima sacudió la cabeza y se secó las lágrimas, embargada por la emoción. Salió del salón y avanzó ligera por el pasillo, en dirección a la redacción de *Voces*, donde tenía que recoger los ejemplares del nuevo número para repartirlos durante el descanso.

Todavía se sentía profundamente triste por la pérdida de Tina, pero una parte de su dolor se había aliviado con el acto al que acababa de asistir, como si fuera una cuenta pendiente que tuviera que saldar con su amiga. La imaginó sonrojándose, muerta de vergüenza ante aquel acto de sincero homenaje. Y sonrió para sí misma.

Se sintió entonces extraordinariamente liviana, como si pudiera echar a volar con solo desearlo.

Y al mirar hacia abajo constató, atónita, que estaba levitando a treinta centímetros del suelo.

Epílogo

Los primeros vientos del invierno sacudían los tejados y se colaban por los callejones, estremeciendo a los noctámbulos impenitentes. Ninguno de ellos alzaba la mirada al cielo, ni siquiera para contemplar la luna llena que lo iluminaba. Tal vez por eso no eran capaces de detectar la sombra rauda y sutil que se deslizaba por las alturas, saltando de azotea en azotea, como si fuese un gato de agilidad extraordinaria.

La figura se detuvo un momento al abrigo de una chimenea y escuchó con atención. Desde la calle le llegaban las voces de los viandantes, sobre todo las de aquellos que estaban de fiesta y habían bebido unas copas de más. Pero entre ellas le pareció escuchar un grito de miedo. La sombra se irguió, alerta. La luna iluminó una silueta femenina, vestida con ropa cómoda y zapatillas de suela de goma. Llevaba el cabello y parte del rostro cubierto por un *hiyab* para mantener en secreto su identidad, todo lo cual le daba una cierta apariencia de *ninja*.

Se oyó un segundo grito, y los ojos de la chica de los tejados brillaron de indignación. Flexionó las piernas y saltó... y voló literalmente como una flecha hasta el edificio de enfrente, que estaba a diez metros de distancia. Aterrizó sin ruido sobre la azotea, corrió hasta el otro extremo y se asomó al callejón que se abría más abajo.

Allí había un hombre acorralando a una mujer contra una pared. Era ella la que había gritado.

La muchacha voladora se encaramó al antepecho, abrió los brazos y se arrojó al vacío. Planeó unos instantes por encima de la desprevenida pareja y después se lanzó en picado sobre el agresor, dispuesta a hacer justicia una vez más.